佛藏經講義

——第十五輯

平實導師 述著

ISBN 978-986-06961-3-4

佛法是具體可證的，三乘菩提也都是可以親證的義學，並非不可證的思想、玄學或哲學。而三乘菩提的實證，都要依第八識如來藏的實存及常住不壞性，才能成立；否則二乘無學聖者所證的無餘涅槃即不免成爲斷滅空，而大乘菩薩所證的佛菩提道即成爲不可實證之戲論。如來藏心常住於一切有情五蘊之中，光明顯耀而不曾有絲毫遮隱；但因無明遮障的緣故，所以無法證得；只要親隨眞善知識建立正知正見，並且習得參禪功夫以及努力修集福德以後，親證如來藏而發起實相般若勝妙智慧，是指日可待的事。古來中國禪宗祖師的勝妙智慧，全都藉由參禪證得第八識如來藏而發起；佛世迴心大乘的阿羅漢們能成爲實義菩薩，也都是緣於實證如來藏才能發起實相般若勝妙智慧。如今這種勝妙智慧的實證法門，已經重現於臺灣寶地，有大心的學佛人，當思自身是否願意空來人間一世而學無所成？或應奮起求證而成爲實義菩薩，頓超二乘無學及大乘凡夫之位？然後行所當爲，亦不行於所不當爲，則不唐生一世也。

——平實導師

如聖教所言，成佛之道以親證阿賴耶識心體（如來藏）爲因，《華嚴經》亦說**證得阿賴耶識者獲得本覺智**，則可證實：證得阿賴耶識者方是大乘宗門之開悟者，方是大乘佛菩提之眞見道者。經中、論中又說：證得阿賴耶識而轉依**識上所顯眞實性**、**如如性**，能安忍而不退失者即是**證眞如**，即是大乘賢聖，在二乘法解脫道中至少爲初果聖人。由此聖教，當知親證阿賴耶識而確認不疑時即是開悟眞見道也；除此以外，別無大乘宗門之眞見道。若別以他法作爲大乘見道者，或堅執**離念靈知**亦是實相心者（堅持意識覺知心離念時亦可作爲明心見道者），則成爲實相般若之見道內涵有多種，則成爲實相有多種，則違**實相絕待**之聖教也！故知宗門之悟唯有一種：親證第八識如來藏而轉依如來藏所顯眞如性，除此別無悟處。此理正眞，放諸往世、後世亦皆準，無人能否定之，則堅持離念靈知意識心是眞心者，其言誠屬妄語也。

——平實導師

目次

自序

《佛藏經》之所以名為「佛藏」者，所說主旨即以諸佛之寶藏為要義。諸佛之寶藏即是萬法之本源——如來藏，《楞嚴經》中說之為「如來藏妙真如心」，《入楞伽經》卷七〈佛性品〉則說：「大慧！阿梨耶識者名如來藏，而與無明七識共俱，如大海波常不斷絕，身俱生故；離無常過，離於我過，自性清淨。餘七識者心，意、意識等念念不住，是生滅法。」大略解釋其義如下：

【所謂阿梨耶識（通譯阿賴耶識）又名如來藏，含藏著無明種子與七轉識種子，並與所生之無明及七轉識同時同處，和合相共運行而成為一個五陰有情。七轉識與無明相應而從如來藏中出生，每日運行不斷；意根每天一早促使意識等六心生起之後相續運作，與意識等六心和合似一，看似常住而不斷之心，其實是從如來藏中種子流注才出現的心，就是一般凡夫大師說的「清清楚楚明明白白」的心，早上睡醒再次出生以後，就與處處作主的意根和合運作看似一心。這七識心的種子及其相應的無明種子，每天同時從如來藏中流注出來，猶如大海波一般「常不斷絕」，因為是與色身共俱而出生的緣故。如來藏離於無常的過失，是常住法，不曾剎那間斷過；無始而有，盡未來際永無中斷或壞滅之時。如來藏亦離三界我等無常過失，迴無我見我執或我所執；其自性是本來清淨而無染污，無始以來恆自清淨，不與貪等六根本煩惱及其餘隨煩惱相應。其餘七轉識都是心，即是意根、意識與眼等五識，即是面對六塵境界時清楚明白的前六識，以及處處作主的意根；這七識心與無明種子都是念念不住的，因為是從如來藏中流注這七識心等種子於身中才有的，當色身出生以後，意根同時和合運作，意識等六識也就跟著現行而與色身同在一起，所以是與色身同時出生而存在的。而種子是剎那剎那生滅的，以此緣故說意根與意識等七個心是生滅法。若是證阿羅漢果而入無餘涅槃時，由於我見、我執、我所執的煩惱已經斷除的緣故，這七識心的種子便不再從如來藏流注出來，死時就不會有中陰身，不會再受生，便永遠消滅了，亦因此故是生滅法。】

在三種譯本的《楞伽經》中，都不說此如來藏心是第八識（第八識是通俗的說法），而是將此心與七轉識區分成二類，說如來藏一心是常住的，是出生「**意**」與「**意識等**」六識者，也說是出生色身者，不同於七識等心。所援引的上開經文，亦已明說如來藏「**離無常過，離於我過，自性清淨**」；從如來藏中出生的「**餘七識者心，意、意識等**」，都是「**念念不住，是生滅法**」。這已經很明確將如來藏的主要體性與七轉識的主要體性區分開來：一是能生，一是所生，能生與所生之間互相繫屬；能生者是常住的如來藏心，沒有三界我的無常過失，沒有我見我執等過失，自性是清淨的；所生的七識心，是念念生滅的，也是可滅的，有無常的過失，也有三界我的我見與我執等過失，是不清淨的，也是生滅法。

今此《佛藏經》中所說主旨即是說明此心如來藏的自性，名之為「**無名相法**」或「**無分別法**」，仍不說之為第八識，而是從各方面來說明此心；並且希望後世仍有業障而無法實證佛法的四眾弟子們，未來世中都能滅除業障而證得解脫及實相智慧。以此緣故，先從「**諸法實相**」的本質來說明如來藏，兼及實證此心者於實證前必須留意避免的過失，才能有實證的因緣；若墮邪見或誤導眾生，並有犯戒不淨等事者，將成就業障；於其業障未滅之前，縱使未來歷經無量無邊不可思議阿僧祇劫，奉侍供養隨學九十九億諸佛以後，仍無實證之可能。以此緣故，釋迦如來大發悲心，首先於〈諸法實相品〉廣釋實相心如來藏之各種自性，隨即教導學人如何了知惡知識與善知識之區別。善於選擇善知識者，於解脫及諸法實相之求證方有可能，是故以〈念佛品〉、〈念法品〉、〈念僧品〉中的法義教導，令學人以此爲據，得以判知何人爲善知識、何人爲惡知識，從而得以修學正確的佛法，然後得證解脫果及證入諸法實相，發起本來自性清淨涅槃智，久修之後亦得兼及二乘涅槃之實證，再發十無盡願而起惑潤生乃得以入地。

若未慎擇善知識，誤隨惡知識者（惡知識表相上都很像善知識），不免追隨惡知識於無心之中所犯過失，則未來歷經無數阿僧祇劫奉侍九十九億佛之後，於解脫道及實相了義正法仍無順忍之可能，欲求佛法之見道即不可得，遑論入地。以此緣故，世尊隨後又說〈淨戒品〉、〈淨法品〉等法，教導四眾弟子們如何清淨所受戒與所修法。又爲杜絕心疑不信者，隨即演說〈往古品〉，舉出過往無量無邊不可思議阿僧祇劫前 大莊嚴佛座下，苦岸比丘等四人爲惡知識，執著邪見而誤導眾生，成爲不淨說法者；以此緣故與諸眾生相牽流轉生死，於人間及三惡道中往復流轉至今，反復經歷阿鼻地獄等尤重純苦及餓鬼、畜生、人間諸苦，終而復始、受苦無量之後，終於來到 釋迦如來座下精進修行，然而竟連順忍亦不可得，求證初果仍遙遙無期；至於求證諸法實相而入大乘見道，則無論矣！思之令人悲憐，設欲助其見道終無可能，對彼諸人助益無門，只能待其未來甚多阿僧祇劫受業滅罪之後始能助之。

如是警覺邪見者之後，世尊繼以〈淨見品〉、〈了戒品〉而作補救，期望以此二品能轉變諸人的邪見，勸勉諸人清淨往昔熏習所得的邪見，並了知清淨戒之所以施設的緣由而能清淨持戒，未來方有實證解脫果與佛菩提果的可能。如是教導之後，於〈囑累品〉中囑累阿難尊者等諸大弟子，當來之世以善方便攝受諸多弟子，得能清淨知見與戒行，滅除往昔所造謗法破戒所成之業障，而後方有實證之世到來。由此可見 世尊大慈大悲之心，藉著舍利弗尊者之因緣，在與舍利弗對答之時演說此實相法等，期望後世遺法弟子得能滅除業障而得證法。普察如今末法時代眾多遺法弟子，精進修行仍難遠離邪見與邪戒，求證解脫果及佛菩提果仍將難能可得，令人不覺悲切不已，是故將此經之講述錄音整理成書，流通天下，欲以利益佛門四眾。

佛子 **平實** 謹誌

於公元二〇一九年 夏初

第十五輯：

《佛藏經》卷中

〈淨戒品〉第五之餘（延續上一輯未完部分）

所以這面鏡子對這一些是無所覺知的，這面古鏡只管一世又一世出生五陰，讓五陰在祂裡面生活，所以每一世的五陰其實就是這一面如來藏古鏡中的一個影像，而每一個人生活從來不曾離開過這一面古鏡。那麼這一面古鏡不了知上一世出生的張三，不了知這一世出生的蕭平實，也不了知下一世出生的李四；可是不論張三、蕭平實、李四，誰需要什麼，祂都供應得很圓滿，一切種子具足。但這一切種子運作而供給這個五陰時，這個有情以及他所有的一切法，全都沒有離開過這一面古鏡如來藏。所以講明白一點，前世的張三、此世的蕭平實、下一世的李四，其實都只是古鏡裡的影像。

那麼，諸位看到明鏡中有很多影像，你現在來到它面前，它顯現出你這個影像；你離開了，那影像就離開；另外一個人來了，又顯現出他的影像，他離開了，那個影像也離開了；但那一面古鏡始終不去瞭解說：「我有什麼影像來，我有什麼影像消失了。」始終不作這個了知，而鏡子之中一切的影像都歸鏡子所有，對鏡子來講，這影像一直都在啊！只是換影像而已，影像從來沒有消失過。無始劫以來你們的如來藏一直都有五陰存在，五陰不斷地生滅、現前，然後老了、死了、消失了，又不斷有另一個全新的五陰影像出生，就這樣不斷出現而沒有中斷過。

這不就等於說，一面明鏡有很多影像來了去了、來了去了，不斷地變異，可是明鏡一直都在；這面明鏡是不生滅的，而那些影像永遠附屬於明鏡，所以不能說那明鏡裡面的影像有生住異滅。比如你家的明鏡，什麼時候曾經沒有影像？只要有明鏡在就有影像；也許有人說：「那我拿一張紙把它貼掉。」貼掉以後裡面還是有紙的影像，除非沒有明鏡了——把明鏡砸掉了。那就好像說：「我要砸掉如來藏。」但沒辦法砸，因爲影像沒有能力來砸掉明鏡。有哪一面明鏡裡的影像有能力來砸掉明鏡？都沒有辦法。

因爲一個是能生，一個是所生，所生不可能砸掉能生。那麼這樣看來只要明鏡在，影像就在，所以影像屬於明鏡；而明鏡不生不滅，所以明鏡中的影像就永遠存在而不生不滅。當明鏡在時影像就已經在，你只能說鏡中的某一個影像本無今有而說有生，而連續不斷的影像始終存在明鏡中。難道你們家的明鏡是早上起來，得喊一聲「開」鏡面才會有影像嗎？不是這樣的。你在睡覺時把燈全部關了，它還是有影像的，那影像叫作黑，還是有的。所以影像附屬於明鏡，而明鏡不生不滅的緣故，影像就無生無滅。道理就這麼簡單，可是要講上一大堆言語來說明；如果不是這樣，老實說菩薩也就失業了；然而我永劫都不會失業，還要把後面該走的路繼續走下去，一世一世走下去而不會失業；成佛以後也不會失業，因爲無明的眾生太多了。那麼這樣就瞭解了：明鏡所顯示出來的一切諸法無量無邊，而一切諸法都屬於明鏡所有；由於明鏡是無生的，明鏡是無作的，所以附屬於明鏡的一切諸法表面看來好像是有生有作，但只是明鏡中的影像而已，所以本質還是無生無作。這樣很難懂的法就可以懂了。

很難懂的法，我如果說到大家都聽不懂，那就表示我也不懂，所以眞正的善知識就是能把很難懂的法說到讓人家懂，這得要用各種譬喻言詞來說明。假使是愚笨的人，就會說：「唉呀！那個法很深很妙，可是我聽他講了便懂，看來也沒什麼，可見善知識也沒什麼。」那就表示那個聞法的人眞的沒什麼；他是沒個什麼呢？是沒智慧。學佛應當如是觀。到這個地步，可以自己親自證明眞的是如此，去現前觀察：「果然我這個五陰一直都生活在我的如來藏之中，而每一世的我生了又滅，持續不斷地生了又滅，但都只是我的如來藏中的影像，而如來藏永遠不生不滅，所以影像就可以持續不斷地生滅，看起來好像有生滅，其實屬於如來藏而言就沒有生滅了。」

猶如明鏡中的影像，我們不能說它有生滅，因爲影像一直都存在。這樣看來，五陰十八界以及衍生出來的一切諸法，表面看來是有生有滅、有爲有作，但都攝歸於如來藏這一面明鏡來看時，就屬於如來藏，那就變成「無生無滅無爲無作」。如果能夠「通達諸法無生無作，則得度脱生老病死。」所以我這一世剛悟時寫了一份見道報告，我說：「學佛五年以來，信知不曾拜過佛，不曾念過佛，不曾學過佛法。」我是這樣寫的。可惜的是當時有資格閱讀我那一封見道報告內容的人，他根本讀不懂，所以我那篇見道報告寫了等於沒寫，聖嚴法師讀了也等於沒讀。

為什麼說「通達諸法無生無作，則得度脫生老病死」？因為你已經看清楚了：「我這一個五陰是如來藏中的影像，我有生有滅，滅了以後會有另一個生滅的五陰繼續出現；這是一個常態，五陰只是如來藏之中的影像罷了。如來藏出生了我這個五色根，還出生了我的內六塵讓我可以有所取；然後出生了我這六識心，有能取的功能；我這個能取的覺知心是如來藏生的，去攝取了如來藏所生的所取諸法，就把所取諸法當作眞正的自我來執著。可是我如今知道我這個如來藏是出生五色根以及能取、所取的心，能取的我和所取的六塵都是如來藏生的。」那麼這樣看起來就等於右手在玩左手，兩手都是身體所有，等於是自己玩自己一樣，那麼背後那個自己究竟是誰？正是如來藏。佛法證悟的眞見道就只是這樣而已。

所以是如來藏出生了一個能取——覺知心和意根末那識，一定會同時另外出生一個所取——五色根和六塵，然後能取與所取自己在那邊互動，就是由能取來取所取；而如來藏不管能取與所取，這兩方面需要怎麼運作就怎麼運作，如此而已。那麼這樣看來，對如來藏而言，由於離見聞覺知而不了知六塵，所以祂的境界中一切諸法都不存在；因為如來藏不管能取與所取兩個怎麼樣，而能取與所取兩個，其實就是一個叫作覺知心，另一個叫作色身與六塵，由如來藏所生的能取，去取如來藏所生的所取諸法，所以經中曾說如來藏同時出生了能取與所取時，就好像一條兩頭蛇一樣，兩個頭互相交流——如來藏生了兩個自己互相在那邊玩來玩去，結果是自己玩自己。那麼既然如來藏「無生無作」，你看見了背後的眞實自己正是「無生無作、不生不死」的如來藏，那麼請問眞實的你會不會死？不會吧？對吧？那個才是眞實的你，而五陰只是一個生滅的表相。

所以假使有人哪一天來問我：「蕭老師啊！人要怎樣才能不死呢？」我就告訴他：「死。」那他一定誤會。你們如果是增上班的同修就不會誤會。所以有人說：「天氣這麼熱，該哪裡避暑去啊？」禪師就說：「火裡去。」天氣這麼熱，怎麼還叫人跑到火裡去避暑？有時弟子上來問：「天氣嚴寒，如何能夠離寒？」禪師就說：「冰地立去，水裡去。」那不冷死？但禪師可沒打誑語，天氣嚴寒時往水裡去，眞的不冷，不信的話泡到水裡去打哆嗦，你們去看看眞正的你是不冷的，你這個五陰才會冷。所以哪一天我要是寒流來時，衣服不夠冷得打哆嗦，人家說：「您不是不冷嗎？」我便打哆嗦跟他講：

「不冷！眞的不冷！」

是因爲明明看見自己有個不冷的，那就是眞的不冷。這個會冷的五陰是無常的，不是眞正的自己，既是無常的怎麼可以當眞？所以這樣我也可以說爲假有。五陰明明是假的！可是假的冷，苦時也是假的苦，人生不就是這樣嗎？所以都是在明鏡所顯示的影像之中喜怒哀樂，然後有生死，而實際理地其實是第八識如來藏心，祂的境界中「無生無滅、無爲無作」。

這時假使思惑還沒有斷盡，也是要繼續生死，一時還入不了無餘涅槃；可是阿羅漢捨壽入無餘涅槃時，依舊是這一個明鏡的無生無死的境界；阿羅漢入無餘涅槃之後，依舊是第八識「無分別法」、「無名相法」的無生無死境界；那你現在冷得打哆嗦時依舊說「不冷」，現在五陰有生死病苦時，你依舊說沒有生死病苦，也眞的沒有說謊。那如果就轉依這一面古鏡如來藏繼續修行，把思惑給滅除了，死時可以入無餘涅槃，你就可以說：「度脫生老病死。」然而這時你度脫生老病死時，依舊是如來藏「無生無老無病無死」，本質還是一樣。所以到這個地步，你悟後進修滅了思惑以後，繼續受生來人間利樂有情，表面上看來你有生老病死，而實際上你自己很清楚知道每一世捨壽時都可以入無餘涅槃的，而無餘涅槃中依舊是現前就已經無「生老病死」的如來藏，那你又何必入無餘涅槃？對啊！正是如此。

那就不要管自己「生老病死」是多麼痛苦的事，還有很多眾生不知道，你就發悲心來幫眾生；這樣你已經「度脫生老病死」，依舊是在「生老病死」之中來示現，這是菩薩的平常事。如果你證悟了還沒有斷除思惑，那人家說：「世尊說通達諸法無生無作，則得度脫生老病死；那你已經證得了，有沒有度脫生老病死？」如果你不好意思答，換個法子也行，就說：「你猜猜看！」他說：「我不知道，你好像沒有。」那你就一把將他推開說：「啊！原來你不懂。」就走了。不要跟他扯上一堆佛法，因爲他怎麼聽也聽不懂，讓他在心裡想：「欸！這裡面好像有個什麼？他敢這麼講。」而他始終弄不懂，這樣才好。

他越弄不懂越覺得你很高，像我這樣講到人家都懂，人家會說：「這個善知識也沒什麼。」就是這樣的。所以現在佛門跟附佛法外道中，認爲我很高的是密宗假藏傳佛教，因爲他們全都讀不懂，讀不懂就覺得這蕭平實太高了，乾脆不跟你論法，直接罵你邪魔外道就好。但佛教界反而漸漸認識：「原來蕭平實還沒有成佛。」這表示他讀懂一些了；所以我們看事情要有另一個不同的層面。附佛法外道密宗完全讀不懂，所以那些喇嘛們心裡都想：「蕭平實太高，很難瞭解。」但是口中得要一直罵，因爲不罵就沒有供養會來，這樣諸位都瞭解了。

所以當你實證後，即使還沒有斷盡思惑，也可以說是「**度脫生老病死**」，因爲在理上已經度脫了。你現前看見就是眞正的自己確實沒有生老病死，有「**生老病死**」的這個五陰自己是假的，是生滅無常的；但這五陰只是眞我「**無名相法**」第八識如來藏中的一部分。講到這裡，如來作了一個結論說：「**舍利弗！蜜瓶是佛第一義法，諸天世人衛護瓶者，則是惡人樂行魔事；自失大利，亦遮他人行實相者失於大利。**」那麼 佛陀所施設的譬喻：把蜜瓶放在十字街頭，有天也有人前來衛護那個蜜瓶，但只要吃了蜜瓶中的一點點蜜就不會生老病死；這個譬喻是說蜜瓶指的就是佛法的第一義法，緣覺道與聲聞道雖然不是「**諸天魔梵之所能轉**」，但那還稱不上第一義，已經是第二義；第一義法就是可以現觀有一個眞實的自己，從來沒有「**生老病死**」的。

而這個第八識法出生一切諸法，一切諸法攝歸於這個法時，那麼「**一切**

諸法」就「無生無作」，所以 世尊才說「一切諸法不生不滅」，菩薩們也因此而說「本來自性清淨涅槃」。而這個蜜瓶就譬喻第一義法，雖然這一世短短幾十年，但只要能夠努力奮發去吃上那麼一小滴就夠了，你只要能夠沾上而吃到了，從此以後「常得無老病死」。就怕沒沾上邊還自以爲吃到了，就像搶進蜜瓶旁邊還沒吃到的人卻自以爲吃到了，站在那裡歡喜，就會被護衛者殺死；但只要這麼一沾、往舌頭一嚐，就可以「常得無老病死」，天下沒有什麼寶物比這個更好的了。所以說那些愚癡人眞是愚癡，每天生活在如來藏的表相中，全都只是活在如來藏顯示的影像中，在裡面又去弄出許多影像再來尋寶，等於自己施設假的寶貝再自己尋找出來，例如手機遊戲的尋寶，是不是很笨？所以我的孩子們都不玩那個東西，他們從小就不玩。

也就是說，人家在手機裡弄一個影像，他們就在手機的影像中，依著手機中的影像到處跑，說要尋寶；有的人甚至跑出關節炎，唉！人會這麼愚癡也很奇怪。那聰明人就來玩大眾，大眾總被聰明人玩；被玩的人還掏腰包給人家錢，玩弄大眾的人則從大眾腰包裡掏到錢。所以我說那種人眞的應該叫作居心叵測，這個成語正好形容那一些人。

那麼「諸天世人衛護瓶者，則是惡人樂行魔事；」所以我們把這個蜜瓶端出來，希望大家來嚐蜜瓶中的蜜，他們就在外圍圍住，不讓人家來學。所以只要有誰聽說正覺，想要學這個勝妙法而證得「常、無老病死」的眞如心，他們就罵：「那是個邪魔，那是外道。」「那是自性見外道，那是外道神我。」如來說，這一些人就是「惡人樂行魔事」，他們阻擋了大眾以後同時也就斷了自己學習第一義勝法的門路。他們總不能一天到晚擋著別人然後自己偷偷來學，一定自己也決定不學，所以這樣一來：「自失大利，亦遮他人行實相者失於大利。」因爲想要追求實相的人很多，而他們不斷去阻擋大眾的結果就是「行魔事」，結果阻斷了大眾證得實相的因緣，自己也失去了這個因緣。

然而世間最大的利益其實是證得實相，這才是世間最大的利益。如果自己不證也就罷了，還要去阻止大眾來得到這個「大利」，當然是要背負因果的。可是什麼人會作這種事？只有增上慢者。一般佛弟子最多是說：「我沒有這個能力，也許你有那個能力，可以去求證，而我覺得自己不是上上根器。」他放棄了，最多只是說：「你去學時要小心，會不會是騙人的，你去看是眞的假的再說。」不會一開始就說那是假的。那有的人就說：「不然我先去看看，如果是眞的，你後面再跟著來。」最多是這樣，不會一開始就說：「你不要去學，那一定是假的，是外道法。」萬一是眞的怎麼辦？所以有那種一開頭就否定的人，那種人一定是「增上慢者」，因爲他覺得自己很行，只要所學、所修證和他不同的所有人全都不對。

我們從來不這樣，所以曾經有人介紹說：「那某某老人眞的是八地菩薩。」不斷來述說，整整說服我兩年，我說：「你們還能夠整整說服我兩年，想來是眞的吧！」我便眞的拜他爲老師，可是沒多久我就證明全都是假的。他們講得天花亂墜，我盡量說服自己去相信，跟著學習不到一年，根本沒啥可學的，我就開始破斥他的謊言了。就是說，不要一開始就認定某一件對大眾有利的事是假的，萬一是眞的那怎麼辦？豈不是「自失大利」？所以我想：「證悟的弟子們可以整整兩年來勸說，想來是眞的，那我就試試看吧！萬一是眞的，我就不會『自失大利』。那同修會每一個人就跟在我後頭也得到大利，那多棒！」所以邀請他來率領同修會，我準備要退下來，結果他沒敢來。好在沒來，因爲他講的都是從那些凡夫大師的書中抄來的，也是從人家那些凡夫大師的書上讀來的，後來證實了，所以我就開始破他。

但是我今天還是沒有推翻那種可能，因為也許有一位大菩薩一直在觀察說：「正覺同修會沒問題，我不用出面。」那他繼續過他的隱居生活，這也有可能，但是也許這個可能目前不存在，誰都保不定。所以各種可能都不應該一概否定，假使有人眞的又介紹什麼大菩薩來，我這回可不要全信，要先見一見，先把對方秤一秤；如果我眞的秤不動，就說我中寶了；是眞的抓到寶了，這才是眞寶。如果我秤一秤對方，不過這麼幾斤幾兩，那就算了，應該收作徒弟，讓他進正覺來修學一切種智。由於我有這個心態，會外也有很多人知道，因此也有小法師冒充我過去世的師父，但是被我秤一秤以後就不敢再開口了。

這就是說，魔事千萬不要作，遮障人家學習可以實證的正法時，不論一言一行全都是魔事，這種人都是增上慢人；假使不是增上慢，就不會這樣作。所謂增上慢就是「未證言證，未得謂得」，而這種人，如來說「皆是魔黨」，都是在幫助魔來完成魔事；他們有一個特性就是「咸共譏訶無生無滅法」。我們弘揚這個「無生無滅法」，也是到這六、七年來才開始被佛教界認同，以前大家都不恭敬這個法；聰明的大法師不落實在文字上，愚笨而想出名的小法師才敢落實在文字上來否定正覺，逼使我們不得不回應；歷經會內會外的考驗，到今天已經證明了什麼才是勝妙法——就是第八識如來藏才是眞正的勝妙法。

而他們指責我們是外道神我時，結果他們的落處卻正好被證明是外道神我；這就好像作賊的喊抓賊，結果被錯抓的賊只好出來說清楚講明白，如今還給正法清白。唉！阿彌陀佛！那還眞的很辛苦，但是功不唐捐；這都是諸位護法一分一毫漸漸累積起來的成果，我們要繼續維持下去，繼續再把它發揚光大。可是要發揚光大之前，得要先把 如來的法學好，否則全都是空談。

接下來再恭聆 如來說法：

經文：【「又舍利弗！不淨說者，我見人見眾生見，五陰十二入十八界見，未得謂得，心計得道，計得涅槃。咸亦譏訶如是正法，何以故？是人貪著空故，亦是魔眾，魔所迷惑，以我正法而作魔事。舍利弗！若在家出家聞是無我無人無眾生畢竟空法，驚疑畏者，當知是人受魔教化，是像比丘，爲是盜法惡威儀者。舍利弗！是人則是我見眾生見有見無見常見斷見，皆是魔民，

非佛弟子，何以故？我經中說：『一切世間皆空，無我無我所，無人無眾生，無常無定，無不壞法。』如是惡人亦復皆共讀誦是經，爲他人說，而心貪著我見人見，如是癡人名爲造作苦因，名爲反覆兩端，名爲鬥亂破僧，名爲污染道法，名爲沙門中濁，名爲醜陋穢惡，名爲但有言說，名爲假僞沙門，名爲沙門中貧，名爲擔重擔者，名爲欺誑諸佛，名爲得逆罪者。舍利弗！是人名爲大惡逆賊，名爲惡知識，名爲破戒，名爲邪見，名爲外道，名爲無實行，名爲惡伴，名爲殺鬼，名爲癩瘡，名爲臭穢，名爲燒熱，名爲諂曲，名爲墮在黑闇，名爲入稠榛林，名爲墮生死流，名爲互出惡者，名爲地獄，名爲畜生，名爲餓鬼，名爲阿修羅，名爲不入道者，名爲欺誑人者，名爲自讚己者，名爲行占相者，名爲大聲喚呼，名爲因利求利，名爲污染他家，名爲常調戲者，名爲散亂心者，名爲貪所害者，名爲瞋所害者，名爲癡所害者，名爲好面欺者，名爲衰惱處者，名爲無解脫者，名爲憂惱縛者；名爲非沙門、形像沙門、沙門旃陀羅、沙門臭穢、沙門糟粕，名爲難滿，名爲難養，名爲壞威儀者，名爲無羞恥者，名爲截斷頭者，名爲身體壞者，名爲袈裟繫頸，名爲自入闇冥者，名爲多貪欲者，名爲多瞋恚者，名爲多愚癡者，名爲五蓋纏覆，名爲沒者，名爲虛者空者，名爲癡者。」

語譯：【如來又開示說：「此外舍利弗啊！不清淨說的人，我見、人見、衆生見都還在，還有五陰見、十二入見、十八界見，這些人都是沒有證得而口裡都宣稱已經證得，心中是錯誤的認知而認定自己已經得道，也錯誤的認定自己已經證得不生不死的涅槃。他們全都來譏笑、來訶責像這樣的正法，爲什麼是這樣呢？這一些人貪著於空的緣故，他們也是魔衆，被魔所迷惑著，藉著我釋迦牟尼的正法而作各種的魔事。舍利弗！如果在家和出家人聽聞到這無我、無人、無衆生、畢竟空的法，驚嚇懷疑怖畏的人，應當知道這一些人是接受魔所教化的，這一些人只是看來好像是比丘，其實是在佛門中盜法的惡威儀者。舍利弗！這一些人都是執持我見、衆生見、有見、無見、常見與斷見的人，全部都是魔民，不是佛弟子，爲何是這樣呢？我在經中說：『一切世間全都是空，沒有我沒有我所，沒有人也沒有衆生，都是無常也沒有必定不變異的，也沒有不壞法。』像這一類的惡人也都共同讀誦我所說的這樣的經典，也爲別人宣說，然而卻在心中貪著我見人見，像這樣的愚癡人名爲造作苦因，也名爲反覆兩端，他們也是互相鬥亂而破壞僧衆的人，他們都是在染污解脱道和佛菩提道等法，他們就叫作沙門中的污濁，他們也叫作醜陋和不清淨的惡人，他們也叫作徒有言說，就把他們叫作假冒虛僞的出家人，他們也稱爲出家人中的貧者，也是叫作擔負重擔的人，他們也名爲欺誑諸佛，也是被稱爲得到逆罪的人。舍利弗！像這樣的人就是大惡的逆賊，名爲惡知識，也稱爲破戒的人，稱爲邪見的人，他們就叫作外道，他們是不眞實修行的人，也是所有出家人的惡伴，就是殺害眾生慧命的惡鬼，也稱爲身上的癩瘡，他們都是臭穢的，他們都是被火熱所燒燃的，他們也稱爲諂曲者，也叫作墮在黑闇中，他們又稱爲進入很濃茂黑暗的森林之中，名爲墮於生死流的人，也稱爲互相掀出惡事的人，他們其實就叫作地獄，他們也叫作畜生，也叫作餓鬼，又名爲阿修羅，他們就是不入道的人，稱之爲欺誑別人的人，也說他們是自己稱讚自己的人，而他們也是都看表相的占相者，他們也都被稱爲大聲喚呼的人，其實也就是因利求利的人，名爲污染別人之家，也名爲經常調戲的人，也說他們是散亂心的人，名爲被貪所害的人，名爲被瞋所害的人，他們也名爲愚癡所害的人，也稱他們爲喜好當面欺詐的人，他們也稱爲住在衰惱處的人，也名爲沒有解脫的人，名爲被憂和惱所繫縛的人；名爲非沙門、而只有形像好似沙門、也是出家人中的屠夫、是出家人中的臭穢者、是出家人中的糟粕，他們也因爲欲心強盛而稱爲難滿者，也名爲難養者，名爲毀壞威儀的人，又名爲沒有羞恥的人，也被稱爲已經截斷頭顱的人，也名爲身體毀壞的人，又稱爲被袈裟繫縛頸項的人，也名爲自己進入闇冥之中的人，又名爲很多貪欲的人，又名爲很多瞋恚的人，又名爲很多愚癡的人，他們名爲被五蓋所纏覆，名爲被五蓋所沉沒的人，名爲落在虛無空無的人，名爲愚癡的人。」】

講義：這段經文應該語譯完就可以了吧？因爲我想 如來所說大家都懂這裡面的意思。而這段經文說的「我見、人見、眾生見」其實是末法時代的一個普遍現象，否則就不叫末法了。但他們一直「不淨說法」卻不知道自己是「不淨說法」的人，他們落在「我見、人見、眾生見」中，自己並不知道；他們又落在「五陰見、十二入見、十八界見」中，但自己也不知道。這都是我們正覺出來弘法以後漸漸地說清楚了，佛教界才開始瞭解。所以末法時代的佛教界「未得謂得，心計得道，計得涅槃」，也是普遍現象，也因此才會有那一些所謂的阿羅漢們，在正覺出世弘法以後他們各個「入」涅槃。對吧？

以前海峽兩岸不是到處都有阿羅漢嗎？

乃至我們開始弘法以後阿羅漢還不少欸！雖然消失了一部分，還是不少呀！後來是怎麼全部都消失的？是因爲《阿含正義》很清楚把阿羅漢的境界寫出來，我們刻意要救他們，刻意寫出來說：「有證得初禪的凡夫，沒有不證初禪的三果人，也沒不證初禪的慧解脫阿羅漢。」對不對？因爲他們大家都不懂什麼叫「梵行已立」，所以各個都自稱阿羅漢；而且他們只是一念不生，都還在我見之中，更別談斷思惑，但他們都自稱是阿羅漢。所以那一些人都是「未得謂得，心計得道，計得涅槃」。「計」就是錯誤的認定，還沒有得到阿羅漢果，他們就說已經得到阿羅漢果，沒有得到的證境他們就說他們已經得到，只是自己認定是得到；而且沒有證得涅槃，他們也錯誤的認定自己已經證得涅槃，這都是末法時代的正常現象。

那麼這一些人，大家異口同聲地宣稱證阿羅漢、得涅槃等；後來我們出來說法時不是這樣，我們證明他們那樣是沒有證得三乘菩提的任何一種道，我們也說那樣不叫作「梵行已立」；所以他們受不了，於是像 如來授記的「咸亦譏訶如是正法」，這也是末法時代無可避免的。所以有人抱不平說：「爲什麼正法總是要這樣被人家汙衊？總是要這樣被人家抵制？」因爲這是正常的事，不然爲什麼要叫作五濁惡世的末法時代？如來在世都還有外道毀謗，都還有天魔來破壞，何況我們現在身處於末法之世，這都是正常的。但是我們重要的是如何分辨這些是魔事，不要跟著人云亦云、墮入魔事之中，那就可以安隱地行道。

這些人之所以這麼作，如來都已經把理由舉出來了，我們沒想到的如來也都說了！主要就是說：這些人貪著於空，但是卻對眞正的空不接受，所以廣作魔事；世尊在這裡說：「若在家出家聞是無我無人無眾生畢竟空法，驚疑畏者，當知是人受魔教化，」「畢竟空」是什麼緣故叫作畢竟空？以前有大師常常講的一句話叫作：「菩薩清涼月，常遊畢竟空。」是不是這樣講？那「菩薩清涼月」，菩薩到底以什麼爲清涼月？「常遊畢竟空」，是什麼叫作空？爲什麼菩薩要常常遊於畢竟空？要經常遊於畢竟空，但他們並沒有弄懂。

《楞嚴經》不是也講嗎？有眞月、有影月、有第二月，那眞月就最難懂，最多能夠瞭解到影月；例如有人好像參到如來藏了，但是依稀彷彿，猶如明月投影在薄薄的雲層中透出光來一樣，只能稱爲影月而非眞月。或者一般人只能找到第二月，因爲他們總是從地面的水中去尋找，也算是努力在修行。但是眞月難得，因爲大家都低頭往水裡看，沒有人仰頭去看到天上的月，這是一個完全不同的方向。所以大家都在五陰十八界裡看，從來沒有人返身往清涼月那邊去瞧，頂多只能找到第二月；而且所謂「畢竟空」好多人誤會了，那「畢竟空」是該怎麼解釋？他們說「一切法全部都空掉」，有沒有？但他們那樣講不對啊！

可是如果有一天我也說：「一切法都空掉，這就是佛法。」但我說的卻對。那應該怎麼轉圜？（你們都唸作「轉還」，但那個字不讀作還，要讀作「轉圓」）也就是說「一切都空」確實沒錯，因爲「一切都空」之中卻可以一切不空。譬如剛剛引述 如來的說法：如來藏生了一個能取，又生了一個所取，能取所取都生滅無常，當然可以說是空；但能取與所取都是如來藏這個空性所有，都歸於空性如來藏，所以這一切也都是空。所以不管什麼，一切都空沒有錯，誰能夠推翻這個說法？諸大菩薩來也不能推翻。當一切都是空時，這不就是「畢竟空」嗎？所以我很早就提出來說：「空」有兩個意涵，一個是空性，另一個是空相，這空性、空相是合在一起，不即但是也不離。空性不等於空相，但是空性與空相從來卻不曾分離；假使分離了就沒有空性與空相可說了，那叫作無餘涅槃。因此一切人我眾生畢竟空，因爲不管是人、不管是我、不管是任何什麼法—世間法、出世間法、有爲法、無爲法—全都是空，空就是如來藏；空如來藏之中無妨生一切諸法，所以空中有不空的。

可是話說回來，這空中有不空，卻可以有另一個解釋：在一切諸法生滅無常故空之中，同時有一個不空的，叫作如來藏第八識「無名相法」；可是等你找到如來藏，你說「如來藏果然不空」時，就說「如來藏空」，因爲你站在如來藏的立場時，親眼看到一切法都不存在。所以空不空如來藏，等你悟了說空也得，說不空也得；因爲你現觀那個空與不空的如來藏時，你要怎麼說，在理上都對，永遠都能轉圜。所以悟前錯說了法，悟後要趕快把它轉圜時都沒有問題。那夾山善會禪師就是這樣，他就懂得轉，把以前錯說的法依第八識如來藏這麼一轉就圜（圓）了，因此悟前是那樣說，現在悟後也是那樣說，但是這麼一轉就圓滿了，就沒有過失。所以邪人說正法時像鸚鵡牙牙學語，早晚出差錯；但是有個補救方法——趕快求悟，悟了把它轉一轉就圓了，以前講錯的也變對了！夾山善會就是會這一招。因此「畢竟空」這個法看你怎麼說，你要是眞悟了，怎麼說都對；要是沒悟或悟錯了，怎麼說都錯。

所以 如來說：「**我經中說：『一切世間皆空，無我……』**」因爲一切世間本來都是空性，處於十方三世，不管你去到宇宙的哪一個時空、哪一個地方，一切皆空，只要歸於空性如來藏就全部都對了。而你住在空性的境界上來看待一切諸法時，「**無我無我所，無人無眾生，無常無定，無不壞法。**」沒有哪一個法是永遠恆常而不變的，沒有哪一個法是定法，因爲可以變來變去；沒有哪一個法是常住不壞的，因爲全都是如來藏所生的，有生則必有滅。所以說「**一切世間皆空**」。

既然「**一切世間皆空**」，可不可能去到某一個他方世界，另外有一類眾生不是由如來藏所生，而是另外一種東西所生的？會不會這樣？當然不會。就像電影演出來說：「**別的他方世界有異形等生物，好恐怖。眞的好奇怪，那牠們一定不是如來藏生的。**」但我告訴你們，假使眞的有異形，牠們也會是由如來藏出生的。因此說，所生之法可以有無量萬端，但是能生之法唯一，就是空性如來藏。如果不懂這個道理，落入「我見、人見」而捨不得丟棄，這一些人就叫作「造作苦因、反覆兩端、鬥亂破僧」。

「反覆兩端」，你們可以印證釋印順寫的《華雨集》、《妙雲集》等書，其中所說是不是「反覆兩端」？他正好就是如此；從這邊講過來一種說法，再從那邊講過來是另一種說法而互相矛盾，全都是他說的，卻自以為不即兩邊又不離兩邊。然後你指責他這邊說錯了，他們就說「我們也有講那邊的道理」；當你指責他那邊講錯了，他們就說「我們也有講這邊的道理」。直到正覺出來說：「你釋印順兩邊都講錯了。」他終於沒辦法，十幾年中默不作聲，證明他眞的是「反覆兩端」。那他這樣的結果就會造成「鬥亂破僧」的現象，臺灣佛教界會亂這麼多年，始終無法脫離識陰境界而導致密宗假藏傳佛教在臺灣興盛起來，然後引生清淨修行的部分佛門僧伽自清行動，不就是這個原因嗎？那麼後面　如來所說的這一些法大家都能夠理解，我們也就不用再解釋，下一週就從下一段開始講解。我們今天就講到這裡。

《佛藏經》今天要從三十八頁的第二段開始：

經文：【「舍利弗！云何名空？違失諸佛讚善人相，故名爲空。違失一切沙門功德沙門事法，故名爲空。云何名爲虛？在聖法外故名爲虛，遠離空無相無願法故名爲虛。舍利弗！如是惡人能令魔喜，貪著堅執虛妄法故。同於凡夫修是具有罪惡人相，不似得法忍者。沙門事法、沙門功德，百千萬分尚無一分。舍利弗！是故名爲空者虛者。但深貪著世間利樂，非是沙門自稱沙門，不應供養而受供養，名爲常賊、立幢相賊，名爲自在殺害人賊；是人所食，一口皆不清淨。唯有向道得道果者能消供養，是人無此，是故名爲不淨食者。舍利弗！是故名爲空者虛者。」】

語譯：【世尊又開示說：「舍利弗啊！什麼叫作空？由於他們違背而且失去諸佛所讚的善人之相，所以說他們是空。也違背及失去一切出家修行人的功德，失去出家修行人所應該作事的諸法，所以也名爲空。那爲什麼名爲虛呢？因爲他們是處在聖法之外，所以名之爲虛；他們又遠離了空、無相、無願這三昧法的緣故，所以名之爲虛。舍利弗啊！像這樣的惡人能夠使令天魔歡喜，因爲他們貪著和堅執虛妄法的緣故。他們同於凡夫而修行卻具有這種罪惡人的法相，不像是一個已經得法而能生忍的人。出家人事相上該有的種種法、以及出家人應該有的功德，他們百分、千分、萬分來說尚且沒有一分。舍利弗！由於這樣的緣故我說他們是空者、是虛者。他們只是很深重地貪著世間的利益和快樂，不是出家人而自稱爲出家人，不應該接受供養而領受了供養，所以名之爲不斷存在的賊人，也是虛假建立正法表相的賊，所以名之爲自己覺得很自在而能殺害別人的賊；像這種人所吃，不論哪一口都是不清淨的。在佛法中只有向道位或是已得道果的人可以消受信徒們的供養，而這種人沒有這一些出家人的法、出家人的功德，由於這個緣故名之爲不清淨食的人。舍利弗！由於這樣的緣故，我名之爲空者、虛者。」】

講義：如來說破戒比丘等一類人是「空者虛者」，那什麼叫作空？又是什麼叫作虛？這裡說的空，不是我們佛法中說的空——不是說空性的空、空相的空，或者「一切法空」的空，而在事相上說他們是「空者」。換句話說，他們出家卻破壞了正法，而且他們也不斷地違犯重戒，所以他們在佛法中沒有得到任何的利益，因此叫作「空者」；也就是說諸佛讚歎的善人之相，他們全都沒有，應該有的修行他們也都沒有，所以是「空者」。在佛法中諸佛所讚歎的善人之相，大家可以想想看，就以《阿含經》來講，應該要先修次法，次法就是「施論、戒論、生天之論」；然後要深信因果，不信因果的人都不用談。

接著才是對治法的修行；觀身不淨乃至觀法無我。這是對治法的修行，這些也要有，算是佛門中最基本的善人相。接著就是開始觀行五蘊無常故苦、苦故無我，這叫作「向道者」；雖然還沒有眞的斷我見，但他們已經眞的向聲聞緣覺道、佛菩提道在前進了；這「向道者」的善人之相他們也沒有。再接著就是在三乘菩提上有所實證，從初果開始乃至明心、見性等，這是諸佛所讚歎的善人之相，但他們全都沒有；所以說他們進了佛門修行之時而空無所證，所以叫作「空者」。他們也違背、失去了一切出家人的功德，也違失出家人在世間生存時所應該注意的各種事相上的法，所以叫作空而無所得者。

那他們的功德到底指什麼？出家人的功德最簡單的來講，就是不被欲界法所繫縛；住在人間主要不被人間的五欲所繫縛，這是出家人最基本應該有的功德。而這些出家人的功德他們完全沒有，就別說得道的功德了，所以他們出家以來全無功德。接著說「沙門事法」，例如在寺院中身爲常住應該怎麼安住，這就是沙門事法；比丘連同戒法共有兩百五十多條，比丘尼戒連同各項應該遵守的規範將近五百條，這些都要去注意到。而破戒比丘們連這一些「沙門事法」也都全部沒有遵守，所以他們進了佛門不但法上沒有學到什麼，就連在人間最基本應該遵守的出家人的同住法相，他們也不曾得到，所以說他們是「空者」。

那為什麼叫作「虛」呢？「因為他們是在聖法之外，所以叫作虛。」在佛門中出家，有時我會講一句話：「出家人所為何事？」也就是說人既然都出家了，那出家到底為什麼來著，一定要捫心自問。因為出家的目的，不是在世間法上營謀而賺得生活上的資財，四事供養全部來自於在家的佛弟子們。那麼這樣子而受人供養的目的是為什麼？一定是專心為法。不可能是為了不必工作而可以生活，不必工作就可以有人供養等。或者有人說：「我可以不必工作，不必作什麼事，只要穿起僧衣就有人來恭敬禮拜。」原來他貪求恭敬禮拜。但問題是，出家難道是為了讓人恭敬禮拜的嗎？出家難道是為了不必工作就可以有利養而得生存嗎？如果是為這樣而出家，那麼他跟世俗人沒有兩樣。

再說得難聽一點，他如果眞是爲了這樣而出家，那他跟動物有什麼兩樣？沒什麼不同啊！因爲他就是爲了生存，而動物也是爲了生存。你們看野狗一醒來想的是什麼？是該怎麼吃飯，於是去找食物；終於吃飽了，然後就是打架、爭王，爭不過的就當老二；剩下的就是去沾惹母狗，除了這兩件事情就沒有別的事情了。那他爲了生存而去出家，跟那些動物有什麼兩樣？不如不出家，因爲平白受人信施。人家因爲信三寶而布施，他們平白無故受了布施，沒有好好修行，未來世怎麼還這個債？這才是大問題。可是他們不相信因果，他們只看眼前的世間利益。

所以「**破戒比丘**」不是爲法而出家，每天想著的就是怎麼樣吃穿住得好，然後受人禮拜恭敬，想的只是這一些；那麼因此他們於法上都不用心，這時心思永遠都在聖法之外；佛所說的三乘菩提實證，乃至人天之道的修學，他們都在其外，這樣就叫作「虛」，因爲他們虛有其表，法上是什麼都沒有。人家進了佛門至少也深信因果，然後也懂得生天之道，努力修證禪定脫離欲界也行；他們連這個也作不到，一天到晚被五欲之繩繫縛；至於三乘菩提的向道與實證，那就不用提了，所以他們永遠都「**在聖法外**」，因此 如來說他們「名為虛」。

那麼在三乘菩提的實證上，檢驗的方式或者檢驗的標準就是「空、無相、無願」這三三昧，看他們有沒有實證？為什麼稱為三三昧呢？因為這三昧有三個，第一是空、第二無相、第三無願；當然在二乘菩提中的「空、無相、無願」三昧，應該說這三三昧與大乘菩提中的「空、無相、無願」三三昧是不同的；可是這個三昧不許認為是禪定，而是定心所的定，不是禪定的定。這跟「有覺有觀、無覺有觀、無覺無觀」禪定三三昧不一樣，這是定心所上而屬於智慧的三三昧。

那麼簡單的說「空」，從二乘菩提來講就是無常故空，不但我所、內我所、外我所都空以外，包括「我」這個五蘊、六入、十二處、十八界，都因為無常故空，這叫作「空三昧」。那麼因為無常故空，所以在自己身內以及身外的一切法同樣都是空，那就不需要執著任何世間相，不論是「我」這個內相還是外我之相與世間相，全都不存在，因為都是無常故空。那麼對於「空」心得決定，這就是「空三昧」。對於內我、外我一切諸法現觀其無常故無相，沒有一法是可以眞實存在的，如是心得決定就是「無相三昧」。三昧就稱為定，那麼既然空無相，心中脫離各種有的繫縛，以及各種相的繫縛，所以無所願求——對於世間法再也沒有願、再也無所求，所以無願，如是心得決定就是「無願三昧」。有了這三個三昧就叫作三三昧。「破戒比丘」們於二乘法中的三三昧絲毫不得，所以如來名之為「虛」。

那麼大乘法的三三昧，函蓋了剛剛說的二乘法三三昧；同時也因為證眞如的緣故，確定了眞實的自我第八識是無我性、是空、沒有任何形色可言，一切法來到祂的境界中都不存在，所以如是心得決定就稱為「空三昧」。由於這個緣故也現觀到眞如心如來藏在一切法中運行不輟，除了眞如的法相以外沒有任何一相可得，而這個眞如法相也是無相；不但如此，祂從來不起任何的心相，祂也從來沒有任何生住異滅的行相，因為沒有任何行相所以祂無相，如是現觀，心得決定就叫作「無相三昧」。既然現觀內我、外我全部空無相，也現觀眞如心空無相，那麼當有情在人間有任何所得時，眞如依舊迴無所得，而有所得的蘊處界卻又是無常必壞、終究歸空，所以同樣也無所得；既然從法以及我上面來看一切諸法時都無所得，那麼心中就不需要再對任何世間的名利等諸法生起願求，如是心得決定，就是大乘法中的「無願三昧」。

如來藏也從來不會想要出生或壞滅某一些法，都是隨於意根的作意而行，所以意根在《楞伽經》中名為現識，是由意根促使如來藏現行或壞滅某一些法，而如來藏都無所願，轉依如來藏此一自性時也名為「無願三昧」。

那麼有了這樣大乘法中函蓋二乘法的空三昧、無相三昧、無願三昧，這就是大乘法中說的三三昧。在大乘法中證道的人必須有這個三三昧，否則就不能說他是證道者。而這一些破戒比丘遠離了沙門法，遠離了沙門功德，所以他們於三三昧完全的遠離，不曾絲毫有所實證。既然都出家了而在法上是如此一點點的法都不曾實證，所以說他們叫作「虛」。

如來又說：「像這樣的惡人能令諸魔歡喜，因為他們貪著以及堅定的執著虛妄法的緣故。」那咱們來探求一下什麼是虛妄法，諸位可以廣泛地搜求有沒有哪一個法是真實法？我說的是除了真如—除了如來藏以外—有沒有哪一個法是真實法、是常住不壞的？全都沒有？這是你們講的啊！人家一神教說：「我們上帝是永遠不死的，所以信上帝得永生。」可是我們來看《聖經》中的記載，上帝的位階其實不超過四天王天的鬼神境界，連四大天王都及不上，因為即使是四王天的四大天王手下的大將軍們也不吃血食，可是上帝《聖經》裡面記載著：供奉他要用生肉帶血。

你們有沒有人沒讀過《聖經》的？請舉手，呀！這麼多人沒讀過。好！請放手，怪不得你們對外道法有一點孤陋寡聞。《新約》、《舊約》破參以後可以讀讀看，可以直接判定上帝的位階在哪裡。那裡面明明記載供養上帝時殺了羊供養，不能煮熟的喔！道教中位階低的鬼神，祭祀時尚且要煮過；只有特殊的一些鬼神，譬如比賽神豬那一類的鬼神才用生的，因爲不能煮熟來比，否則上供時全都是要煮過的；如果沒煮過的肉食拿去供桌上放著，那廟祝會罵人的。可是上帝不一樣，上帝要吃生肉而且還要帶血，諸位想想：這樣的上帝跟喇嘛教供奉的那一些所謂的佛菩薩或者護法神，是不是一樣？是一樣的。再請問，他們的位階在哪裡？就只是四王天下的有情，換句話說，就是須彌山腳下的那一些夜叉或者羅剎一類的眾生，這是從他的飲食上就可以判定的。因爲四王天的四大天王與大將軍們都不吃血食，不吃眾生肉；那忉利天人更不吃肉，忉利天人聞到肉的味道就作嘔，你想那上帝（這是他們《聖經》上寫得明明白白的）要吃生肉還要帶血的，那麼請問他的層次是在哪裡呢？諸位這麼一想就知道了。

那他們宣稱上帝是永生不死的，還早咧！他的壽命不是很長，他連四大天王的壽命都無法想像，就別提忉利天主乃至於非想非非想天，因爲他連聽都沒聽過。諸位都還知道三界的層次，但上帝根本就不知道；他以爲自己很厲害，明天早上醒來一看人間：「這個人死了，那個人也死了，看來我是永生不死。」等他死時忉利天的天人一看：「他也死了！他在四王天才活這麼一會兒。」就是這樣啊！所以他不是永生不死的，一樣也是在生死中的人，怎麼可以說是眞實法。

而且最早期的上帝是什麼人？不過是一個家庭中兄弟倆供奉的神罷了，這個神因爲兩兄弟分家了，一個說：「神跟到我這邊來了，所以我的神才是眞神，你那邊的神是假的。」另外一個說：「不，你那邊的神是假的，神跟到我這邊來了，我家的才是眞神。」所以就這樣，一個家庭變成兩個家庭，然後開始爲了神而鬥爭，互相指責對方供奉的是假神，自己家的是眞神；這樣爭來爭去，大家各自擴大勢力，後來變成基督教、回教，然後兩家一直擴大勢力來鬥爭，弄到現在美國跟回教國家打仗，不就是這樣嗎？正是這樣。其實是兩個家族宗教的戰爭，延續到現在還在打。所以《國家地理雜誌》

有一篇文章說這其實是「兄弟鬩牆一千年」，害死了多少眾生。看來那兩兄弟眞可惡，不是這樣嗎？那這樣看來上帝的壽命太短了，不能說之爲常住不壞者。

至於其他層次更高的宗教，例如古時天竺的婆羅門教，他們侍奉大梵天王，有時候把他叫作「祖父」；因爲老爸也是他生的，所以就把他叫作「祖父」。經中有說，以前 如來有一次在樹下靜坐，有一個婆羅門可能是有天眼通，遠遠看見那樹下放光，他趕了過來；一看到 如來在那邊靜坐他就禮拜，禮拜完就請問：「您是不是我們的『祖父』？」因爲他們的教義說，大梵天王生一切有情，他的父親也是大梵天王生的，所以他不能叫他作父親。如來說：「我不是『祖父』。」這也是一個案例，表示婆羅門侍奉的是大梵天王，認定一切有情都是大梵天王生的。可是大梵天王也只是色界的有情，色界有情壽命能有多長？若比起得到四空天的那些有情，不論是空無邊處乃至上到非想非非想處，那又不能相提並論了，所以沒有一個是眞實不壞的。

可是不論上帝也好，大梵天王也好，他們身中都有一個常住不壞而不會憶想各種事情的心，《般若經》中稱之爲眞如，也就是第八識如來藏；除了這個心以外，沒有任何一法是眞實法。假使有人悟後轉依成功了，他在世間所應該作的事就是盡本分、盡責任，有義務的就去作，但是不貪求；就是這樣而已，因爲不貪著虛妄法。可是世間人總是貪著、總是堅執捨棄不了虛妄法；那麼虛妄法是什麼？在世間，除了跟自己五陰息息相關的飲食、住居、衣服以及眷屬之外，最貪著的就是錢財；錢財越多越好，可是錢財是虛妄法。聰明人不要錢財，但不要錢財不是隨便往路上丟，而是拿去投資買什麼呢？買法財。法財是能隨身攜帶的，喔不！這有語病，應該叫作「**隨心攜帶**」。若是隨身的話，這色身壞掉不就完了嗎？該說是隨心攜帶。

法財是堅固財，當你轉去未來世，它就跟你去未來世；如果是世間財，死時把存摺抓在手裡，把所有權狀抓在手裡，「**我整個一大片王國**」，或者「**我這個事業版圖多大**」，把股票抓在手裡，怎麼抓著都沒用，死了還在屍體手裡是沒錯，但只是那一疊紙；就那幾張紙在他手裡，把它抓爛也沒用。「**不然我把它吃下去**」，吃下去也沒用，終究還是孩子們的。安慰一點說：「**唉！反正是留給心愛的孩子嘛！**」可他沒想到心愛的孩子是上一輩子的債主，這一世就來接收現成的，有許多是這樣的。生了孩子不必太高興，也不必討厭，因爲也有可能生來報恩的（也有可能是來要債的），那他就非常非常孝順，讓你捨不得他；所以什麼錢都捨不得花就全部留給他，他就快快樂樂收完了債，了掉一件因果。可是世間人有幾個想得開啊？他們想都沒想到這個道理，所以他們都落在虛妄法之中。

但我們知道這是虛妄法時，可也不需要往馬路上一丟：「**我不要啦！**」也不必，我就拿來護持正法救濟眾生，換成未來世的堅固法財。我們救濟眾生以後就迴向：於未來世行道資糧永遠豐足，永遠都能有可愛異熟果。我們護持正法以後就迴向：願道業日漸增長，世世都快步前進。這樣去換成堅固的法財；不但要這樣作，還要進一步實證三乘菩提。這樣還不夠，有能力的話再往前進一步：我還要把正法弘傳，教導更多的人進入正法中。這個法財又更多了！只有這樣的財是堅固財，因爲「**隨心攜帶**」；那世間財是身有即有，身無即滅，再捨不得也帶不去來世。所以有時有些有錢人死後沒有再去投胎，因爲他捨不得那一大片的產業，他就是想要盯著：「**我的孩子有沒有把我敗光？**」於是他變成家裡祖先牌位供奉的祖先。

祖先，說一句難聽的話就是始終住在家裡，離不開家裡的鬼；最好是他們趕快去投胎，可是往往那一種人不好投胎，因為那種人大部分除了慳貪聚集財產以外，他生前聚集財產的手段是令人非議的。諸位想想看，大多數很有錢的人是不是如此。所以有錢人聰明的話，得是懂得布施的；如果他只是一直累積，然後都留給孩子，那不是聰明人，因為來世得當作窮措大，也許還得要當牛當馬還債。因此我說他們都落入虛妄法中，然後老了也許走了，成為鬼道有情而留在家裡，看著他的孩子每天不斷地花他賺來的錢，不用心經營事業，也不能善待他留下的員工，更不能負起應有的社會責任；然後他就越來越不高興，越來越生氣，福德也跟著越來越減，最後死了心才願意去投胎，那麼來世很可能變成人家養的寵物去了！因為他的業不足以重新當人。

這就是一個真正學佛人應該有的正知見，也就是認清什麼是虛妄法，也要認清什麼是堅固法。那麼法財稱之為堅固法，其實仍然不是真正的堅固法，只是相對於世間財而言，是因為它可以隨心攜帶去至來世；而你既然有了這一些法財，下一世由於種子流注的關係，善法種還在，就會繼續努力修集法財，所以方便稱之為堅固法。如果有人宣稱說他開悟了，可是當面看來很清高的一個人，他另外有一隻手從背後這樣伸到前面來（導師作個手掌五指張開左右搖動的動作），說不行啦！不行啦！你來找他求幫忙時，他就這樣子搖手，你懂不懂？有時是從背後伸出手來搖給你看，是什麼意思？意思是你要求得我這個法，得供養我五百萬元。

如果你想要求那個法，伸出食指來這樣比著搖：「不行啦！不行啦！」這樣是多少錢？一千萬元。如果伸出一手是五個手指搖著就是五百萬元，若是兩手伸出來搖著，就是一千萬元，口裡說：「不行啦！不行啦！」那你就要知道這個人情了；這時你就知道此人不是得道者。如果有人告訴你說：「**我有了義法，我開了個講座，你來聽上三天就會開悟，門票人民幣五萬元。**」那五萬元的門票如果收一百個聽眾就行了，這樣是多少錢？五百萬元人民幣入袋，等於臺幣兩千五百萬，也眞好賺。講上三天賺兩千五百萬元臺幣，就是有人這樣搞。我就是笨，不會搞這個。可是我到底笨不笨？（大眾答：不笨。）對了！諸位都瞭解我。我若去賺了那世間財，都是虛妄法，可我損了多少堅固財啊？那不能相提並論的。

所以哪天假使我接受了供養，諸位只要求證屬實，就要趕快離開同修會，不要再來了！因為顯然不是個眞悟的人，他所傳的法一定是有問題的。要不然就把這個蕭平實逐出同修會——驅逐出境，再也不許踏入正覺同修會，應該這樣。為什麼呢？因為表示這個法是有問題的。但如果是實證的人，所證是眞實法第八識「**無名相法**」，當然要轉依；轉依了還會從背後伸出手指來暗示這樣的數目嗎？不可能的，因為知道一切都是虛妄法，唯此「**無所得法**」第八識才是眞實法。

而這個眞如法不論從事相上或者從實相上來看，全都無所得；既無所得就是空、無相、無願，那為什麼還要貪著堅執虛妄法呢？我告訴諸位，打我弘法以來，一直都有人想要打破我的慣例。他們是一片好意，希望我過得安逸一點、活久一點，立意無可厚非，希望我要什麼就有什麼，不必有所缺減，不必為生活煩心，可以健健康康活久一點，眾生利益多一點，因此想要供養我錢財。這立意自然是良善的，但是我不能開這個例；這很麻煩，因為這例子一開，張三也許三年後、五年後聽到了來說：「**原來您願意接受供養啊！**」那張三也來請求：「**讓我在您身上種一次福田，我未來世所有的道糧都有了。**」他說的也對，但我能拒絕嗎？不行！因為張三來了一開口說：「**您三年前接**

受某甲供養五十萬元，爲什麼就不許接受我供養？」那時能怎麼辦？只能收了！因爲一定要公平，你沒有理由拒絕。

這一來，風聲傳得越來越廣，漸漸地傳得越來越快，到最後可能這個鐘頭某甲來，下個鐘頭某乙來供養，都不能回絕；收了那麼多錢帶不到未來世，想帶進墳墓都不可能，那我未來世得幹什麼？我學一句諸位在街頭上聽到的吧：「**老闆！老闆娘！行行好，分給我一些好嗎？**」你們內地聽不懂，譯成國語：「**老闆！老闆娘！你們好！能不能捨一點兒錢給我？**」聽懂了？就會是這樣的。那我會是這種傻瓜嗎？

從世俗人的立場來看，我現在是個傻瓜(具足的傻瓜)；而且我從小時就這樣傻，家裡有什麼好吃的，就拿去學校跟同學們分享、跟玩伴們分享，這是我的習慣。有時也挨我二哥罵，被發現了就罵；可改不了，因爲手癢，就是會拿去跟人家分享，這習慣難改。後來學佛以後，我說這根本不用改，這是好習慣，幹嘛要改呢？這就是說，對於虛妄法不貪著、不堅執，已經成爲習慣了，那怎麼可能後世重新悟入、轉依成功之後，又來收受人家的供養？絕不可能。

這就是在佛法上諸位都應該認知的，所以如果哪個大師說他開悟了，但老是跟你開口抱怨說：「唉呀！最近道場都沒什麼錢，快要斷炊了。」「這大殿也要修了，也沒錢；這圍牆舊了，也得修了，也沒錢。」他老是要錢。可是你看大殿還好好的，圍牆也還很堅固，你怎麼晃都晃不動它，只是油漆有一點剝落罷了，他就一天到晚抱怨說寺裡沒錢；但他說自己開悟了、證阿羅漢果，那你如果夠笨的話，才會相信他。

而你們都不笨，都是聰明人，聽了之後就乖乖地從肚兜裡掏出一千塊、兩千塊錢來：「對不起！師父！我今天沒帶夠錢，就先供養您兩千元，下回來我再奉上。」但下回還來嗎？（大眾答：不來！）聰明！當然不來了，那只是一個脫身之計。你就這樣子脫身，反正一、兩千元臺幣無傷大雅，就是供養三寶；但至少你弄清楚這位師父是什麼樣的修爲，這就夠了；然後你就另外再找善知識，是應該這樣子。

也就是說，他看不清楚什麼是虛妄法，但他看不清楚的緣故是因爲他沒有證得眞實法；沒有證得眞實法的人會貪著虛妄法，就有許多不如法的行爲出現，這一些行爲證明他被五欲之繩綁住了。只要他被五欲之繩綁住，天魔就歡喜了！天魔最歡喜的是大家都輪迴在欲界中，當佛門僧眾貪愛五欲時，天魔最歡喜了，因爲魔眾會越來越興盛，欲界有情也會越來越多。如果人間有人證得具足的初禪，魔宮也會震動；不必有人開悟，證初禪就夠了。魔宮震動是因爲他最在意的就是有人脫離欲界，脫離欲界後那個人就不在他的掌控之中，天魔就很驚慌。

但是他爲什麼驚慌？因爲這個人只要退轉於初禪而起了魔心，就可以來搶他的位置；初禪天人只要修了大福德就可以搶他的位置了，因爲那人的境界在天魔之上；如果福德修足了便跟他可以匹敵，就可以搶他的位置了，所以他很擔心。假使號稱開悟的人，卻會貪著虛妄法，堅定地執著虛妄法，天魔最喜歡了！因爲這個人不但「貪著堅執虛妄法」，而且還加上大妄語，將永遠脫離不了欲界，那就是永遠都歸他管了，所以他最喜歡，因此說「如是惡人能令魔喜」。如來說的眞是誠實語。

接著說：「同於凡夫修是具有罪惡人相，不似得法忍者。」像這樣的惡人，因爲喜歡虛妄法；凡是喜歡虛妄法的人，他辦個法會或者作大型演講，當他出場時應該有怎麼樣的威儀？諸位有沒有看過，大法師出場時前面四大護法，後面四大護法，這是在自己道場中，而不是在外面怕人家謀殺或不利於他才要這樣；他在自己的道場中預備上座說法時，只是為了擺出威儀，除了八大護法以外，身後還有一個人緊緊跟隨著，為他擎著寶幢。道教裡的神出遊，寶轎後面不是也有寶幢嗎？那他和道教的凡夫神祇有什麼差別？還是有差別的，道教的寶幢會旋轉，他的不旋轉。但那寶幢是虛妄法還是堅固法？（大眾答：虛妄法。）是虛妄法，根本用不著。推究他們要這樣擺譜的原因，只是為了虛張聲勢而使人崇拜，信徒崇拜以後供養就源源不絕地來了，都是「貪著堅執虛妄法」的人，所以說這一些人因為這個緣故，會永遠沉淪在欲界中，那就是天魔最歡喜的事了。

因為這種人會搞得天翻地覆、盡搞一些表相，然後會產生一種「群眾效應」，大家會跟著模仿，就會有更多的人像他這一條路繼續搞下去；凡是在這一類道場出來的徒眾，他也會模仿他的堂頭和尚一樣的行為。所以專門搞密宗假藏傳佛教的道場培養出來的人，離開去自立山頭之後，他們也會搞密宗假藏傳佛教的法，專搞一些表相裝派頭，這是一樣的道理。如果是一個專門講戒律的道場，堂頭和尚就是持戒清淨者，那他培養出來的人將來到外面去開山弘法，他們也會注重戒律。所以有一句俗話講得好：「**龍生龍，鳳生鳳，老鼠的兒子會打洞。**」講得眞好！臺灣也有這句話，不太好聽，且不談它。講經講到自己都會笑起來，都是被你們的心感應的。

現在不談它，回歸經文來。「**虛妄法**」畢竟是那一些大師們所放不下、看不開的法，這個原因很簡單，不知道諸位有沒有想過：他們爲什麼會成爲大師？有沒有想過？因爲他們就是有這方面的企圖心，不然怎麼會成爲大師？我講個祕辛好了；四大山頭中的一個，以前是拜託一家廣告公司，那個廣告公司的名稱其中一個字叫作聯，聯合的聯，講這樣就好，不要再講多了；請那家廣告公司作什麼？去爲他們建立一個行銷策略，然後再構思行銷的步驟，一步一步去作。他們當時是找那一家廣告公司的副總幫著策畫的，所以前後不到十年就成爲大山頭了。這表示什麼？表示當家師有企圖啊！

那咱們作不作廣告？也作！卻是爲密宗假藏傳佛教作廣告，不是爲我們自己作廣告。政府官員問我們說：「*你們這樣作有什麼好處？*」當時是張前董事長當執行長時，他回答說：「*沒有任何好處。*」那官員問說：「*那你們爲什麼還要這樣作？*」而我們執行長說：「*這事不得不作，爲了救眾生不得不*

作；對我們不但沒有好處，而且有很多壞處，可是我們還是得作。」就是說我們沒有任何企圖，就希望救眾生而已；所以沒有好處而且還有壞處，但我們也作，所以我們是傻瓜。那他們會成為大師，是因為他們有世間法上的企圖心，懂得如何去策畫進行；如果自己沒辦法策畫進行，花錢請廣告公司來策畫進行，這就是他們的作為。

但這個企圖心的背後還是因為「**貪著堅執虛妄法故**」，這樣的人就同於凡夫，因為凡夫是不管什麼罪惡不罪惡的事情，只要有利可圖便行，這就是凡夫的自性。所以凡夫的行為是圖利，圖利時大部分圖自己的利，不圖眾生利，圖眾生利時就不叫圖利，叫作利益眾生。那麼因此他們作事情時不擇手段只求成功，這就是 佛說的「**具有罪惡人相**」，因為這不但世間法中稱之為犯罪，在法界中也稱之為犯罪。犯罪即是惡，所以成為「**有罪人相**」的惡，這樣的人根本就不像一個得到法忍的人——「**不似得法忍者**」。所以我說，只要他宣稱證悟了，一定得是言行相符，因為要轉依成功才能稱為證悟。如果他去探聽到密意，是聽來的（去巴結人家所以人家告訴他），不是經由自己依五停心觀的修證降伏了性障、發起了未到地定，然後自己眞參實修去證悟出來的，那麼只是聽來的，他的轉依一定不可能成功。

轉依不成功時就會貪著於世間法，不是得到正法的人。他如果於正法有所證而能安忍，就是得法忍的人；得到法忍的人，不會再去貪著虛妄法，因爲他看見眞實法，而眞實法是如此無貪無瞋無癡，永恆不壞才是眞我、眞解脫；看清楚以後，這一世不轉依，未來世也得轉依；這一劫不轉依，未來劫也得轉依。晚轉依不如早轉依，所以想一想：「再也沒有別的究竟法，就只有這個究竟法，那我就轉依這個究竟法了。因爲我假使想要捨棄這個法，未來一大無量數劫以後還是得要回到這個法來，那不如現在就在這個法中安住，我就轉依了！」轉依了就不會貪著世間法。

所以假使初入道而不是多世已經入道的人，有時遇到虛妄法時，心裡還會猶豫、掙扎；但是如果他深入再去觀行，再去深入思惟、思索之後，他還是只好轉依第八識「無所得法」；掙扎一番以後他還是把虛妄法給捨了，這樣才是「得法忍」的人。如果他只是在虛妄法上不斷地貪著，於眞實法不相應，那麼他的行爲就跟世俗人一樣，不像是一個已經得法忍的人——「不似得法忍者」。那麼這樣的人如果號稱開悟了，要求你護持他，你不好當面拒絕，就口袋裡掏個五百塊錢給他就夠了，當作是布施給世俗人。甚至於你可以說：「這種貧瘠田種上一百塊臺幣也就夠了！」那就掏了供養，然後轉身就走了。可是如果遇到的是喇嘛那種毒田，你供養一塊錢都不行，因為那是壞法破佛的毒田；那個毒果跟著你到未來世去，那可不得了，這一點是要小心的。

那麼這樣的人，「沙門事法、沙門功德，百千萬分尚無一分。」真是一分也無，就算把某一件功德法分成萬分之一，他連一分都沒有，這樣的人不應供養，這是 如來說的。我剛剛還只是說那喇嘛千萬別供養，因為你種的田是毒田，不是福田，可是 如來說在「沙門事法、沙門功德」，百分千分萬分都尚無一分的人，他叫作「空者虛者」；如來說這樣的人是不應該供養的，而他還沒有像密宗喇嘛一樣破壞佛法呢！

那麼由於他出家後應該修的功德福德都沒有，所以說他是「空者虛者」，而這樣的人一定不同於清淨修行的出家人，因此 佛說他們是：「深深地貪著世間的利樂，不是沙門而自稱沙門，」他們對世間的利益和快樂是很深厚地貪著，這樣的人，諸位設身處地想一下，假使你站在他的立場，會不會生起煩惱？我打一個比方，假使有一個很大的道場，這道場是陸客必到之處，每天至少五十輛遊覽車或者每天至少一百輛遊覽車來觀光（可能還更多，我現在只是一個假設），那麼這一些人就叫作香客，跑來臺灣遊覽時就順便來到這個地方，暫時扮演香客角色；那麼這個觀光道場的錢財收入很多，這些錢財每天收完總要報到堂頭和尚那裡去，他們看著說：「哇！今天收入不錯。」可要是換你當堂頭和尚時，你覺得那個錢財燙不燙手？要一直左右換手對不對？是得一直換，這時就得想想看，有什麼地方可以丟出去。換作是你，一定會說：「到了歲末年終，來大辦寒冬送暖好了。」因爲這些錢財很燙手，然後就每天籌謀著歲末年終要怎麼作這一件事情。

可是他們都不覺得燙手，他們覺得好歡喜，也許還誤會是清涼呢！都不知道那些其實都是熔銅、熔鐵。所以我的想法是會裡若錢多了，就每年寒冬送暖作多一點。當我們預定的道場建設完成，可以安全無虞辦理傳戒、傳法……等各項法會時，就是我們大量辦理寒冬送暖的時節。但是我們下一回，就是明年初的寒冬送暖，我已經指示很久，現在終於要實施了，就是額度還要再提高。現在沒有辦法作很大量的提高，因爲我們正覺寺的建設還沒有完成；現在在這大樓辦傳戒法會，大樓住戶很不高興，我們得要另外找個地方建設起來。

但是假使錢多了，我告訴你們，眞的燙手。假使你知道那個因果，絕對不敢把它留在手裡；不是存到我的帳戶裡，就算是留在同修會裡都一樣很燙手，要知道這一點。所以將來建設完成要擴大寒冬送暖時，大家千萬不要起煩惱說：「**欸！我護持正法的錢，不是要給你拿去救濟貧窮的，我是要推廣正法的。**」不要這樣想，假使推廣正法時用不到那麼多錢，我們已經想辦法擴大正法的推廣後還是用不到那麼多錢，那麼多出來的錢就要去布施。布施是六度的首要，受施者未來多世多劫以後就會進入正法中，應該要這樣想。千萬別像某些大山頭，錢在手裡好像很快樂，但下一輩子就不快樂了！其實不用等到下輩子，捨報時就知道了。

這就是說，不應該深厚地貪著世間利，一點點貪著都不應該，何況是深貪；這才是眞正在法上實證的人應該有的心態和作爲。而這些人既「**深貪著世間利樂**」當然就不是沙門，可是他們都會自稱是沙門；不但自稱沙門，還自稱是幾地菩薩或者是阿羅漢，但是 如來說：「**非是沙門自稱沙門，不應供**

養而受供養，名為常賊，」說他們是不應該受供養的，當他們與供養相應時就錯了；他們不該接受供養而他們接受了，這樣叫作「常賊、立幢相賊」。賊為什麼要稱之為「常」？賊還被稱為常，是什麼意思？就是說他們永遠都是賊。如來說這樣的人永遠是賊，這是很重的話。

那諸位現在瞭解 如來的意旨了，不但自己永遠不能去當「常賊」，甚至還會憐憫那一些「常賊」，就不要去增加他們的罪業，也就是要避免供養他們。那如果「常賊」比之於附佛外道喇嘛教，當然全部都是「常賊」；而且他們還是「立幢相賊」，因為在佛門中身為賊的一分子，理論上總要在表面上遮遮掩掩，不能堂而皇之。可是那些喇嘛們公然立起寶幢來說：「我是觀世音菩薩化身、我是法王。」那不正是「立幢相賊」嗎？在正統佛門之中，我說的是有受過三壇大戒的大師們，他們晚近這十年來都不再自稱阿羅漢或是幾地菩薩等，雖然還不免 如來「常賊」之責，但已經不是「立幢相賊」了，因為他們現在不以佛法的實證者自居，也算是自食其力賺觀光財。可是那個「立幢相賊」的喇嘛教，依舊是白吃白喝還把外道法宣稱作最高層次的佛法，來欺騙所有善心人，這眞的叫作「立幢相賊」，眞的立起寶幢來說他們證量最高，宣稱比正統佛教的證量還高。

那麼 佛說不論「常賊」或者「立幢相賊」，全都叫作「自在殺害人賊」，而他們竟然覺得很自在。當他們殺害別人的法身慧命時，一點點的慚愧心都沒有，一點點的自責都沒有，所以叫作「自在殺害人賊」。那 如來就說「是人所食，一口皆不清淨」，不論他們吃什麼食物，每一口都不清淨。

在佛門中出家人所食必須是清淨食，所以有四種禁食：「仰口食、下口食、方口食、維口食。」四種食都不許食。什麼叫仰口食？就是看天吃飯，看天候、看天象，藉著這種方法來賺取錢財，以此為食，這就是仰口食。那什麼叫下口食？就是看著地上謀生，就是自己耕種，每天看著禾稼長得好不好，或看到這裡有草、那裡有草需要除草讓種植收成更好，叫作下口食；所以出家人不許耕種。來到中國以後因爲寺院都建在山上叢林中，距離市鎮托缽的地方很遠，百丈大師才制定叢林清規，說一日不作一日不食；因爲離城鎮太遠，托缽一來一往太浪費時間，沒辦法修行；而且禪宗出坡時正好參禪，所以他作了這個規定。但是我們以前在天竺是不許作這一些事的，全部日中一食托缽，從 如來到沙彌都一樣。那麼自己耕種就是下口食，在天竺時是不許的。

方口食則是到四方去說項，爲人說項時包括戒律中禁止的「通使」或是「入軍」，這些都不許作，這叫作方口食。比如在這個國家講好了，再去另一個國家講事情；然後在這個國家講好了，又去那個國家講。方口食以外還有維口食，純粹是靠嘴巴吃飯；你可別說：「**誰吃飯不靠嘴巴？**」不是這個意思，是因爲他都憑著一張嘴到處說故事，或者唱戲、唱歌等，都屬於維口食，他純粹靠嘴巴作事來維生；假使出家人出來講相聲，那也就是維口食；那出家人如果出來講故事賺錢維生，這出家人拿著古時的劇本來說故事，是幹民間說書者的工作，那也是維口食，這些都是不允許的。出家人這四種食尚且不允許，而他們還沒有去傷害別人的法身慧命，尚且不可以；那這些「**常賊、立幢相賊**」，他們是傷害別人法身慧命，而且一點都不覺得慚愧，所以世尊說這樣的人「**所食，一口皆不清淨**」。

那什麼人可以接受供養清淨而食？如來說：「**唯有向道得道果者能消供養，**」向道表示他是一心向著三乘菩提的實證去修行的，當然也有人把它解釋爲初果向，叫作向道者。這解釋雖然勉強可通，但其實不通；因爲如來的意思不是只有初果向以上可以接受供養，而是說有眞正努力在求證三乘菩提，心向菩提的人可以接受供養。有的人也許出家以後因爲有些笨，是因爲他的勝義根不太好；或者有過去世所造的業來障礙著，所以他不容易實證，但他很努力，這樣就能接受供養，因爲他眞心向道。如果解釋說只有初果向以上才可以接受供養，那麼佛教中的僧團大部分都要遣回俗家了；所以 如來不是那個意思，而是說他眞的有心、眞的努力在三乘菩提的實證上面用功，心向菩提，這就是向道者。

「**向道**」者「**能消供養**」，以及「**得道果者能消供養**」。「**得道果者**」縱然還沒有到阿羅漢位，縱然還沒有入地，都能消得供養；所以向道者雖然尙未得道證果，受人供養時不必覺得有愧，都能受供養的。如果不能消供養，是什麼意思？就是說他吃了以後都積在肚子裡不能消化。眞的有出家人接受供養以後吃了都不消化嗎？那就用不著飲食了。所以不是文字表面上的意思，而是說他吃了以後在法身慧命這一方面，或者乃至在二乘菩提實證這方面都沒用心，他是不消供養的。

不消供養表示什麼呢？就是積食不化，就好像中醫說的痞積病。你們大陸有沒有聽過疳積這種病？你們沒聽過，倒是有點兒奇怪；中醫是從中國傳過來的，你們怎麼不知道？「疳」是一個病字旁加上一個甘草的甘，積是累積的積。「疳積」就是說，專吃一些不酸不澀的東西，多油還帶甜，吃了不容易消化的那一些東西；每天吃下肚之後就持續累積著，消化不了；還沒消化又吃，就這樣一直累積下來，最後成疾。那這種病要吃什麼？民間最簡單的方法就是吃仙楂。沒有生鮮的仙楂就去中藥房買仙楂餅，到了半晡之時（閩南語叫作半晡之時），就是中餐跟晚餐中間，或者早餐跟午餐中間，或者晚餐後兩個鐘頭，就吃一兩片仙楂餅可以消食，這是中醫的理論。我們小時候也是這樣的，看著小孩子肚大如鼓，消化系統很差，飯吃了老是不消化，就給他吃仙楂餅。現在中藥房應該都還有賣，如果你們家孫子孫女消化不良就給他吃一點，酸酸甜甜也蠻好吃的，他就開始消脹，叫作「能消積食」。

在佛門中，法身慧命沒有辦法引生，而且還障礙別人的法身慧命；或者自己沒有在解脫道有所實證，還障礙別人在解脫道上的實證，這種人就是「常賊、立幢相賊」，他們心都不向正道，既不是「得道果者」也不是「向道者」，這些人都是不消供養者，不管什麼人供養了他們什麼，他們都不能眞的消化；因為佛說「是人無此」，就是說不論是向道或者得道果的功德，他們全都沒有，因此任何人的供養，他們都不能消化；既然任何供養都不消化，他們卻又繼續接受供養，那就是吃「不淨食者」。人吃東西應該是肚子餓了所以去吃，當我們在忙事情時即使餓了都忘了吃；可是有人一天到晚閒著無事，飯吃得飽飽的坐在那邊無事可幹，腹中食物累積著尚未消化，可是看見有食物他又吃，那他就不能消化，繼續積存在肚子裡。他不是因為餓而吃，他那個吃就叫作「不淨食」。為什麼叫作「不淨」？是因為貪口腹之欲。貪味而已，不是因為餓而去吃，所以就叫作「不淨食者」。

如來接著作一個總結：「舍利弗！是故名為空者虛者。」因為他們在佛法中別說得道果，就連向道的心都沒有。所以古德有時問弟子們說：「出家所為何事？」總是常常提醒弟子們。有時有些弟子懈怠，比如有的弟子很願意工作，不論出坡或幹什麼，他總是很勤快；可是談到參禪或是談到二乘菩提的觀行，他就敬謝不敏，藉故推辭，那師父就問他：「出家所為何事？」問他說：「你當初出家是為什麼而出家的？」就是提醒弟子說：「當初就是為了三乘菩提、為了證道而出家的啊！」結果這一些「破戒比丘」於佛法中出家之後，破壞了戒律也破壞正法，都在世間的利益名聞供養上面用心，所以什麼法都沒有得到，包括出家人所應該有的世間軌則他們都沒有，因此他們叫作「空者虛者」。如來又開示說：

經文：【「於意云何？若人殺生、偷盜、邪淫、妄語、兩舌、惡口、綺語、貪嫉、瞋恚、邪見，是人爲是常殺生不常奪命不？」「不也，世尊！在家殺生不常奪命，殺生時少，不殺時多。」「舍利弗！於意云何？若人偷盜，偷盜時多？不盜時多？」「世尊！不盜時多。」「舍利弗！於意云何？若人邪婬，邪婬時多？不邪婬時多？」「世尊！不邪婬時多。」「妄語、惡口、兩舌、綺語、貪嫉、瞋恚時多？不瞋恚時多？」「世尊！不瞋恚時多。」「舍利弗！是十不善道中，何者罪重？」「世尊！十不善中邪見罪重。何以故？世尊！邪見者，垢常著心，心不清淨。」】

語譯：【世尊又開示說：「你的意下如何呢？假使有人殺生、偷盜、邪淫、妄語、兩舌、惡口、綺語、貪著忌嫉、瞋恚以及邪見，這個人是常常殺生或者是常常都在奪命嗎？」舍利弗答覆說：「不是這樣的，世尊！在家殺生不會是時常都在奪取有情的生命，而是殺生時少，不殺時多。」世尊又說：「舍利弗！你的意下如何呢？如果有人是喜歡偷盜的，那他是偷盜時多？還是不偷盜時多呢？」舍利弗答覆說：「世尊！不偷盜時多。」如來又說：「舍利弗！在你的意下怎麼樣呢？如果有人是喜歡邪婬的，那他是邪婬時多？還是不邪婬時多呢？」舍利弗答覆說：「世尊！他還是不邪婬時多。」如來又說：「妄語、惡口、兩舌、綺語、貪嫉、瞋恚時多呢？還是不瞋恚時多呢？」舍利弗答覆說：「世尊！是不瞋恚時多。」「舍利弗！那麼在這十個不善道之中，什麼罪是最重的？」舍利弗答覆說：「世尊！這十個不善業中邪見的罪最重。為什麼這樣說呢？世尊！因為邪見的人，這個邪見的垢穢永遠都執著在他的心中，他的心不清淨。」】

講義：如果有人殺生、偷盜、邪淫……等十惡業道都作了，老實說世間難得有這種人能把十個惡業道都幹了，頂多是同時有二個、三個惡業道就很多了，他還能夠十惡業道都幹了；以這樣的例子來說，到底這樣的人是不斷地經常殺生，或者是經常奪取有情的生命嗎？這個問題大家都很容易理解，例如菜市場中賣雞肉、鴨肉的，以前菜市場賣雞肉、鴨肉的人都是現宰的，當場殺，他們是專門殺生的人，但他們有一天二十四小時都在殺嗎？沒有的。殺生是如此，偷盜、邪淫、妄語、兩舌、惡口、綺語、貪嫉、瞋恚、邪見，除了邪見以外，其他若是十惡業道具足犯的人，也不會不中斷地經常犯；不會每一個時刻都在犯，至少他睡覺時不犯。

所以舍利弗答覆：「**不會啊！在家人殺生不會經常性地在奪命。**」譬如他賣雞、賣鴨，早上殺完賣完，下午就不殺了，晚上也不殺，睡覺時也不殺，所以不是「**常奪命**」。「常」就是經常性的繼續作，所以他是「**殺生時少，不殺時多**」。因此在戒律上也這麼講：殺生這個罪犯了之後，是不是因爲每天都免不掉要殺生，是否乾脆就不要受這個殺戒？佛法中說不應該這樣想，還是要繼續受。他的行業沒有辦法避免殺生，就盡量少殺，但不應該捨戒，因爲他是「**殺生時少，不殺時多**」，奪命時少，不奪命時多；只要他在不奪命不殺生時，他的受戒功德就在。所以他每天晚上就去懺悔，因爲那持戒的功德還是大過犯戒的過失，主要的是不殺人。

現在就是講這個道理，殺生如此，那麼偷盜呢？小偷偷過了，至少他那一些偷來的錢財沒花掉之前不會再偷吧？譬如今天晚上到了誰家偷了二十萬元臺幣，也許就去花天酒地，花個三天、五天都花完了，他才又會去偷吧。不會今天偷了二十萬元，明天再偷五十萬元，後天再偷三萬元持續不斷，通常不會這樣；而且他偷完回到家以後或者享樂或者睡覺，也不是這一家偷了繼續偷別家，當作上班一樣一家一家連著幹，通常不會的，所以不偷時多，偷盜時少。那麼邪淫也是一樣，不邪淫時多，邪淫時少。沒有哪個男人是這一家邪淫之後接著到另外一家又繼續邪淫，一連闖三、四家，不會這樣的。即使是言情小說裡寫的最讓人氣恨的採花賊，他也不會這一家邪淫完了立刻又去那一家，不會一家一家輪著去吧？所以說邪淫時少，不邪淫時多。因此造惡還是有個限度，比起邪見來都還是好的。那今天又只能講到這裡。

《佛藏經》上週講到三十九頁第二行中間，上週最後講的是如果有人邪淫的話，那麼他邪淫時多或者不邪淫時多？舍利弗尊者答覆說：「不邪淫時多。」那麼接下來　如來又問：「當一個人他妄語、惡口、兩舌、綺語、貪嫉、瞋恚時，那是在這些情況中時比較多，或者是不妄語、不惡口乃至不瞋恚時多？」這些其實也容易瞭解，就算是一個十惡不赦的人，他每天都說妄語，每天都對人惡口，每天都兩舌挑弄是非，每天都說不如實語，每天都很貪欲，忌妒別人，而且常常生氣，但是他這樣作時，雖然每天是作了，但不是每一天中的時時刻刻都這樣作。就算是惡口的人、瞋恚的人，他在家裡總也有遇見他那乖巧女兒、兒子時，也是蠻慈祥的啊！就只會對外人惡口等。所以惡人也不是每一個時刻都在造惡，因此說，沒有人是一醒過來直到睡覺都在造惡的，所以舍利弗尊者答覆說：「**這種惡人其實是不妄語、不惡口乃至不瞋恚時比較多。**」

然後 如來就從另一個層面再提出來問：「**舍利弗啊！這十個不善業道之中，哪一種罪是最重的？**」也許大家都會在這個表相上來看，因爲傷害了眾生，譬如妄語騙了人、惡口罵了人等，乃至瞋恚時對人很生氣，讓人畏懼，看起來這些都是很嚴重的。至於最後那個貪瞋癡，也就是無明，大家都不在意；如果有人充滿著非常多的無明，因此說出來的見解全都是邪見，但大家不會認爲他是個惡人，即使他誤導無量無邊的眾生，只因爲他不惡口、不殺人、不兩舌、不綺語等，大家往往都說他是好人，這在世間是大家慣見的事情了。

所以當我們不得不指名道姓來拈提那些大法師時，就要被罵了！大家都說：「你看人家大師都沒有回應你，都不罵你，沒有哪一個跟你回罵，就你一直還罵個不停，你都已經罵了十年還在罵。」但其實我們是作法義辨正，沒有罵誰啊！那些人都不想一想，有兩個原因使他們不回「罵」：第一是他們覺得回罵了以後有失身分，因爲他們沒有斷我見，當然特別在意大師的身分。第二個原因是不敢回，不是不能回；再小的孩子也會跟你回嘴，大師怎麼沒有能力回嘴呢？是不敢回。所以你當著三歲兒子女兒的面在責怪他時，他還會跟你反駁。三歲娃兒都會回，問題是爲什麼都當了大師沒辦法回？是因爲不敢回，回了以後問題更大，所以他們都不回，不是肚量大不想計較。

那麼大眾看表相就說：「你看人家修養那麼好，都不會跟你計較。」可是他們看不清楚爲什麼大師們不計較，是因爲不能計較，越計較後果越嚴重，是因爲這個緣故所以不跟蕭平實計較。那他們就看表相說：「你看這蕭平實眞是個大壞蛋。」問題是這個大壞蛋看起來很壞，目的是幹什麼？對！是救他們呀！你們講的都對啊！正是救他們，可是他們不知道咱們是在救他們。所以大家都認爲只要不殺害眾生、不搶奪眾生財物，乃至不對眾生瞋恚等，就是好人，那他們有怎麼樣嚴重的邪見、不斷誤導眾生都沒關係。可是背後的眞相是，即使被那個惡人殺了，也不過是一世枉死，若是被邪見的大師把法身慧命給殺了，跟著他墮在邪見中，就會是邪知邪修邪行邪證，然後下墮惡道中就不知被害幾世了。

譬如密宗假藏傳佛教各個都說他們成就報身佛了，宣稱證量比 釋迦如來更高；當然這幾年沒有人敢再這麼講了，可是以前都這麼講的呀！隨隨便便路上不小心撞著一個喇嘛，他都是報身佛。但這十年來他們不敢講了，可是沒有人說他們是壞人；但是罵蕭平實是壞人的人確實很多，沒辦法！如來的意思就告訴我們說，這十惡業道中就是最後那個邪見業道的罪最重，無明而生起邪見，這個業道是最重的；因爲殺人不過一世，被人惡口不過氣個一天二天，大不了十年，你總是會離開他，不用再受他惡口、被他生氣記恨等，遠離就好了。可要是有個人每天笑容可掬、和藹可親，盡教一些邪見給你，你接受以後法身慧命再也活不過來了；假使跟著他一樣施設了方便去誹謗聖教，是佛法他偏說那不是佛法，是 如來所說他偏說那不是 如來所說，是賢聖他偏說是邪魔外道；跟著同樣去作的結果是墮落三惡道，難有出期，那麼這樣兩相比較，看看哪一個才是最大的惡人，這道理就很明白了。

就好像有一條狗跌在水塘裡爬不上來，那塘岸邊坡很滑，然後一大群人在那邊笑咪咪的讚歎牠：「你在水裡游泳功夫很好，你都不會被淹死的，你功夫太棒了！」只有一個人罵牠：「你笨蛋！爲什麼不趕快上來，來來！趕快上來。」便伸手要拉牠，牠張口就這麼一咬，因爲牠覺得你是壞蛋；你想要救牠竟沒辦法，那牠就得永遠在那塘裡游個不停。牠還歡喜地說：「你看，那些人都讚歎我，對我多麼好，就只有你在罵我。」就這樣狠狠咬你一口，那你沒辦法，只好繼續讓牠咬；牠咬了你的手，你要把牠拉上來，牠偏又鬆口下去了，不跟你上來，你也無可奈何。這就是說邪見害人不是一世、兩世，會讓人「心不清淨」。

舍利弗回答 如來說「垢常著心」，那個邪見汙垢是永遠而恆常地污濁了他的心，附著在他的心中，想要把它除掉很難。當一個人被邪見染污時心地就不會清淨，看見了正法弘揚起來，總是氣憤不過而一直罵：「那是外道法、外道法，只有緣起性空才是如來的正法，如來藏是外道神我，那弘揚如來藏的人就是外道見，那是在害人，所以是邪魔外道。」不斷地污衊，因爲他被無明垢、被邪見的污垢永遠染污了，而且附著在他心中永遠洗不掉，所以他一直「心不清淨」。

這意思就是說，邪見之惡遠勝於十惡業道中的前面九個，因爲縱使前面九個惡業每天都造，也不會從早造到晚，只是造一段時間後總是會幹別的事；可是邪見時時刻刻都存在他心中不會斷除，所以邪見是最嚴重的惡罪。因此十不善之中哪一種罪是最重的呢？就是邪見。這是 如來的教誨，但是一般人不懂這個道理。接下來 世尊又繼續開示：

經文：【「舍利弗！我今語汝，若人一日殺百千萬億眾生，一日偷盜百千萬億種金銀寶物，邪婬者晝夜不息；妄語者常欺誑人口業不淨無一實語，兩舌者常破和合亦助破者，惡口者口常惡逆乃至不說柔軟一語，綺語者無有根本，人問此事，以餘無量語言忤亂；貪嫉者於他物中生非法心，瞋恚者無有因緣橫起瞋恚懷恨滿心，邪見者樂行非道，舍利弗！於意云何？若人成就如是不善法者罪爲多不？」「甚多！世尊！」「舍利弗！我今語汝，若人百歲成就如是十不善罪，破戒比丘一日一夜受他供養，罪多於彼。何以故？是殺生者，多人所知，多人所識，人所惡賤，人皆知是殺奪命者，罪人穢濁，是染

污者，不善無德，人所離者。」】

語譯：【世尊又開示說：「舍利弗！我如今告訴你，如果有人一天之中殺死百千萬億的眾生，一天之中偷盜了百千萬億種金銀寶物，邪婬者晝夜都不停息；妄語者時常不中斷地欺誑別人，他的口業不清淨，沒有一句話是眞實語；兩舌的人恆常不斷地破壞別人互相和合，也幫助那些破壞別人和諧的人；惡口的人口中時常都是惡逆之言，乃至不曾說過一句柔軟的話；綺語者每天都是在沒有任何根據的狀況下，當人家問起這個事情，他就用無量的語言來忤逆或者擾亂別人；貪嫉的人每天在別人的財物中生起非法的心，瞋恚的人沒有因緣硬要生起瞋恚然後滿腔的憤恨懷在心中，而邪見的人喜樂行於各種非道，舍利弗！你的意下怎麼看呢？如果有人成就了像這樣的不善法，那麼他的罪是不是很多？」舍利弗尊者答覆說：「非常之多啊！世尊！」如來又說：「舍利弗！我今天告訴你，如果有人在百歲中成就了這樣的十種不善業之罪都具足圓滿了，而破戒的比丘一天一夜之中接受了別人的供養，他的罪多於那樣的惡人。這是什麼緣故？是說這個殺生的人，是非常多的人所熟知的，也是很多人知道他是這樣的人，也都認得他，而且也是眾人所厭惡、所看不起的人，所有的人都知道他是一個喜歡殺害而奪去性命的人，那是一個罪人，是非常汙穢而且不清淨的人，他是一個心地染污的人，他完全沒有善心善行、沒有任何的德行可說，他是一個人人都遠離的人。」】

講義：這是一個比喻，如果有人一天殺害百千萬億眾生；事實上不可能作得到，但假設有人可以這樣作到，一天之中殺害百千萬億的眾生，這眞叫作窮凶極惡，世間惡人再也無出其右。又譬如有人在一天之中能偷到百千萬億種的金銀寶物，這眞是天下之巨偷，因爲百千萬億種金銀寶物不可能一天之中偷得盡，單說一個小鄉村一天之中他就偷不完了，別說百千萬億種金銀寶物。但是這樣顯示這個人眞的是非常惡劣。

如果邪淫者晝夜不息，我想世間也沒有人能夠晝夜不息吧？但是有八個時辰的，譬如宗喀巴《密宗道次第廣論》說的，他說修密宗雙身法應該要每日十六小時都要精進修持，不可以中止，除了睡覺、大小便利以外，都不可以中止；所以假使每天睡覺要六個鐘頭，吃飯大小便要兩個鐘頭，那這樣算要幾個鐘頭？十六個鐘頭，他規定修密的人每天要修雙身法十六個鐘頭，但他自己辦不辦得到？他自己也無法一生之中每天都辦到。自己辦不到的事情要別人這樣作，那是什麼心態？或者說那是空口白話。縱使他眞的作到了晝夜不息，這算是荒天下之大淫了吧？世間已經沒有人能出於其右，因爲他還說：就像是這樣子每天精勤修，而且要每月、每年修，他還說到要每一劫都這樣日夜不停地修雙身法；但有個問題是，每一劫都這樣修，是不是永遠輪迴生死？對啊！每一劫都輪迴生死，就永劫輪迴生死。可他不知道自己有這個邪見，講了都不知道自己的話是顯示邪見的，所以我說他是個大笨蛋，眞是天下最大的笨蛋。如果有人說了話馬上吐舌頭說：「我剛剛講的話有毛病。」那已經算是世間的愚癡人了，可是他更愚癡，講了以後都不知道有毛病。那就算可以這樣讓他每一天都晝夜不息精修雙身法，每天二十四小時——十二個時辰——都這樣作，這也夠下賤了吧？

接著再來談妄語的人，他永遠都在欺誑別人，不管什麼他都要騙人家，都不說老實話；他的口業是不清淨的，不曾講過一句眞實語，這也夠厲害了！因爲沒有人辦得到。假使媽媽問他說：「你肚子餓了沒有？」他還要騙媽媽說不餓嗎？有時他也會說實話。但假使有個人惡劣到永遠都不說實話（實際上不可能有這樣的人），但就算有這樣的人，這也夠惡劣了。兩舌的人時常都不間斷在破壞僧眾的和合，或者破壞家庭的和合、團體的和合而都沒有中止過；看見有人在作這種事時他還來幫助，這也是一個大惡人。

還有喜歡罵人的人，一天到晚破口大罵，口中沒有講過一句柔軟語，從早一直罵到晚。綺語的人，也就是他會虛構很多的事情，而他講出來的話根本就不曾存在任何事實——沒有根本——就是沒有根據的意思，從來都是虛構的；當人家問他這件事情時，他明明知道卻不說，卻又以無量的語言來忤逆或者擾亂人家，讓人家永遠都弄不清楚。

如果貪嫉的人，對於別人所有的財物永遠都在心中存著非法之心，想要無端擁有。而瞋恚的人，沒有值得他瞋恚的因緣，他也是硬要生起瞋恚的作意留在心中，充滿著恨怨等；這眞的是沒道理，我們在人間也不曾見過這樣的人，總是有因緣他才會瞋恚；但這個人沒有因緣也要瞋恚。邪見的人喜樂行於非道，道就是方法——修行的法門，那這個邪見的人喜樂行於非道，這個非道可能是自己修了還加上誤導別人等，這人的這一種惡行就已經超過前面具足九種惡行的人。

而現在這十種惡行加起來，有人把這十個不善法都具足成就，他的惡業當然非常之重。所以舍利弗尊者答說：「甚多！世尊！」可是 如來卻又說了：「如果有人每一天都那樣子作，百歲之中每一天都成就這麼重大的十不善罪；」這罪可比前面講的更重了，「如果破戒的比丘只要在一日一夜之中接受別人的供養，他的罪遠遠超過於那個百歲之中每天犯十大惡業的人。」這樣想起來，有沒有替那些破戒比丘們嚇出一身冷汗？心裡想：「好在我不是破戒比丘。」對啊！好在不是「破戒比丘」，因為破戒比丘只要一日一夜接受別人供養，罪就超過那位一百歲每天都造十大惡業不停止的人，而且是罪大惡極。

世尊這樣講，恐怕有的人不信，因為有的人很單純，心想：「我不過接受一日一夜的供養而已，又不是多少錢財，又不是多少很珍貴的食物。」但如來看的不是這個，而是因為那個造十大惡業滿足百歲的人，單舉其中一個殺生來講，那個殺生的人是非常多的人都知道他專門在殺害眾生，臭名遠聞；大家都認識他，所以不管誰看了他都厭惡他，都看不起他；每一個人都知道他是專門在殺害別人、在奪取別人生命的人，所以都知道他是個大罪人，也知道他心中非常污穢、非常髒，已經被種種不淨所染污了；他完全沒有任何善心善行，是所有人都遠離的；大家都是遠遠看見他就離開了。那這一個道理　如來還沒有講完，所以接著又開示說：

經文：【「又舍利弗！殺生之人多奪他命，或生厭心；自知不是，當得罪報；人皆知惡，無戒穢濁，於此人所不望功德乃至析毛百分之一，況謂福田而供養之？又舍利弗！是殺生之人，其家妻子人皆悉知，不共恭敬；尚不令坐，何況供養？殺生之人以財自活，養育妻子，或時供養沙門婆羅門，以此業報，得遇賢聖比丘、比丘尼爲說道法，教離殺生，捨其殺業，於佛法中而得出家無有障礙。得出家已，近善知識，得沙門果。是人現世輕受罪報，不障聖道，得免三塗。」】

語譯：【如來又說：「而且舍利弗！殺生的人常常奪取別人的生命，但是時間久了以後有時也會產生厭惡之心；他自己知道所作的這一些事情都不正當，未來死後將會得到罪報；他殺生太多了，人們都知道他的惡事，也知道他不遵守世間的各種戒律，是個汙穢混濁的人，對於這樣的人從來都不在他身上盼望有一絲一毫的功德，乃至於把一根毛髮分析到百分之一那麼細的功德都不曾期待過，何況會把他當作福田而供養他呢？此外舍利弗！這個殺生的人，他家裡面的妻室和子女是人們都知道的，那同樣也都不會恭敬於他們；尚且不會請這個人來家中奉坐，何況是供養他？殺生的人是以財物來自給存活，來養育他的妻室和子女，但是這個殺生的人有時偶爾也會供養出家人或在家的修行人，以這樣的業報，可能會遇到賢聖比丘、比丘尼來為他演說修行之道和佛法，教他遠離殺生，捨掉他原來的殺業，然後在佛法中而可以出家沒有障礙。能夠出家了以後，接近了善知識，親近修學而終於證得沙門果。這個人現在世可以輕受罪報，不會障礙他的聖道，可以免掉三塗之業。」

講義：這是說一個惡人每天殺生很多，乃至十惡業道每天都造，造了一百歲的重罪，還不及「破戒比丘」一天一夜受人供養。因為這個殺生的人，不像「破戒比丘」永不改變邪思與惡行；「破戒比丘」受人供養是欺詐的行為，是公然歛財而且污辱了佛門，他等於污辱了全部的僧寶，所以他一日一夜受別人供養的罪，遠超過一個每天殺害百千萬億眾生，乃至超過百歲的時間每天造十大惡業的人。因為那個殺生的人或者偷盜的人、邪淫的人、妄語的人……等，有時他們會產生厭惡之心，厭惡自己的惡行；雖然他奪取別人的生命很多，當他一旦生起厭心時，也知道自己的所爲不正當，所作的事情都是不對的，也知道自己未來世會獲得罪報。而且在世之時人們都知道他幹的惡事，也知道他不遵守世間的律法；世間的律法是應當怎麼樣他卻去違背，所以他是無戒之人，也是污穢而不清淨的。所以每一個人遇見他時，不會在他身上期待有什麼功德，乃至於只要有一絲一毫的功德都行，可卻是找不到；甚至一根頭髮分析到百分之一那麼微小的功德都沒有，都不曾去盼望在他身上看得到，當然更不會把他當作福田來供養。

可是這個殺生的人，比起那個「破戒比丘」是好太多了，因爲這個殺生的人，他家裡連帶妻室和他的子女都被別人所知，沒有人會恭敬他們家中任何一個人，只因爲跟他是一家人；所以這個殺生的人乃至他的家人，不論誰見了都不會請到家裡來坐，更何況是供養他。這個道理很淺顯易解。可是這個殺生的人有時也會作一點善事；譬如在綠林中混生活的人殺人不眨眼，只爲了搶奪財物，可是當他在路上也許在什麼地方看見一條狗餓到不得了，也許看見一個人窮到已經兩天沒吃飯了，他可能突然生起一念憐憫之心，送給他食物，有時候也會這樣；所以他有時也會供養出家人或供養在家修行人，那他養育妻室子女也是當然的；因此有時他還是修了一點世間的福德，雖然他不知道那是福德。那麼這個人殺生的目的是獲取財物來自己活命、來奉養他的家人，偶爾起一個善念來供養出家修行人或者是在家修行人，正因為這樣的善業果報，他可能就會遇到賢位聖位的比丘或比丘尼來為他演說修行之道以及三乘的佛法，然後教他遠離殺生，教他把殺業捨掉，甚至於他可能發起了善心，而終於在佛法中出家，可以有這樣的改變。但在佛法中已經出家破戒了以後卻是不會改變的，諸位可以去看看海峽兩岸的那些佛寺，那些破戒比丘們會不會改變？有沒有改變？是否已經改變？答案是沒有。

那麼因為這個殺生的人終於懂得次法上面應當如何實行，修行之道應當如何精進，由於親近善知識的緣故，努力修行也可以證得沙門果；沙門果就是出家果，從初果到四果都叫作沙門果。那麼他本來應該在未來世受很重大的果報，但他可以現世來輕受，在這一世證果之後，就繼續開始受報了，但是不用到未來世去受極長劫的尤重純苦之報。那這個殺生的人可以不障礙聖道，可以免入三塗。可是「**破戒比丘**」是出家之後開始破戒、開始造惡，不會改變，這就無可救藥了！因此「破戒比丘」一日一夜接受他人供養時「罪多於彼」，因爲他等於在侮辱一切佛門賢聖衆，同時是在破壞大家對三寶的信心，所以他公然受供養時，罪報非常之重。如來又開示說：

經文：【「舍利弗！於我法中有諸比丘非是沙門，自言沙門；非是梵行，自言梵行；斷諸善根，障入涅槃，迷惑失道；破道因緣，破諸善法；行外道事，入於惡道；多諸怨賊，空生受命猶如死人，形色毀悴失正威儀；於我法中名爲污染，名爲法賊，名爲逆人，名爲魔使。猶如行廁，亦如死狗；如像沙門，同沙門服，無沙門事。舍利弗！譬如野干在獅子群，亦如黃門在於轉輪聖王衆中，亦如獼猴在於諸天，亦復如驢在象王衆，亦如盲人在天眼衆，亦如蝙蝠在金翅鳥衆；舍利弗！破戒比丘在我衆中，百千萬億諸天大衆見此比丘在衆而坐，皆大憂惱而作是言：『如是惡人何用布薩？是魔黨類，欲聞無上佛道向白衣說。』復有信樂佛法諸龍鬼神等，高聲大喚：『是惡比丘，何故於此隱藏其身？似如惡馬在調善馬中。如是癡人，自謂無有見知我惡；自藏於此，欺誑天人，爲是一切天人中賊。』衆共見已，皆更大喚。」】

語譯：【世尊又說：「舍利弗！在我的法中有一些比丘不是出家人，而自己說是出家人；不是清淨行的人，而自稱行於清淨行；他們斷滅了種種的善根，障礙將來證入涅槃，迷惑於佛法而且失去所應修的種種道；破壞行道的因緣，所以也就破壞種種的善法；身口意都行於外道的各種事相之中，這是進入於惡道中；這種人有許多的怨賊，他是徒然受生於人間，其本質就像是死人一樣，而他的身形與顏色是毀壞的、憔悴的，也失掉了眞出家人應該有的威儀；在我的法中這種人名爲污染，這種人名爲法賊，名爲違逆佛法的人，也稱爲魔的使者。這種人就像一個行動的廁所，也好像是死狗一樣；他只是一個外表好像出家人而已，穿著同於沙門一樣的服裝，可是卻沒有出家人應該有的種種事相。舍利弗！譬如一隻野狐安住於獅子群中，又好像是一個太監或者陰陽人在轉輪聖王的大眾之中，又好像是一隻獼猴混在諸天眾之中，又像是一頭驢混在象王之眾裡面，又好像是一個眼盲的人處在具有天眼的大眾之中，又像是一隻畏縮的蝙蝠處在金翅鳥大眾之中；舍利弗！破戒的比丘在佛法大眾之中，百千萬億諸天大眾看見這樣的比丘在大眾之中而安坐著，全都大大地憂惱而這樣子說：『像這樣的惡人何必來參加布薩？這是魔黨一類的眾生，想要竊聞無上的佛法修行之道去向在家人演說。』另外還有信受而喜樂於佛法的各種天龍、化生龍以及鬼神眾等，高聲地大叫說：『像這樣的惡比丘，是什麼緣故在這裡隱藏他的身形？就好像是一隻惡馬混在調善馬之中。像這樣的愚癡人，自己以爲沒有人可以看見我所造的惡業；就這樣自己藏隱於這個地方，欺誑於天人，這是一切天人之中的賊。』大眾共同看見了之後，全都繼續更大聲而重複地呼喚出這種事情。」】

講義：這就是說，如來苦口婆心，一切沒有犯戒的比丘、比丘尼們讀這一部經時心安理得；如果是犯了戒而沒有如法懺摩把戒罪滅除，聽在耳裡，了知在心裡，每一句話都像一支大砍刀砍在身上，那是非常痛苦的事，眞的聽不下去。不用眞正去犯，你們可以想像假使自己是那樣的人，還能聽得下去？或者聽不下去？想像一下就知道，這很容易想像；因爲等於坐在這裡每天被 佛斥責一樣。我沒有罵誰，只是把 佛的意思解釋出來而已，所以當代佛教界別認爲我在罵人。這是 佛對弟子視同親生子女，所以是對自己的子女教誡；因爲子女不爭氣，佛當然要教誡，一直教誡到未來世，看會不會爭氣。

父母都是這樣，如果子女聽不下去時會怎麼樣？就走人啊！所以如果破戒之後而沒有如法羯磨滅罪，眞的聽不下　世尊這樣的教誡，那就還俗去吧，別繼續待在僧團中丟人現眼而且被諸天指指點點。可想而知，將來這書整理完出版時，大家都會讀到前面那一些　世尊在法義上的教導，那些破戒比丘、比丘尼們（包括否定第八識正法的謗佛謗法者都是破戒者）都會讀到的，可是如果到後面這一些教誡，可能他（她）們就讀不下去，再也不讀了。可是如果夠聰明，就應該堅持讀下去，讀完以後想方設法羯磨滅罪，這才是聰明人。若是愚笨的人就想：「**我不聽！我走了。**」不聽或不讀了而走人了，那些罪業該怎麼滅？來世該如何受報？這是個大問題。

這就是說，如來不會喜歡這一類「**破戒比丘**」，因爲他們不是眞正的出家人；只是看來像個出家人，也燙了戒疤，又穿起僧服來，頭髮剃了住在寺院裡；可是他心中想的、口裡說的以及身上作的事情，都跟在家人一模一樣，而且還比在家人惡劣。如果身口意諸行跟在家人一模一樣，那就不是出家人；所以我們正覺同修會有一個門風，從我開始弘法以來到現在一直維持著：出家人不許有在家法，在家人不許有出家法。這是我們同修會一直維持到現在，二十來年不曾改變，未來也不會改變的門風。

出家人不應該有在家法，也就是說出家人一定是持守不淫戒、離家而住，住在道場中。但是出家人接受供養，這是一定的。那麼出家人如果不住在佛寺道場中，然後行於在家之法，不但如此甚至有些出家人還養了孩子；是出家之後養了孩子，不是出家前生的孩子；出家之後養了孩子，孩子便叫出家的父親爲叔叔，管母親叫作阿姨或嬸嬸，就這樣子！在經中 世尊也有這樣講過，說末法時代會有這種現象，所以如果有時在路上看見比丘、比丘尼牽著一個孩子，從學校拉著孩子回到寺院裡去，我也不搖頭，因爲早知道末法時代會這樣。很大很大的道場，或是很小很小的道場中都有這種事情，咱們不指名道姓。這就是說出家人擁有在家法，是正覺同修會所不允許的。

我們同修會多了一個規矩：在家人不許有出家法。出家法是什麼？就是接受供養。可是如果……親教師們得注意喔，如果是你的學生，哪天他家裡種的絲瓜或是別的農作物，摘了一條來，你若是拒絕了，這個叫不近人情。這是可以接受的，滿足師徒之情的表達，但不要是錢財、金銀珠寶、古董、有價證券，還有大陸同修可能以存摺或者提款卡供養，這都不可以；這一些事情，在家人是不許接受的。有的同修很關心我，來對我說：「導師現在您漸漸的老了，供養您一些錢，請您買一點補品把身體照顧好，您身子好就是我們的福報；您若健康活久一點，我們就能多得點法。」但我一定說「不行」，因爲我沒有出家，不能收這個錢財。如果有的同修說：「我自己種的一些菜，太多了吃不完。」也許共修時拿了一把菜來，我倒是不好拒絕，結個緣也不錯；可就是不能夠很有價値的，也不要去買來給我，這是我的原則。

但老實說，諸位最好不要送菜給我，因爲已經有好幾位同修幾乎每週都會送菜給我，我們兩個老人已經吃不了，因爲我食量很小，吃得少。意思是，我的肚量小，容不得大師們誤導眾生，而我也容不得在家人擁有出家法，當然不能自己破壞原則。這是我們所有的同修都應當如此，而且從我自己作起，諸位親教師也作爲諸位的表率；就是說你是在家人，就不應該擁有出家法，這是我們同修會一個永遠不會改變的門風。如果誰悟了以後收人家供養，或者親教師收人家供養的是金銀珠寶或者錢財等，我們知道了一定要制止、要求退還；如果再有第二次，一定開除，增上班的學員就更別接受他人供養；因爲 如來的戒法之中就是這樣，我們應該要遵守。

雖然在家人接受供養這一件事情 如來沒有制止，但是我要制止。這是因爲以前 迦葉佛授記 釋迦如來時有說過：釋迦如來的法中因爲多受供養故（就是出家人或在家人多受供養），所以「**法當疾滅**」。原因就在這裡。那麼大家都不受供養，除非是出家人接受適當的供養，而非廣大不當的供養。至於在家人都不許接受供養，那麼 世尊的正法就會在比較清淨的狀況下繼續流傳下去，這樣正法就可長可久；所以我一直堅持這一點，從我自己開始堅持。

那你們不要想：「**導師！您說這話，也許只是講好玩的吧？背後裡收了多少錢誰知道。**」但我告訴你們，我眞的還收過錢而且帶回家過，可是講經後回家晚餐後發覺那是錢，而不是當事人所說的某一種報告時，我當場打電話要中間人（因爲是人家介紹來相見的），就是要立刻告訴當事人，我不收這筆錢；即使是夜深，已經十二點多了，一樣要立即轉告對方，不許擱到第二天才講。這是我的原則。事實上我收過的錢，也有人送來支票而沒有抬頭的，是要給我個人，我也不收，就用他的名義存到同修會去，一向如此。

最近也有人給我提款卡，夾在信中；我後來發覺硬硬的，心想：「**不對！這有問題。**」當場打開一看，欸！包括密碼以及每次可以提領多少錢等，並不是臺幣；但不能收，心意我領受了，但是絕對不能收，不能破例；這例子只要一開，以後就沒完沒了。這就是說我們同修會一定堅持這個原則，一直到未來，這是永遠不會改變的；除非我走人以後，會裡要怎麼演變，我管不著了。但我還是會留下話，將來還是不許改變，誰改變了，因果由他去負責。這就是說出家人有出家人的法，在家人有在家人的法，不許混濫。

可我很喜歡收受一種供養，叫作法供養，這個我非常喜歡，大小不拘，來者不拒，但是世間財的供養就免了。因爲我不缺錢用，也不想耗損自己的未來福德；這些福德要留著成佛，還欠很多很多，怎麼可以再去耗損它？而且有的人背地裡會去收供養或者使手段，那是因爲他沒看見因果的可怕，我可是親眼看見，包括往世輕視善知識而當老鼠……等，這些我都親眼看過，那是很恐怖的。別以爲私下裡作了沒有人知道，如來藏都知道了還有誰不知道？如來藏不是人，只要祂一個知道，就夠你來世受報了；別人知不知道都不重要，如來藏知道才最重要。所以是沙門就得遵守沙門法，不應該擁有在家法；是在家人就不應該擁有出家法，要絕對遵守在家人應有的軌則。

那也許有人說：「《法華經》中觀世音菩薩不是也接受了供養嗎？」可是

我要問：「觀世音菩薩是出家人還是在家人？」他是出家人，不是在家人，誰亂講話是有因果的。雖然他是天衣飄飄、胸佩瓔珞非常貴重莊嚴，還有寶冠以及臂釧等，長髮飄逸看起來似乎是在家相，其實他是出家人，文殊、普賢莫不如是都是出家人。可是當人家供養 觀世音菩薩時他有接受嗎？也沒有啊！他也不想接受，後來是 佛為了成就佛事而要他接受，他遵領 佛命才接受的；但接受之後立刻供養兩尊 如來，這就是個表率，我們應當要這樣學。

聰明人不要這邊修了一百個福德，在另外一邊損了一千個福德，眞的划不來！不會用算盤，用計算機算一算也行，算算看怎麼樣才划得來。這一點大家應當要特別注意，我自己就這樣作起讓大家看，那大家也應該有這樣正確的觀念，不但要盡形壽遵守，而且要盡未來際，這樣福德增長很快速。如果在家人要去擁有出家法，福德要累積到什麼時候才足夠支持成佛？那就要非常久遠了，這一點大家千萬要記得。

那麼「非是沙門，自言沙門」，就是欺騙別人，他的身口意行都是在家人，結果他告訴人家說自己是個出家人，就是詐欺。而且他所作所爲「非是梵行」，什麼叫梵行？在《阿含經》中凡是有人來向 佛請法，佛陀說法之道有一定的順序，也就是先說次法，然後才說法。次法就是「**施論、戒論、生天之論，欲爲不淨，上漏爲患，出要爲上**」。先不談阿羅漢的「**梵行已立**」和「**不受後有**」，就說這一些次法好了；布施之論、持戒之論、生天之論，這三個必須要先具足瞭解，否則斷了欲界我見，他就說自己是阿羅漢，卻還有色界我見、無色界的我見還沒斷，便成爲大妄語人。所以生天之論，也就是三界的層次他必須具足瞭解。

具足瞭解之後再告訴他說「**欲爲不淨**」。欲總共有幾種？有五種，這五種中各有偏重，有的人不重女色男色，可是看重錢財，以聚積錢財作爲他一生的所求，並且都不肯布施。有的有錢人懂得布施，所以他撥出一大部分來布施，是在他死前自己布施出去，那未來世依舊是個有錢人；可是有的人全都捨不得用，自己享用之外就全部留給孩子，未來世當個窮光蛋，這是最愚癡的有錢人。所以說，留給孩子是正當的、也是應該的，是人情之常，可是總得要爲自己的未來世設想一下。但是不信因果的人就不這樣作，他想：「**未來世我又看不見，爲什麼要布施？花不完的我就全部留給孩子。**」這樣就是貪財，也使自己來世成爲窮光蛋。

如果貪男女色，那就是欲界最重的貪；欲界中最難捨離的貪就是這一種；至於財、名、食、睡四種，爲了口腹之欲可以從臺中趕到臺北來，也可以從臺北趕到墾丁去吃一餐；爲了口腹之欲，可以去跟人家排隊三個鐘頭、四個鐘頭，只爲了吃那一餐；但我要說，嘴巴都還沒有享受到，腳已經在抗議了，但他們寧願，這也是嚴重的貪。至於名聲大家都愛，所以人家寫書時先取一個好的筆名，然後把相片印在書衣上，封面一翻過來就是他的相片；從此以後不論他去到哪裡，人家都認得他，都讚歎：「唉呀！這某某人呢，快快請坐！」大家在大庭廣眾中崇拜他，就喜歡這個。名氣好，名氣上來了，背後是什麼？除了名以外，當然還會有男女色主動送上來，這也會跟著來的，至於權力就不一定。那財、色、名、食加上睡，有人沒事就是愛睡；反正有的是錢，如果覺得稍微有一點累，他就睡覺去了，睡醒又想吃的或其他有趣的事，或是想著搞人家的錢財，這就是貪。

那這些貪全部捨離之後，身口意行就會整個改變，那時才叫作梵行。梵行就是說他離開了欲界的種種愛，欲界的貪愛就是財、色、名、食、睡；如果到色界天時，色界天人不睡覺，但是得打坐入定。欲界天人即使上生到他化自在天，依舊得睡覺，這是欲界的特色；所以梵行的定義以及梵行是否已經建立，有一定的、正確的界定，不是沒標準的。以前佛教界很多人說自己是阿羅漢，或者宣稱是三果人；自從我《阿含正義》出版了以後，天下的阿羅漢們就開始消失了，也沒有三果人了，全都消失了！因為我已經依據經文提出來，而現量的事實上也正是那樣，必須是「梵行已立」加上「不受後有」，然後「知如真」，是要自己親自檢驗確實是這樣，才能叫作阿羅漢。如果梵行還沒有建立，那就不可能是阿羅漢，連三果都不是。但「梵行已立」的檢驗標準是什麼？就是發起具足的初禪，這標準是放之於十方三世佛法中都永遠不會改變的。

往常弘法過程中，常常發現有人夫妻分房睡，是學佛以後就分房。好在是兩個人都學佛了，不然一定會鬧家庭革命。可是問題來了，他們在禪定上努力修行也分房了，二十年後依舊沒有辦法宣稱「梵行已立」，因為心貪沒有斷除，只斷身行並沒有用。所以有個比丘要自宮，如來說自宮之後就得還俗去，因為身為比丘要有丈夫相，陰陽人或太監是不許出家的，因為不足以成爲人天師範，人家會嘲笑：「他就是因爲不能人道，所以不得不出家。」那不就污辱一切僧寶了嗎？所以不允許出家。後來世尊教導他從心地的貪淫戒起，終於他離開欲貪了，這時就「梵行已立」，然後眞的能斷五下、五上分結成阿羅漢，這才是眞正的「梵行已立」。一把刀在身上不會主動殺人，可是他想：「我身上有這一把刀，我就可以殺人。」那他想：「我就把刀丟掉。」可是丟掉之後，他改拿一支筷子一樣也可以殺人，所以是否會殺人，跟刀子無關，而是在心。

如果說因爲刀子可以拿來殺人所以不應該擁有刀，那每一個家庭菜刀都要丟掉，水果刀全部都要捨囉；所以刀的存在跟殺沒有絕對關係。以前好像槍砲彈藥條例，〈槍砲彈藥刀械管制條例〉在討論時，說只要你帶刀就有罪。好像有一個民進黨立法委員或者是另外一位立委說：「如果帶刀就有罪，那強姦罪是每一個男人都有罪，因爲他們身上都帶著工具。」所以後來就刪除掉，成爲帶刀無罪；只要不取出來、不威脅人就無罪，否則廚師出門外燴時不論去到哪裡都要帶刀，那他就有罪了。

這道理是一樣的，也就是說，要從心行戒起而不是從身行戒起，所以「梵行已立」有一定的定義，就是發起具足的初禪。當你初禪發起具足而且不退了，那就是「梵行已立」。這樣的定義是從證果上面來講你的梵行，如果在佛法的事相中，不是從證果上面來講，「梵行」二字的定義沒有那麼嚴格，也就是說，僧團中不可能是每一個人證三果、四果了，只要身行不犯就是「行於梵行」，不從證果而單從行為來定義梵行時要這樣界定。所以出家之人不許擁有在家法，原因也在這裡。「非是梵行，自言梵行」，換句話說，出家人就是不許有淫行，不論是正淫或邪淫都不行，這是絕對的。如果他們「非是沙門，自言沙門；非是梵行，自言梵行」，這其實是「斷諸善根」了！因為出家人作這樣的行為，善根都會被毀壞，成為波羅夷；因為連這個大事都可以欺騙於人，其他還有什麼不能欺騙於人的？所以是「斷諸善根」。

善根斷了就會障礙他證入涅槃。證入涅槃有兩個意涵，一是在二乘菩提中證得有餘涅槃、無餘涅槃，另外一種是菩薩道證得本來自性清淨涅槃，這都叫證入涅槃。但因為「破戒比丘」斷諸善根，所以會使他「障入涅槃」，這樣的人其實是迷惑於佛法，對佛法無所認知才會這樣作。假使對佛法有正確而如實如理的認知，就不會這樣作；所以他是迷惑於佛法，而他對修行之道是已經失去了。聰明的出家人聽聞此經以前犯了戒，現在知道是應該這樣子如法如理修行，那就趕快設法滅罪，趕快羯磨懺悔滅罪，至少後世保住人身，來世還可以繼續出家修行；如果已經知道而置之不理，那就報在未來；這果報留到未來世去報，絕對不是好事，出家人對此是應該特別留意的。

那麼迷惑失道之後，爲了掩飾他的破戒行爲（這破戒是包括謗法、謗賢聖全都在內），那他就是破壞修道的因緣；所以在佛法中是應該好好修道的，他卻自己破壞了，由於「**破道因緣**」他也就會跟著破壞了種種的善法。在佛法中要證道一定要有基礎，沒有基礎而想要證道那是妄想；就好像蓋房子不打地梁，不可能蓋起二層樓房來；若只蓋平房，至少柱子下面也得埋大石頭，這是最基本的；如果連這個基本都不做，那柱子直接就立在泥土上，能撐得了多久？不多久就爛壞了！如果想要蓋樓房而不只是搭個茅棚，還得要打地梁；這地基不做不行的，然後具足了條件才有可能證道。

那諸位想想看，如果親近了密宗假藏傳佛教的邪法，實修了密宗假藏傳佛教的邪門，而且還抵制了正法，那就是「**破諸善法**」，因爲障礙了很多人的法身慧命；這樣的人就會墮在邪見之中，「**行外道事，入於惡道；多諸怨**

賊」，因為他的知見都已經偏斜了；偏了、斜了之後，他所謂的修行之道就會以外道的邪見邪門去修，所行當然都是「外道事」；「行外道事」之後，當然他的心已經「入於惡道」之中，未來世眞的會生到惡道裡去。而且「入於惡道」之後日子不好過的，不管是地獄道、鬼神道或者畜生道，都沒有好日子過，怨賊一定很多。

關於「多諸怨賊」，有人也許想：「當鬼神也不錯，至少有個廟，人們也來拜；香火要是興旺，每天都有三牲、五牲的供養。」可是那三牲、五牲供養背後的代價是什麼？人家信眾供上以後就開口說：「你要保佑我今年賺一千萬元臺幣。」買來一長條豬肉、一隻鴨，再加上一大塊羊肉或是什麼，花幾百元就要向你求得一千萬元臺幣，那你要忙死了！每一個人來廟裡求神大多這樣子求的，你們實地去看，不正是這樣嗎？甚至於你們之中有人曾經去求過，也是這樣的。三牲五牲不過臺幣幾百塊錢，結果那個鬼神要保佑你一年賺一千萬元、賺五百萬元，代價多大啊！但就是這樣，你們想那鬼神好不好當？確實不好當。那得要勞動多少鬼神，他欠了多少鬼神的情，才分到那麼一點肉食，也得要分給那些鬼神，又能吃得了多少？縱使吃了也只是味道而已，人家來求願的人香燃完了又把肉帶回家，對吧？但就是這樣啊，所以當鬼神很苦的。

那如果不是當鬼神而是餓鬼，連一口濃痰恐怕都搶不到，總是被有力氣的鬼先搶走；但有力氣的鬼搶到就行嗎？嘴才一張開，餓火噴出就把那一口濃痰燒成焦炭，他也沒有辦法吃，眞是苦啊！如果來世當了畜生，那跟當鬼神一樣，也是一天到晚在鬥爭的；鬼神一天到晚鬥爭，畜生也一樣，你們看畜生不是一天到晚鬥爭嗎？你們住在城市比較沒有看見這樣的事，我住在郊外，每年到了一段時間都會有，三更半夜狗咬狗，從白天咬到晚上。一群流浪狗，只要來了一條新的，就要重新再互咬互鬥，鬥到誰眞的當王爲止，就害人三更半夜也沒辦法睡覺，就這樣鬥。其他的小狗不爭王，但是新王也要一隻一隻咬上一口，牠就是高興這樣證明自己是王；牠就來咬上一口，其他的狗也不能反抗，只好嗷嗷大叫。畜生道就是這樣，聽著也很可憐。並不是你不跟人家爭王就沒事，新王爲了顯示牠的威風，每一隻都咬一口示威，這是事實。

那麼只要「入於惡道」日子都沒有好過的，眞是「多諸怨賊」啊！所以如來說「多諸怨賊」是如實語。在地獄，地獄中有誰是怨賊？獄卒就是怨賊嗎？獄卒也只是執行因果而已，那麼誰是怨賊？正是因果律。因果律是法界中的現象，它是自然去實行，因爲所有因果種子都存在自己的如來藏中，它也不是眞怨賊，所以眞正的怨賊還是自己。但表面上看來就有很多怨賊，使得下墮在地獄中的罪人有受不完的苦。在鬼神道中不斷的鬥爭，也是「多諸怨賊」；鬥爭贏了，人家找到機會還是會來鬥爭，沒完沒了。如果當餓鬼，怨賊更多了，誰都可以來欺負。如果是畜生，除非果報快受完了，否則怨賊依舊非常多，那日子沒有一樣是好過的。

像這樣帶著深重異生性的人出生爲人而去出家，如來說他「空生受命猶如死人」；他受生在人間這一世，出生得沒有意義，所以叫「空生」；生來人間得要有意義，但他生得完全沒有意義，所以是「空生受命」。他接受了這一期的命根而出生在人間眞是徒然，完全是枉然，跟死人沒有兩樣。這樣的人心中有壓力，想到因果律也害怕。而且大眾都知道他是「破戒比丘」，所以他心中都不會舒坦，因此顯現於外就是「形色毀悴失正威儀」；因爲心中有壓力的關係，所以「形色毀悴」；爲了掩飾他的種種破戒行爲，心中恐怕也會失掉正威儀，也得要處處裝著正在修清淨行，這個都是必然的。

那麼 如來說這種人「於我法中名爲污染」，他就是「法賊」，因爲他是盜法的賊人；而他盜法的目的不是爲了修行，是爲了去騙取世間的財物。這種人違逆了 如來的教誡，所以又叫作「逆人」。這種人在 如來聖眾之中作出各種擾亂僧團的行爲，所以他其實就是天魔的使者。這種人其實就只是一個廁所——一個活的廁所跑來跑去而不清淨；「亦如死狗」，就好像死掉的狗一樣；死掉的狗很臭穢，除非有別的動物來把牠吃掉，否則那屍體是很臭的。這種人其實只是身形看起來像是一個出家人（穿著跟出家人沒兩樣），可是他完全沒有出家人該有的事相在他身上顯現，他顯現出來的都跟在家人一樣，所以說：「如像沙門，同沙門服，無沙門事。」

像這樣的「破戒比丘」，世尊說了：「他處在僧眾中就好像一隻狐狸混在獅群裡，又好像一個不清淨的無男根之人，或是像太監處在轉輪聖王的大眾之中。」轉輪聖王的大眾之中不容許有這種人。轉輪聖王爲什麼叫作轉輪王而成爲聖王？因爲他要求眾生如法修行，那他的大眾之中不許有這種不男不女的人混在其中，他希望大眾是清淨的，所以黃門不許處在轉輪聖王的大眾之中。這種「破戒比丘」也像是獼猴處在諸天眾之中，也像是一隻毛驢處在象王之眾，又好像盲人在天眼大眾之中假裝有天眼一樣。人家有天眼的人想要看什麼，不都是眼睛閉起來看嗎？那他眼睛也閉著，好像他也用天眼在看一樣，就這樣騙人。

又好像蝙蝠處在金翅鳥大眾之中。金翅鳥很有威德，譬如密宗假藏傳佛教不是有個孔雀明王的修法嗎？孔雀明王哪裡能夠叫作王，不過就是金翅鳥；金翅鳥屬於天龍八部之一，是四王天、忉利天中的畜生道有情，但密宗不懂，卻把金翅鳥高推到非常高的地位，那是一種無知的表現。但是金翅鳥很有威德，金翅鳥也有四種，跟龍一樣有卵胎溼化四種，就算不是化生的金翅鳥，單說卵生的金翅鳥，也是很有威德的，牠們可以吃卵生的龍。但那蝙蝠渾身烏漆墨黑的住在很臭、很暗的山洞裡，牠也跑來金翅鳥大眾之中跟人家混在一起，眞的不成體統。那「破戒比丘」混在賢聖眾之中就是很不合體統，所以沒有人喜歡看見這種現象。

因此「破戒比丘」在 如來聖眾之中，百千萬億諸天大眾見此比丘「在眾而坐」，他們當然沒辦法接受；他們身為護法神，身為護法大眾，看見這個現象很生氣，但是他們沒有權力把他趕出去，只好大聲呼喚說：「**如是惡人何用布薩？是魔黨類，欲聞無上佛道向白衣説。**」布薩，諸位都知道；但在會外一般佛教徒，對於什麼是布薩大多不懂的。末法時代的佛教界，我們很可能是現代佛教界唯一還有在布薩的菩薩僧團；我們這個菩薩僧團每兩個月布薩一次，你們臺灣從北到南、從東到西去找找看，有哪個道場在布薩的？應該不多了；大陸亦復如是，至於別的地方就更別提了，所以布薩現在有可能幾乎只有正覺才有。那「**破戒比丘**」惡人也冒充是賢聖眾、清淨眾，他們也來參加布薩，也沒有人舉發他們，就這樣子參加布薩；護法諸天看了都很生氣，所以都大憂惱而講了出來。（編案：後來有西蓮淨苑法師託本會助教老師來說明，有依僧律半月半月布薩一次。網上亦查得法爾禪修中心有在家菩薩戒布薩法會，但菩薩戒不分在家與出家。）

也就是說，「**破戒比丘**」本來就應該被趕出佛門的，那他們繼續留在佛門中，目的只是爲了聽取一些佛法，然後去跟在家人說，換取財物；他們的目的是在這裡，要人家誤信他們在法上眞的有修有證。那麼諸天眾看見時就很憂惱，至於護法的天龍鬼神等可就不是憂惱而已，那眞的氣到高聲大喚，所以他們說：「這些惡比丘爲了什麼緣故，而在佛門賢聖眾之中隱藏其身？就好像惡馬偷偷藏在調善馬中。像這樣的愚癡人自己認爲『沒有人看見我造了惡業』，自己藏身在這個地方，是在欺誑天人，這些人是一切天人中的賊人。」當護法神中有人這樣大聲叫喚喊出來以後，大眾共同都看見了，也都繼續再大聲地喊叫下去，因爲看不下去。他們不講出來，心中眞的忍不下來，眞的沒有辦法安住。

那麼講到這裡還是要爲「破戒比丘」難過，可是現在人間那些「破戒比丘」們眞的聽不下去，將來一定也讀不下這一套書；將來眞的沒有辦法閱讀，所以只好不聽或者不讀。由於 如來講經是公開講的，不是單獨對他們講的，所以他們心中難過，我們也能體諒。可是難過之餘，是不是乾脆設法尋找賢聖眾好好羯磨一番，盡形壽來懺悔滅罪？一日殺害百千萬億眾生的人，都還有證道的機會，出家破戒了爲什麼不趕快求滅罪？也許還有證悟的機會。這是我們的想法，我們提出這樣的建議。接著 如來又開示說：

經文：【「舍利弗！如是罪惡比丘爲是諸天所知惡賊，白衣無異，而受供

養、迎送、禮拜、合掌、恭敬。弊人愚癡猶如死屍，所著衣服皆是偷得，缽中所食皆是盜取，無人與者，乃至少水亦是盜得。舍利弗！破戒比丘所至之方，若至東方、南西北方，皆是偷地而行，何以故？是人所有威儀行法，皆是偷盜假竊所作，行立坐臥來去視瞻，屈伸俯仰著衣持缽；今但略說身口意業，有所施作皆是偷賊；若有剃是人髮，爲剃賊髮。」】

語譯：【世尊又開示說：「舍利弗！像這樣的罪惡比丘，其實是諸天所了知的惡賊，跟在家人完全沒有兩樣，而卻接受供養，接受人們的迎送、禮拜、合掌與恭敬。這種弊惡之人是愚癡的，就好像死屍而無所知一樣，他們所穿的衣服全部都是偷來的，他們缽中所吃的食物全部都是盜取來的，是沒有人給他們的，乃至於一點點水也是偷盜而得的。舍利弗！破戒比丘他們所去到的方所，如果去到東方、或者去到南西北方，他們都是偷別人的地而行走的，爲什麼這樣說？這樣的人所有的行住坐臥威儀之行種種法，全部都是偷盜、都是假竊所作，他們行走時、站立時，坐下來乃至躺下來，或是前來或者離去時，所有他所看到、所詳細觀察的，包括他屈伸俯仰以及穿衣持缽全部都是偷盜；如今只是概略地說明他們的身口意業，簡單的來說，他們有所施作

全部都是偷盜、都是賊人；如果有人爲這樣的人剃髮讓他們出家，他就是爲賊人剃髮。〕

講義：聽到這裡有一點沉重也是難免，但不論是沉重也罷，畢竟我們現在看見有一個清淨的菩薩僧團——正覺，所以也別覺得太喪氣；因爲現在是末法時代，大家看開一點。如來的開示我們還是把它解說完，但時間到了，今天就語譯到這裡。

開講之前先喝一口桂圓湯，因爲今天塞車塞到一塌糊塗，又臨時增加了行程，全都在塞的地方，來到講堂時連喝一口水的時間都沒有。上一週《佛藏經》四十一頁第二段已經語譯了，今天要開始加以解釋。

如來說這一種犯戒而不想悔改的罪惡比丘是諸天所知道的惡賊，他其實就是一個白衣，說他的本質是白衣；凡是所領受的供養或者人家對他迎接送行，或者禮拜乃至合掌恭敬，全部都是竊盜，因爲白衣不該領受這樣的敬重與供養。世尊在這裡也講得很白，凡是在家人就不該接受供養，只有出家人才許接受供養。那麼這裡又牽涉到兩個字，叫作「白衣」，「白衣」看來好像只是一個穿著吧？也有人觀察很詳細說：「好像從來沒看過蕭老師穿著白衣。」其實我也穿的，只是我的白衣已經很舊了，已經泛黃，所以這十年來不太穿著，有時候在家裡也穿一穿，但不穿出門。早期因爲冬天我會穿長袍，白衣穿在裡面剛好就像一件襯衣一樣，不必常常洗長袍。但是後來跌那一跤，就很少再穿那件長袍；除非有機會冬天去東北或者去北京，在十二月天可能會再穿長袍，不然是不太穿的。

自從不穿長袍以後就不太穿白色的衣服，因爲不需要另一件襯在裡面，那麼有人就想說：「老師大概因爲人家會說他是白衣說法，所以不穿白衣。」其實我還是有穿白衣的，只是在家裡有時穿一穿；也因爲縫線太舊大概老化了，有些縫合的地方裂開了，也就沒有穿它。可是談到「白衣說法」這名詞，其實是需要探究的。但講到這事，我又想到蔡老師，大概今天路上塞住他也趕不來，他的《眞假沙門》中斷到現在還沒再繼續，我一直關注著；這是因爲兩岸都一樣，不論是大法師或官員，或是佛弟子們，都需要再教育，是因爲了義正法失傳已久，他們都不懂什麼是勝義僧、什麼是白衣了。那我這一世必須以在家身分來示現，否則也不能破密；因此關於「白衣說法」這件事情，就很需要針對佛教界來作個教育，讓大家都懂得勝義僧、凡夫僧、粥飯僧、啞羊僧、聲聞僧、菩薩僧的道理。

那什麼叫作白衣？什麼叫黑衣？這在佛法中是有講究的。在大乘法中，眞正的黑衣，其實是入地以後才算；還沒有入地以前，剃頭著染衣、燙了戒疤，不管你證悟了沒有，都還一半是白衣、一半是黑衣。這是因為 如來說過什麼叫作眞正的如來子，如來子是「**生如來家**」才叫作如來子，但是出生在如來家裡的定義是什麼？是指入地。入地以後才算眞正的如來子，叫作「**生如來家**」，那才是眞正的黑衣，因為像這樣的如來子都是「**我生已盡，梵行已立，所作已辦，不受後有，知如眞**」的人，這才是眞正的如來子，才算是眞正的黑衣。那麼這樣看諸地菩薩，例如大家最熟悉的 文殊、普賢、觀世音菩薩、大勢至菩薩，他們頭戴寶冠、長髮飄逸、天衣飄飄多麼華麗，胸佩瓔珞價值連城；又如 彌勒菩薩，佛世他是現出家相的，卻是現在兜率陀天彌勒內院的院主，他那個寶冠可是漂亮啊！長髮飄逸，表面上看來只是白衣，其實卻是眞正的黑衣，因為他是當來下生成佛的一生補處菩薩。

所以關於黑衣和白衣的分際，很多人弄不清楚；眞正的黑衣是入地之後的事，而黑衣、白衣是用來表示有沒有出家的本質。可是出家有兩種，一種出家是從出三界家宅來看、來作判斷，另外一種是從身相，也就是這一世的五陰是否出家來看。所以眞正的出家是出三界家，事相上的出家則是離開了家人親屬，住到寺院中受了具足戒，不在世間法中用心，那就是世間人說的出家。所以出家就分爲出三界家和出世間的家二種。

那麼從事相上來說，有的人是心出家、身也出家，有的人是心沒有出家、身出家了，有的人是心出家而身沒有出家；至於一般人，那是心沒有出家、身也沒有出家；但若有人身出家後都幹一些世俗事，從來不在法上用功，那其實是白衣，可說他是身也沒有出家。至於出三界家的內涵，標準就比較高，得要能夠出三界家才算是眞的出家。我們弘法的早期，有好多六識論的僧人一直在評論：「他們正覺不過是一群在家人，那些老師們，你能找到幾個出家人？那是白衣說法，不如法。」這都是那些六識論的僧人講的，但他們何嘗知道什麼叫作出家？他們根本就是身出家、心不出家，因爲他們身體出家了，可是心裡想的都是：「我這個離念靈知常住。」離念靈知常住是他們的中心思想，所以就會以離念靈知相應的境界來安住。

請問離念靈知會跟什麼相應？意識只是離念靈知的一分子；離念靈知有

眼、耳、鼻、舌、身、意六識，同時跟六塵相應；當離念靈知跟六塵相應時，好穿的、好吃的，住的寺院金碧輝煌還要環境清幽，信徒的供養要豐厚，名氣要很大，徒眾要很多，聽的要是讚美聲，要有很多信徒前來禮拜供養，這就是離念靈知相應的境界！所以你們看那些六識論的僧人道場規模，一個比一個大，錢財是一個比一個山頭多，都因為他們心沒有出家，都在世間法上用心經營，所以他們只是身出家、心沒有出家。假使他們再加上努力精修密法——密宗假藏傳佛教的雙身法，不是般若密法，那根本就是個俗人。俗人造惡還有一個限度，而他們以出家身造惡，那影響就大到不得了；他們那些大法師們，有些人身體出家了然後妻妾成群同住於寺院中，你們自己想想看吧。而且還有很多的「點心」，「點心」聽懂嗎？就是藉著修密然後跟在家女信徒一個一個來，那就是「點心」啊！這根本是身心全部都在家；到底他們是出什麼家？真的沒有人懂。

那有的在家人很清淨，他們繼續營生作事業，但他們夫妻都分房睡；雖然觀念有點不對，因為斷除欲界愛是從心斷而不是從身斷；這個觀念雖然有點不正確，至少他們色身的行為是清淨的，遠勝過那一些燙了戒疤住在寺院裡，修密宗假藏傳佛教雙身法的法師們；也有人出家後看不慣寺院裡搞密宗假藏傳佛教的法，或者看不慣寺院裡堂頭和尚一天到晚用心在世間法上，只想著錢財等，所以他們離開，一個人去山上搭個茅棚住，很清苦的過活，試著能不能好好修行；這在事相上的出家來說，他們是身出家、心也出家；他們對世間法不罣礙，就這樣清苦的修行。有的法師有家人支持，給他買了個小房子或小公寓，就在那裡弄個精舍自己努力修行，這也是事相上的身出家、心出家。

如果身出家了、心不出家，都在世間法上用心，夜裡又努力修密法，他們其實遠不如一個世俗的人。因爲世俗人縱然有些不如理，譬如他另外娶了三個、四個老婆，至少是從世間法中正正當當賺了錢財，多養幾個老婆雖然不符合法律的規定，但他沒有違背世間善法和佛法上的修行，例如印度人可以娶二個至五個老婆。所以出了家去修密宗假藏傳佛教的法，那種出家人是不如世間人的。如果在家，但是他的證量高，娶了老婆也生了孩子，事業又很龐大，無妨仍然是一個具足的出家人；譬如古時 維摩詰菩薩，事業大，家產萬貫又有妻兒，但他卻是 金粟如來倒駕慈航來示現的，難道他不是出家人嗎？都成佛了還不能算是出家人嗎？

所以到底什麼樣的人是黑衣，到底什麼樣的人是白衣，這個分際或者這個界限，大家要去看清楚，而末法時代佛教界最欠缺教育的就是這部分。所以什麼叫作「**白衣說法**」？假使他出家又修了密宗假藏傳佛教的法，就算他把頭髮剃了、把頭上都染黑或塗黑漆，袈裟縵衣全部都是黑的，他其實還是一個在家人——白衣，因爲他的本質從裡到外都是在家。

我們上週有講過正覺的門風：出家人不許有在家法，在家人不許有出家法；這是我們正覺的門風，只要誰是在家居士身分、在家菩薩的身分，因爲證悟而去收受錢財供養，被我查到具體證據，我就開除他增上班的學籍；假使他有在會裡擔任任何執事，不管是教職或者行政上的執事，只要查到他接受供養的具體事實，就一律開除。如果出家人在會裡表面上是這樣清淨，但背地裡行在家法；這裡主要指的在家法是指男女雙修，查到具體證據也要把他趕出去，不讓他繼續待在會裡，這是我們正覺的門風。

也就是說，雖然法上說身出家、心也出家，是以能否出三界家作爲標準來界定的；但是事相上的黑衣與白衣的標準還是必須要維持，因此我不接受供養，否則正法不足以維持久遠，這就是我們正覺的原則。以前如此、現在如此、未來也將如此，不會改變。因此對於什麼是白衣、什麼是黑衣，這就要分清楚；有事相上的白衣與黑衣，也有實證上的白衣以及黑衣。這在我們正覺了義正法的門庭之中，大家都必須要分清楚。那麼白衣、黑衣的分際弄清楚了，接著回到經文來。

如來說：「**如是罪惡比丘爲是諸天所知惡賊，白衣無異，**」他跟在家人是完全沒有兩樣的，雖然他穿著海青剃了光頭住在寺院中，但依舊是個白衣，不是黑衣。那麼他接受供養或者迎送、禮拜、合掌、恭敬，全部都算是竊盜；因爲人家供養他、迎送他、禮拜合掌恭敬他，全都是因爲他身穿黑衣，結果他卻是騙人的，所以都屬於竊盜。那麼 如來就說：「**像這種弊惡的人，其實不聰明，是愚癡人，跟死屍一樣沒有智慧。**」世間法中也常常說「聰明人專幹傻事」，那另外卻有一句成語說「大智若愚」；世間人斤斤計較，但斤斤計較的結果是大家感覺他太厲害，所以都提防他。但有的人他作生意時，人家來買一合米，他拿了木棒平過以後，倒進紙袋子給買主，收錢之前他又抓一把米再加入米袋裡去，那買者看在眼裡想在心裡，覺得好溫暖：「**老闆**

眞好！」

但是有的人不是這樣，弄個秤子秤著，一面秤著一面把貨拿掉一些，總是不斷地拿掉一些，人家看了說：「這老闆眞愛計較，就差那麼一點點而已。」有時那秤桿只稍微翹一點點，他非要拿到讓它完全平衡，那買者看了心裡就不舒爽。另外一個老闆他一秤時秤桿是平的，他卻一直加到有一點翹，那買者看起來好歡喜：「這老闆好。」看來他是笨的人，對吧？他不斷地加上貨物讓秤桿翹起來，可是雖然他賺少了些，結果卻是一大堆的人、大家都想跟他買，不找別人買，那到底他是聰明還是笨？是眞聰明呀！這叫作大智若愚！吃一點虧有什麼關係，他買到人家的心了。那買家買了回去很歡喜：「這老闆眞不錯，下一回再去跟他買。」那麼另外一家呢，只爲了少贈送一點點，結果買家一個一個流失了，生意便失敗了。這就是說，什麼才是聰明、什麼才是智慧，得要弄很清楚才可以。

特別是在佛法中，菩薩道一開始就教你要作傻瓜；菩薩行六度時的第一度布施，聰明人說：「布施喔？免了吧！有錢我自己不會用嗎？」我們早期有個師兄就是這樣的，經論讀很多，最喜歡找我辯論；我傻傻的，也沒有覺得他在辯論，直覺他只是在論法；所以他問一個問題時，我給他三個有關的解答；他們私下裡都說：「老師很好拐。」拐騙的拐。我是笨，可是我因爲這樣而栽培出很多資質優秀的老師出來，這可以利益很多人，那我到底笨不笨？不笨，原來我是個聰明人。那他老兄是怎麼說的？有一次上課談到布施度，後來他私底下說：「錢，我還不會花？臺幣幾百元，去圓環一碗魯肉飯用不了五十塊錢，我可以吃上兩三天了，爲什麼要去布施？」他竟然這樣講，我心裡想：「唉！這個人怎麼能到會裡來，也是怪。」所以他後來退轉了，當不了傻瓜就成不了菩薩。

有時我說：「菩薩不是人幹的，是傻瓜幹的。」願意當傻瓜才當得了菩薩，眞正當上了菩薩，智慧無比卻願意繼續當傻瓜。你們看海峽兩岸或者全球佛教界，有幾個像我這樣有法而自己可以好好修行，結果卻偏要弄得那麼辛苦去付出又不受供養，然後還拿錢出來護持正法，又都不跟人家計較的？也許有人想：「那你只是口頭上說說，我哪知道你在同修會裡面搞了多少錢？」不是沒有這樣想的人，但是我說老實話，打從我今生弘法那一天開始，我就打定主意不曾想要從佛法中弄到一分一毫；所以一開始有助印款時，我就是由三個人來管，一個人管收錢，一個人管帳，一個人管銀行帳戶，而這三個人都不是我；一開始我就這麼作，一直到現在都還是如此。所以財務組的事我從來不過問，我只有一個時候會問：當我要買講堂或者要買地，這時我就問：「我們現在有多少錢？」看夠不夠來買講堂，否則我從來都不過問財務狀況。財務組從第一任的林組長，一直到現在為止已經很多任的財務組長，我從來都不過問。

也就是說，我寧可當傻瓜；我有實證的佛法，以證量來說，我可以接受供養啊！我如果接受供養，不但合情合理，也可以說義正詞嚴吧？我會義正詞嚴說：「我就是接受供養啊！有不對嗎？」也沒有誰能說不對，因為供養上師是身為弟子者理所當然的事。你們看密宗假藏傳佛教那一些喇嘛們，不談現在，談以前好了，密勒日巴他學的是什麼法？學的外道法，結果還要弄好多黃金去供養上師，而且還要挨打挨揍；但沒有錯，身為弟子本來就是這樣。在世間法中拜師父不也是這樣的嗎？師父還沒有起床，徒弟已經燒好開水在門外等著；佛教禪宗叢林中也是這樣，侍者很辛苦，和尚還沒有起床他已經在門外候著，釅茶泡好了，洗臉熱水準備好了；師父一起床，著衣好了就謦欬一聲；謦欬懂嗎？懂啊？然後侍者就敲門，進來奉上熱熱的洗臉水，因為冬天很冷；熱的洗臉水給師父擦把臉，然後接著遞上熱茶讓他漱口。在世間法中的徒弟也是一樣，三年出師之前都得好好奉侍師父；師父還沒有起床，他就要把這些準備好，這是規矩；接著奉侍師父作各種事情，一直忙到晚上師父上床就寢了，他才能休息，世間法也是這樣。

拜師三年學藝都是這樣，整整三年；那麼出世間法中也應當是如此。但因為我這一世不是現出家相，我寧可免了這一些；但真要說來，我若想要接受供養也是理所當然。但是我不要，寧可當傻瓜；就是兩個考慮：第一個考慮是為我自己，我收受了供養，福德就會減少，未來世福德的增長速度跟著也慢，那我就免了；我反而拿錢出來護持正法，所以到現在為止不曾收過任何人的金銀錢財現金或骨董，或者有價值的物品供養，還沒有過。這是第一個考慮未來世的福德，因為道業要往上提升，福德就必須要快速增長，那我幹嘛用堅固的法財來換取世間不堅固之財，世間財又帶不去未來世。

第二個考慮，我如果也接受供養，那親教師們、增上班的同修們都可以如法炮製，「總不能只有你一個人接受供養，我們大家都不行嗎？」那麼正法就因爲廣受供養的緣故，「法當疾滅」。所以我寧可當一個表面看來傻傻的人，付出我的精神、我的體力、我的時間來爲正法作事，但是我不要貪圖什麼，所以財務組的那一些事情我從來不參與；過去如此，現在如此，未來還會如此，反正就讓制度去運作。當我爲了興建道場需要用錢時，我再來問問看現在有多少錢可以用。這是我個人的想法，因爲三大阿僧祇劫才能成就佛道，如果你想要把它壓縮一點，想要化長劫入短劫，那你的福德增長必須要更快更大才行；沒有足夠的福德支撐不可能成佛的，所以我們寧可當一個愚癡人，表面看來愚癡，但是福德功德不斷快速累積，這樣成佛才會快；因此當傻瓜行六度時，排在第一最前面的就是布施。

施無畏的情況可以有很多種，有時以財物來施無畏，有時以法來施無畏，有時以救護眾生的生命來施無畏，都可以修集大福德。那就看你怎麼修。但是布施的本身就是一個看似愚癡人的所作，而這個好像愚癡的人寧可繼續布施下去，這應了那一句成語「大智若愚」，所以我開始弘法之後有時遇到有人說我：「這蕭先生那麼笨，有錢不會自己用。」就有鄰居這樣講我，那我當作沒聽到就好，也不用去跟他討論，因爲他是一個世俗人。可是我知道自己不笨，因爲我用不堅固的世間財去換堅固的法財，這樣我至少把第一度布施給完成了；於是接著持戒、忍辱……等就次第進修，然後我就是破參出來弘法，就這麼單純啊，一點都不難。

可是對於有的人眞的很難，爲什麼很難？因爲他這口袋不但有暗釦，還有拉鍊，爲了護持正法每週來上課時，護持個一百塊錢他都不肯，但是在家裡吃得好、穿得好、住得好，所以禪淨班兩年半畢業時，禪三報名表審核出來，財務組的審核是鴨蛋一顆；每一次到禪三審核時我就喜歡這種報名表，才一看見就放到一邊刷掉，不用花我的時間；因爲這種人有一個特性，每一組的紀錄全都是零，他來共修兩年半中，從來沒有作過義工，不論哪一組都沒有作過義工，這樣很好審查，不用費心思，連照片都不用端詳。但這種人是很聰明的人，也很會巴結親教師，很會作表面功夫，所以有時往往蒙蔽了親教師而幫他在錄取那一欄打了勾。但是這種人不是眞正的聰明人，他的菩薩道一定要整整三大阿僧祇劫，少一天都不行。

當得了愚癡人，菩薩也就幹得；當不得愚癡人，宣稱他是菩薩，那是自欺欺人。所以我寧可當愚癡人讓人家笑傻，但我自己很清楚知道不傻。錢財可以用，我當然也知道，而滷肉飯現在一碗是多少錢，我是不知道了，因爲已經差不多四十年沒吃過，根本就不知道了！但是我仍知道錢是可用的，只是不想亂用，得用在應該用的地方，來取得更多的堅固法財；如果自己的道業進展快，那麼跟著自己的人也就能得到更大的利益，這是自利利他也是今世利後世利的事。就像 彌勒菩薩說的：「菩薩凡有所作還要考慮一點，不但是自利與利他，還要考慮今世利與後世利；得是這一世有利，後世一樣會有利。」能符合自利同時利他，而且又是今世利、後世利具足的方法，就是當個愚癡人，這樣才是眞正有智之人。表面看起來他是個傻瓜，正好應了那一句成語「大智若愚」。諸位正是要這樣走，太會計較者，道業成長很慢的。

所以有人在會裡作了某些事，後來一個不高興說：「我作的全部收回。」或是要求說：「我以前捐的錢全部退回來給我。」但他悟的爲什麼不退回給我？就這麼一句「全部收回」，福德就大大損減，幾乎是白作了。本來是可以有很大的福德，就這麼一來全部都被損減了，那豈不是愚癡？那不正是大愚若智？在法上就說這種人是愚癡，這個觀念要建立起來。我從小時就一直有個想法：我老是這裡吃虧那裡也吃虧，但是看來是吃虧，應該在某一個層面我會得到什麼，只是我現在不知道。從小是這樣的想法，我想一半是自我安慰；因爲我爸是招贅的，所以我們姓蕭的在家中一點地位都沒有，那根本是寄人籬下的生活；另一半應該是往世學佛的種子現行，就是會想：「**一定哪一個部分我得到更多，所以我這邊要失掉一些。**」後來學佛以後懂了：「**原來還眞的如此。**」

所以吃虧在表面上看來是笨，事實上卻是在背地裡獲得更多，而那個福德的實現是在未來世，只是世間人不相信。所以小時我在家裡是最沒有地位的，沒有一個人看得起；而我又不務正業，人家當學生都好好讀書，但我都讀一些課外的書，比如奇奇怪怪的道家的書、哲學那一些的東西我都讀，但是學校的課業都不讀，所以成績很差，鄰居都偷罵我是「扶角」；可是到社會上來，我終究也是白手起家，五個兄弟中我算是過得最好的。所以「**小時了了大未必佳**」，不能用在我身上，因爲我剛好是個反面：「**小時不佳，老時了了。**」但我現在還是繼續幹愚癡人的事，就是不求錢財、不求名聞、不求利養，只要能利益大眾在佛法上快速進展就行，其他都不計較，還是一樣當傻瓜，並且還不受供養。但其實菩薩正要這樣幹，成佛才會快，否則要弄到什麼時候成佛？

因此愚癡要從兩個層面來看：實質上的愚癡或者表面上的愚癡。但是那個「愚癡」比丘眞的叫作「弊人」，因爲他是實質上的「愚癡」；但這種人表面上看起來都是很聰明的，你們看那一些大法師們，以及釋印順或者那些喇嘛們，哪個不是聰明絕頂？舌粲蓮花說到人家聽得服服貼貼的。可是他們是眞聰明嗎？不！那是表面上看起來聰明，實質上他們「愚癡」。因爲他們所作的事，是讓自己得到世間法上的利益——廣受供養，使別人世間法上的錢財受損了；可是對他們自己的後世非常不利，對於供養他的信眾的後世也非常不利，因爲供養了破法者，這叫作今世利、後世不利，這不是聰明人。

那麼這個「弊人」——「罪惡比丘」、「破戒比丘」——正像這樣的人，所以佛陀說他們是「弊人」。「弊人」是罵人的話，這樣的人其實是愚癡人，因爲對正法與因果無所了別——「死屍」當然無所了別。這個「罪惡比丘」、「破戒比丘」對於眞正的善惡也是無所了別，所以如來就說他們根本就不是比丘；但他們身現比丘相，本質不是比丘，所以他們身上所穿著的衣服全部都是偷得；因爲他的僧服也是人家供養的，不是眞比丘而接受人家供養僧服，那就是偷，是騙來的。不是佛門的出家人，而騙人說是佛門的出家人來接受供養，這就是斂財。

所以我們說達賴他們是斂財，一點都不過分，眞的是斂財。如果他宣稱不是佛教僧人，他們是喇嘛教，如果有人知道了還是願意供養他，那就不是斂財；因爲大家都知道他是喇嘛而不是佛教，跟佛門僧寶無關而願意供養他，那是屬於世間法的層面，就說他沒有騙人。但他說自己是佛教，說自己是佛門僧寶時，他接受佛弟子的供養，就是騙人、就是斂財，這就是詐欺，實質上就是這樣。所以 如來說那個人是一個「破戒比丘」根本沒有戒體，卻穿著僧服來接受人家的供養，那他所穿的衣服當然都是偷來的。即使人家親手遞給他，也叫作偷，因爲他不是比丘了，卻繼續示現比丘的模樣收受人家供養的僧服，所以是「偷得」。

如來又說：「缽中所食皆是盜取，無人與者。」爲什麼說他是「無人與者」？因爲給他食物的人，是相信他是比丘，所以供養他缽中的食物；但他不是眞正的比丘，而供養他食物的人是認定他比丘的身分、僧寶的身分，他既不是，所以實際上是「不與取」，是沒有人給他而盜來的。如果人家知道他不是比丘，是假冒的，人家就不給他了，因爲欺騙而說是比丘時，他那個食物就是盜取來的，本質上是沒有人布施給他。如來甚至說「**乃至少水亦是盜得**」，乃至於跟人家要一點點的水來喝也是偷盜，因爲人家信任他是一個眞正的比丘才布施給他的，但他卻不是眞正的比丘，所以那一點水也是盜得。

那也許有人說：「**如果他在野外舀了井水來喝，也算偷盜嗎？**」當然也算。如果他以世俗人的身分去舀來喝，不算偷盜；但因爲他欺騙人家，讓人誤以爲他是眞正的比丘，所以他去舀水來喝就叫作偷盜。如來都已經這麼說了，假使還有人要去供養假比丘，例如喇嘛或者修密宗假藏傳佛教的法師們，那就是在助長他們的竊盜行爲，這對於他們的今世後世都不利，也對施者自己的今世與來世道業都不利。

如來甚至於說：「**破戒比丘所至之方，若至東方、南西北方，皆是偷地而行，**」嚴重吧？是「**偷地而行**」。所以如果有人聽不下去要離席，我就閉起眼睛來，當作沒看見。但是既然講了這麼了義的 世尊聖教，我們就要一體接受；對 如來的聖教是必須一體接受的，不能只接受這個部分，那個部分不想要，絕對不可以這樣。就像前後三轉法輪諸經，只要是眞正的經典我們都要接受；不能像釋印順那樣亂搞，他不接受般若期、方廣期的經典，只接受阿含期的經典；可是四大部阿含諸經中有很多部經典，他又不接受，只接受其中一小部分經典。這還能夠稱爲佛門的僧寶嗎？也就是說 如來的聖教他大部分不要，只取他想要的那一小部分，這種人還可以存身於佛門，也眞是一大怪事，應該有人爲他寫一本《佛門外史》。

那麼「**破戒比丘**」不論到哪裡去，東方、西方、南方、北方都一樣，都叫「**偷地而行**」，因爲他欺騙人家是個比丘。如果他卸了僧服穿起俗衣，不論去到哪裡我都沒意見；可是他穿著僧服卻是一個道道地地的俗人，根本就不是個出家人，那他去到哪裡我都有意見。因爲 如來這麼說，我便依教奉行，所以不要再鄉愿了。有的人很鄉愿，我們說那些喇嘛根本就不是僧寶，有的人就說：「**好歹他們也算出家人，一樣都是佛教，不必這樣排擠人家嘛。**」那叫作鄉愿。

他們穿著那些喇嘛服，宣稱是佛教的僧寶，在臺灣大搖大擺來來去去，這是到處去公然羞辱佛門僧寶，因爲不論他們走到哪裡，人家都會聯想到雙身法。然後看到規規矩矩的正統佛教僧寶時就會想：「**嗯？他有沒有在修雙**

身法？」為什麼人們會這樣聯想，全都因為他們啊！所以他們在臺灣到處行走，就是在公然羞辱佛門僧寶，那我們還應該鄉愿嗎？公然羞辱佛門僧寶的人，大家還要對他們網開一面或者怎麼樣容忍，那都叫作鄉愿。

修行是不應該鄉愿的，法對就對，錯就錯，沒有含糊的空間；持戒也是一樣沒有含糊的空間，要看它的實質。假使哪一天突然出現了一個喇嘛，公然在破雙身法、在讚歎如來藏妙義，那你不可以說：「他不是僧寶，因為他穿著喇嘛服。」不可以這樣，你要從他的實質去看。如果穿著傳統僧寶的僧服卻在推廣《廣論》，都在推廣常見外道法、雙身法，你還是要認定他是一個外道。應當從實質來看，因為那一種人凡有所作皆是「偷盜」，甚至於他們在路上行走都叫作「偷地而行」，因為那地不應該是他們走的，所以 如來說他們「偷地而行」。

如來也把理由講清楚了：「是人所有威儀行法，皆是偷盜假竊所作，」所以他的四威儀都是假的，因為本質是一個徹裡徹外的世俗人，完全不是比丘；但他卻以比丘的身分行住坐臥來獲得四事供養，因此這一些都是偷盜、都是「假竊所作」，所以 如來說他們「行立坐臥來去視瞻，屈伸俯仰著衣持缽」都是竊盜；他們藉著出家人的四威儀來獲取四事供養，全部都是竊盜的行爲。所以希望這講義流通出去以後，海峽兩岸所有佛教界都不要再鄉愿了，該還給佛門僧寶的尊嚴就應該恢復，該把外道的身分、假比丘的身分界定出來的，應該把他們明明白白地公開給天下人都知道；這樣正法才有未來的弘傳空間，佛弟子們也才有實證的機緣。我希望未來是這樣的。

如來最後說：「今但略說身口意業，有所施作皆是偷賊；」也就是說，這一種「破戒比丘」不管作什麼，他們的身口意業都是錯誤的，都是欺騙別人；從法律上來說，叫作詐欺，所以他們都是「偷賊」。但如果有人爲這種人剃髮讓他們出家，如來說：「若有剃是人髮，爲剃賊髮。」理髮店爲人家剃髮是要收錢的，但沒有哪一家理髮店喜歡說：「那個當賊的人來時，我歡喜爲他剃髮。」很不願意的，也就是說賊人去到哪裡都不受歡迎。如果有人爲這種人剃髮讓他們出家，就是「爲賊人剃髮」。出家了，身爲僧寶，要爲人剃髮可得學聰明一點；爲那種人剃髮出家，眞是福德大損啊！因爲這種人經由他剃髮出家以後，會在僧團中作亂；「皆是偷盜」，沒有哪一位常住會得到利益，而且他們也會干擾大家修行，那道場就不清淨了，所以這種人是賊，佛門中的大賊。

希望以後佛教界都不要再鄉愿，比丘是比丘，貴爲僧寶；破戒比丘是竊盜，下賤爲賊，不應該支持。大家如果無法趕走他們，就默擯。如來早就教過了，應該默擯；就是大家都不理他們，不與他們說話也不和他們在一起，把他們孤立起來，大家繼續修道，讓道場漸漸清淨下來，這樣才是天下所有佛弟子們的最大利益，諸天看了也歡喜。如來又開示說：

經文：【「舉要言之，破戒比丘有所施作皆是賊作，舍利弗！弊惡比丘乃至大小便利澡手，皆是賊法；何以故？舍利弗！閻浮提內，皆是國王及諸大臣、人民所有，及屬非人，是惡比丘於中爲賊。舍利弗！若王大臣於惡賊所，不望功德，不言等我，不言勝我。破戒比丘著聖法服，於是人所望得功德，是故聽使止住國土；若知其惡，乃至唾地亦復不聽；是故舍利弗！弊惡比丘動身所作皆是賊作，名爲常賊、大賊、立幢相賊，打害一切世間人者。何以故？無惡不作故。是故，舍利弗！是惡比丘於諸一切天人世間爲是大賊。舍利弗！若人是一切天人世間大賊，是人能消一飲食水不？」「不也，世尊！」

「舍利弗！於意云何？是人非是大惡人耶？」「如是，世尊！」「舍利弗！破戒比丘於諸一切天人世間有大惡罪，以是義故我說此偈：

寧噉燒石，吞飲洋銅；不以無戒，食人信施。」

語譯：【如來又開示說：「列舉大要的來講，破戒比丘凡諸施作全部都是賊人的作為，舍利弗！這種弊惡比丘下至於大便小便洗手，全部都是賊人之法；為何這麼說呢？舍利弗！在南閻浮提洲之內，都是國王及諸大臣和人民所共有，並且同時也屬於非人一類有情所共有，而這個弊惡比丘在這裡面當賊。舍利弗！如果國王大臣面對惡賊所在之處，不會盼望那裡有什麼功德，也不會說那惡賊和我平等，也不會說那個惡賊勝過我。而這個破戒比丘穿著佛門神聖的法服，國王大臣人民非人等等，因此在那個賊人的身上盼望可以得到功德，由於這個緣故所以才聽從、才使得他在這個國土上停止安住下來；如果知道他是一個破戒比丘有那麼多的惡事，那麼這個破戒比丘即使是在地上吐一口痰也都不同意；由於這個緣故，舍利弗！這個弊惡比丘只要轉動他的身體一切的所作全部都是賊作，名為永遠的賊、很大的賊、還建立了幢相的賊，他是打害一切世間人的惡人。為何這麼說呢？因為他無惡不作的緣故。由於這個緣故，舍利弗！這個惡比丘在一切諸天、一切人前、一切世間來看，他都是一個大賊。舍利弗！如果有人是一切天中、人中、一切世間的大賊，這個人能消受一個飲食的水嗎？」舍利弗答覆說：「不可以的，世尊！」如來又說：「舍利弗！在你的意下怎麼樣呢？這樣的人不是大惡人嗎？」舍利弗說：「是大惡人，世尊！」如來又說：「舍利弗！破戒比丘處在所有一切天人和世間中是有大惡罪的，由於這樣道理的緣故我說這樣的一首偈：寧可去咬、去吃燒得紅透的石頭，寧可去吞飲已經融化的銅汁；千萬不要因爲失去了戒體之後，而去吃別人信受而布施的食物。」】

講義：從這些經文中可以看得出來，世尊多麼期待末法時代佛法中僧團能夠如何保持清淨。也就是說只有出家人都能清淨持戒時，才能對廣大的佛弟子眾有大利益。這是有原因的，因爲弘法主要還是以僧寶表相來進行比較容易，以在家人的身相來弘揚本來就比較困難，因爲沒有僧服的威德。爲什麼說出家人持戒清淨可以使在家人佛法上得到大利益？這是因爲當出家人都清淨持戒時，就容易得到正法的修證，正法的實證環境就變得容易，這些持戒清淨的出家人證得佛法之後，就可以出來利益廣大的在家信眾，這樣才是對廣大佛門信徒的最大利益。

如果出家人大部分都破戒了，那他們嚴重虧損福德，也不應該讓他們證得正法；當他們不應該實證佛法時，全都無法實證，在家信眾的利益就不存在了！所以 如來看重出家眾能否持戒清淨的事。就像我們在末法時代弘法，一般的法師來到會裡，我們也得要長期的觀察，不能再像最早期那樣輕易傳授實證的法，因為他們會拿去販賣，甚至於拿這個當作旗幟去騙取更多的供養，或是作不好的事，因此我們後來就變得很小心。以前是出家人都不用來上課，一來就給他打禪三，第一次上山就幫他們開悟；以前是這樣的，因為我那時有一個很大的願望，就是正法要回到寺院去；結果他們一個一個不成器，後來還公然否定正法，因此我就開始一視同仁，從那時開始出家眾一樣得上完課，報名禪三時一樣得經過各組的審核，審核通過了一樣打禪三，不另外特別作指導；除非有特殊因緣的人，將來可以廣利眾生，否則我就是一視同仁。這也是被早期那些出家人所逼迫而致令我如此，不得不這樣作；因為正法的未來已經不能期待於他們了，因此我們現在就變成一視同仁了，要證這個法，就看他們的菩薩性夠不夠；若是聲聞的心性，菩薩性不夠，就跟所有在家的同修們一樣來作較量，不特別給與優待了，這也是慘痛的教訓而不得不然。

那麼 如來說得很白：「破戒比丘有所施作皆是賊作，」他是個「破戒比丘」，所以不管他作什麼都叫作「賊作」，全都是賊人的作爲；甚至於「大小便利」以及「澡手」，都叫作「賊法」。看來我們以前對那些修雙身法的出家眾，我評論他們的態度還是太客氣了！所以以後大家看見喇嘛，或如現在也有喇嘛在正覺大樓門前托鉢；他們是穿著喇嘛服來到正覺大樓不遠的地方，再換傳統的僧服，這種人你如果布施了，就是公然違背 如來的教誡。門前有僧寶托鉢，我從來沒有說過一句不好的話，因爲我認爲我們有這麼多的正法弟子，而正統的佛門出家人至少也是表相僧寶，我們支持他們能有一分道糧可以修道，這是應當的，是我們應該要作的；但是其中如果夾雜著喇嘛假冒爲佛門僧寶，大家應該要小心觀察，這一種假僧寶不應該支持，否則你這個福田種下去，那不是種福田，而是種毒田；未來世那些搞雙身法的人還會繼續跟你糾纏，因爲你跟他結了緣。

這種人比世俗人還不如，因爲世俗人至少也知道四維八德，可他們不是這樣，而且是詐欺佛弟子們——以外道僧冒充佛門僧寶來詐欺佛弟子，這也是大罪，如來在《佛藏經》中說得夠明白了。所以諸位布施時，對那種人，應該視而不見走過去，這樣你已經夠客氣了；假使依照 如來此段經文中的告誡，你應該告訴他：「你是個賊。」如來是這樣講的，因爲他們明明不是佛門僧寶，卻假冒佛門僧寶來受供養，其他眞正的佛門僧寶不就少了一份供養，那他就是偷盜僧寶們的供養。大家應該要有這樣正確的認知，所以講經完畢回世俗家之前，大家經過時到了樓下大門前得要看清楚，若是假冒的僧寶你就拒絕，當作沒看見就好，要選擇供養正統佛教的僧寶。因爲 如來說那些人「乃至大小便利澡手，皆是賊法」，那我們還要鄉愿來供養他們嗎？這是身爲佛弟子的我們應該信受奉行的地方。

「何以故？舍利弗！閻浮提內，皆是國王及諸大臣、人民所有，及屬非人，是惡比丘於中爲賊。舍利弗！若王大臣於惡賊所，不望功德，不言等我，不言勝我。破戒比丘著聖法服，於是人所望得功德，是故聽使止住國土；」

那麼 如來就講一個譬喻：南閻浮提這一大部洲裡，其實是國王、諸大臣以及人民和所有非人之所共有（非人就是講鬼道的眾生，和非天、鬼王、大力鬼王等有情，以及畜生道有情等），這是大家共有的；而這個「破戒比丘」住在這個地方，他其實是在這裡面作賊，因爲他們已經破戒而失去戒體，等於是在家的俗人了。

假使有國王、大臣他們知道那是「惡賊」，例如大家都知道那是外道喇嘛，不是佛門僧寶，那麼大家不會認爲：「他們的佛法知見跟我相等，他們的佛法修爲可能勝過我。」國王、大臣對於惡賊的想法也是一樣：「他們要論功德的話，不會跟我相等，也不會勝過我。」可是那個惡賊如果裝模作樣穿著比丘們的「聖法服」；僧服是聖者所穿之衣服，所以叫作「聖法服」，當他們穿著「聖法服」時，大家接受他們；國王、大臣、人民以及非人等都接受他們，是因爲他穿著「聖法服」，以爲他是一個眞正的修道之人，所以就願意讓他們在這裡生存共住。

「若知其惡，乃至唾地亦復不聽；是故舍利弗！弊惡比丘動身所作皆是賊作，名爲常賊、大賊、立幢相賊，打害一切世間人者。」可是假使知道他們是大賊時，就不容許了，一定把他們抓起來關了，應該如此。世間法也是如此，假使有人當賊，官府確定了就要把他們抓來關，不容許他們到處行走。

因爲不論他們去到哪裡行走時，全都是「偷地而行」；世間法的法律也是這樣，所以要把他們抓起來關，不讓他們「偷地而行」。如來說：「若知其惡，乃至唾地亦復不聽；」因爲他吐那一口痰，那一口痰那麼一點點的地都不是他們應該使用的。前面也講過，他們所行走過的地方都是「偷地而行」，因爲那都不是他們應該行走的地方，賊人只能行走在監獄中，所以這一種人叫作賊，凡有所作都叫「賊作」。

而這種人跟世間賊不同，世間人當賊是有時候當，有時候不當；比如他吃飯睡覺時不當賊，可是「破戒比丘」連吃飯睡覺時也都是賊——「常賊」，這不就是「大賊」嗎？這眞是「常賊」，是時時刻刻經常性的偷盜，所以他們是從裡到外恆而不中斷的賊，叫作「常賊」。「常賊」當然是「大賊」，一定是最大的賊才會是「常賊」，是天下最大的竊盜者。以前臺灣號稱南偷北盜，當時是很有名的，但即使是大偷大盜，也是有時而作，不是常而不斷地作，也許作了某件案子以後一整年都不再作；可是「破戒比丘」是時時刻刻都作賊，沒有一剎那不作賊，因爲他們晚上睡在寺院裡，寺院不該他們睡，睡了就是賊；他們吃飯時也是賊，那飲食都不該是他們吃喝的，人家是供養僧寶，他們已失戒體就不是僧寶，那他們吃了喝了就是賊，所以他們經常性地當賊，眞是「常賊、大賊」。

「常賊、大賊」也就罷了，往往還是個「立幢相賊」，這才是最大問題。當賊時是應該偷偷摸摸有一點見不得人，他們卻是掛著幢幡：「我是賊，誰要供養我就來吧！誰要送給我錢財，趕快來吧，我是賊。」就這樣掛著「幢相」。「破戒比丘」眞是這樣的，道場可以造得很大，寶幢掛得高高的，口說的是假佛法，卻公然告訴大家說我才是正法，等於是告訴明眼人說：「我就是賊，你們快來供養我吧。」如來這個譬喻太好了，這幾百年來的佛教不正是如此嗎？臺灣如此，大陸佛教更是如此。有的寺院還公然宣稱說：「我這裡是密宗藏傳佛教的道場，我這裡修無上瑜伽，證得報身佛境界；我們禪淨密三修，沒有誰能比得上我們。」公然掛出來，這不等於掛著一個很大的布招說：「我是『大賊』、我是『常賊』，你們快來供養我。」不正是這樣嗎？

可怪的是，就有很多人願意上當；而我們告訴他們眞相，反而挨罵，眞的很怪吧？當賊都要偷偷摸摸，而結果現在佛門的法賊高高掛著寶幢告訴你說：「我是佛門中賊。」而竟然仍有非常多的人前去供養，佛法可殤以至於此！那麼這種人，如來說他們是「打害一切世間人者」，因為每一個人去親近之後，法身慧命就被殺害了，道業都挨打，因為不進反退，因此世尊說這種人「無惡不作故」。如來說這話很重：「無惡不作故。」所以喇嘛們，上從達賴下至任何喇嘛都是「無惡不作故」；因為他們不是僧寶卻每天仿冒僧寶，從白天仿冒到晚上，經年累月不斷仿冒，所以他們受供養以及弘法「所作皆是賊作」！而且，他們欺騙而收受了供養也就罷了，還殺害大眾的法身慧命，眞的叫作罪大惡極。所以千萬不要再鄉愿說：「人家好歹也是個出家人，我們就供養一點，不要供養太多就是，但您也不要再評論他們了。」那就違背 如來的告誡。

那麼這種人存在於南閻浮提，而這南閻浮提是四王天、忉利天等天眾以及金翅鳥、天龍等，包括人類、夜叉、羅刹以及鬼道眾生、畜生所共有的；他們在這裡面當「常賊」，那就是「一切天人世間大賊」。如來說的一點都不過分，所以最後 如來問舍利弗說：「如果有人是一切天人世間的大賊，這個人能夠消受得了一飲食或者一飲水嗎？」賊是應該把他關起來讓他挨餓的，怎麼還可以消受人家的供養？那舍利弗當然回答說：「他沒有那個資格消受乃至一飲水。」所以這種其實就是個大惡人。

「舍利弗！破戒比丘於諸一切天人世間有大惡罪，以是義故我說此偈：寧噉燒石，呑飲洋銅；不以無戒，食人信施。」世尊說「大惡人」不應該當，任何人千萬都不要去當這種「大惡人」，因爲這種「大惡人」跟世間的大惡人不一樣，世間的大惡人最多被抓去關，乃至砍頭，未來世去三惡道受報也是不久就回來人間；可是這一種人在世享盡榮華富貴，未來世不是那麼容易回來人間的，所以世尊說：「寧可去咬、去吃燒得紅透的石頭，寧可去呑飲已經融化的銅，也不要破戒而失掉戒體，以假出家人的身分去飲食人們相信他爲出家人而作的布施。」

我說世間最大的辜負是什麼？辜負有很多種，總而言之，就是人家有恩於我，對我有所期待；譬如期待我向善，改過遷善；或期待我將來有所發展，成爲對社會有用的人；但是我沒有辦法達成人家的期待，所以成爲辜負。但是這些辜負都不是最大的辜負，最大的辜負就是「食人信施」，爲什麼呢？因爲布施者是信受而施——信他是一個眞正在修道的僧寶，因此而作布施。人家布施時心裡也許想：「我這一世，在這一次布施給僧寶，福德無量，因爲這僧寶利益很多眾生。」他是這樣信受而布施的，這信是很深厚的，而結果他全然辜負，所以這是天下最大的辜負。接著 如來又開示說：

經文：【「舍利弗！是破戒比丘，無色無德，無復志願。身心熱毒，喜見惡夢，不樂獨處。或時獨處，或時獨行，身則戰懼；見淨戒者，僻藏避迴，心怯自愧，不喜欲見。受供養時驚疑怖畏，心常馳騁多所想念，深貪財利愛樂美食，如是比丘命終之後必入地獄。舍利弗！是名破戒比丘七憂惱箭必墮地獄。」】

語譯：【世尊說：「舍利弗！這樣的破戒比丘，沒有色身的威儀也沒有德行，心中也不再有佛法實證上或者利樂眾生的志願了。他們的身心是熱惱的、是藏毒的，他們也喜歡看見惡夢，不樂於獨處。有時候獨處，有時候獨行時，往往色身都會顫抖畏懼；他們看見受持淨戒的人，就會往偏僻的地方躲藏避迴，心中有所怯懦而覺得羞愧，不喜歡跟持戒清淨的人相見。當他們接受供養時，心中是有所驚疑而且恐怖和畏懼的，心中常常不斷馳騁著非常多的妄想和雜念，很深厚地貪著財物利養而且愛樂美好的食物，像這樣的比

丘命終之後必定下墮而入於地獄中。舍利弗！這就是我所說破戒比丘的第七支憂惱箭必定會下墮地獄。」】

講義：破戒比丘「無色無德」，是因為他們心中還是會覺得羞愧，所以吃時沒有辦法好好地吃，所以「無色」——色身有些憔悴。可是回想起來，現在應該是末法很深厚的時節了吧，「破戒比丘」們偏偏吃得色身美好、腦滿腸肥，眞是超過 如來所說的狀況太多了！因為現在「破戒比丘」們好像心中都沒有覺得羞愧，所以色身肥壯聰穎。其實在佛門中「破戒比丘」進食時，他們都是身心不安的，所以就是「無色」，因為擔驚受怕，色身狀態就不很好。「無德」，既然破戒當然就「無德」，心中都會想：「我連清淨戒都受持不好，我在佛法上能有什麼作為呢？」這時關於佛法的實證他們也就完全都不想了，如來說這種人叫作「無復志願」。身為出家人最看重的事情就是道業的實證，以及怎麼樣把正法傳給前來作四事供養的在家居士們，可以共同邁向佛道；但是他們連清淨戒都受持不了，證道就別提了，到這個地步就成為「無復志願」。

那他們在寺院中安住時身心都不清涼，所以「身心熱毒」，一定是心煩燥熱而且覺得不爽快；而他們又是「喜見惡夢」者，這「惡夢」不一定是咱們所認知的「惡夢」；對我們來講，如果夢見去到哪一家海鮮餐廳大啖一頓，醒來一定覺得很罪惡：「唉呀！我作了一場惡夢，也許是破戒了。」可是他們對這種惡夢就是很喜歡，因此叫作「喜見惡夢」。今天講到這裡。

《佛藏經》上週講到四十二頁第二段第一行「喜見惡夢」。《佛藏經》開講時大家都聽得很歡喜，因爲都是甚深的了義法；講到這個階段來可以說絕大多數人也是很歡喜，但是我要說的是，這裡所謂的「破戒比丘」是包含破戒的比丘尼、破戒的優婆塞、破戒的優婆夷在內，要記住這個前提。因爲如來說法不會只針對「破戒比丘」一個人或者一種人來解說這一些法。那麼我聽說六個講堂有的樓層比丘少了一點，我覺得這也是正常。但是我們看，到今天爲止在座的比丘、比丘尼、優婆塞、優婆夷都聽得很歡喜，對吧？有沒有誰是聽著抑鬱不樂的？沒有！所以即使 如來說「破戒比丘」如何如何時，我們在座四眾菩薩們沒有人是皺起眉頭來的，都是聽得歡歡喜喜的。那是不是應該要讚歎嘉獎？要？還是不用？（有人答話，聽不清楚）是要嘛！（大眾鼓掌……）對啊！是應該讚歎嘉獎。

不但如此，如來對善持戒法的佛子四眾也會讚歎嘉獎的，就在下一品〈淨法品〉第一段末後，如來就會讚歎，至於愛樂正法的持戒比丘等四眾會有什麼現象，如來也會告訴我們；但因爲主要是在糾正「破戒比丘」們的過失，如果你本身並沒有那一些過失，那又何必在意？假使過往曾經有那些過失，已經羯磨、懺悔、改正了，那就應該引以爲傲，因爲迷途知返也是有慚有愧；俗話也說浪子回頭金不換，比黃金還珍貴的，所以不應該覺得有什麼壓力。又像俗話說的「有者改之，無則勉之」，那麼在法上都可以學得很高興。

由於破戒與否會牽涉到三乘菩提的實證因緣，所以在聽聞　如來教誡這一些聖教時，心中是應該要歡喜說：「如來願意教誡我們，表示我們是孺子可教的弟子。」假使是不可救藥的，如來就不講了，如來一定默然。假使過去曾經有犯，改過就好，如法懺摩滅罪後，重新變成一個清淨的身心，在法上修學就可以快速地進入勝義中。如果沒有那些過失就謹記　如來的教誨，以後小心不要落入那些過失中，這樣學法永遠都是快樂的，所以這個前提應該要先跟大家說明。

那麼剛才諸位也爲現場的四眾佛子嘉勉鼓勵過了，我們就回歸　如來的聖教繼續再來講。上一週最後一句說破戒比丘「身心熱毒，喜見惡夢」，當他們心中有所求，在五欲上追求非常多時，心是熱惱的，熱惱時身體就會產生毒素。所以心中熱惱的人身體不會健康，因為會有毒素產生；現在科學研究也說當動物被宰殺時很生氣，或者很憤怒、很驚恐，身體就會分泌毒素出來；人類無知，殺了就吃，還吃得很歡喜，不知道伴隨著動物的屍體而把毒素吃進肚子裡。有沒有人吃活的動物？一定沒有的，所以吃的都是屍體。動物身上的肉，是殺好了而且剁了，一塊一塊就是屍塊；不然就是整隻雞、整隻鴨的屍體，沒有人吃活的，當然都是吃屍體。那些肉裡夾雜著牠們死前驚恐憤怒產生的毒素；所以說身會跟著心轉變，這是有根據的。《楞嚴經》講的融通妄想正是這個道理，因為心會使身轉變，所以「身心熱毒」是恰到好處的說明。

這種「身心熱毒」的「破戒比丘」「喜見惡夢」，這「惡夢」該怎麼定義？是夢見被蛇咬了、被牛角給戳了叫作「惡夢」嗎？不會有人喜歡這樣的夢吧？所以這「惡夢」有個定義在，譬如一個二果人或者初果人，假使夢見了自己竟然去到了聲色場所極盡歡娛，或者去到野外不斷地宰殺眾生，自己一定會嚇醒；可是「破戒比丘」卻把這種「惡夢」當作是美夢，所以他們會喜歡看見這種惡夢。

對一個修學解脫道的人來講，一個四果人假使出去托缽，那一天剛好得到精美的飲食入口即化，所謂「食噉含消」；他心中是抗拒的，他不喜歡，怕因此產生了一點點的貪著，捨壽時就無法入涅槃；所以一般人在爭奪好的缽盂，阿羅漢或三果人從來不爭；人家不要的、剩下的，他就拿來用，不願意自己有任何一絲一毫的貪念生起，也不願意對世間法產生任何的樂受。如果他在夢中，人家布施了一缽好食物，他越吃越高興、越吃越歡喜，心中起貪了；當他心中起貪時就會嚇醒，認爲這是「惡夢」。但「破戒比丘」不會，總是喜歡這種夢：「很好，明天再夢一場。」但眞正在修行求解脫的二果人視此爲「惡夢」，這「破戒比丘」就專喜歡這種「惡夢」，所以 如來說他們「喜見惡夢」。

而且他們「不樂獨處」，持戒的比丘假使不是與人論法，他們都喜歡獨處，靜下心來把煩惱降伏或斷除而進入定中去，藉著定來馴服自心，使攀緣的自心、貪求的自心習慣於定中的無貪境界；每日這樣子住在定中使貪瞋的習氣現行可以漸漸壓制、漸漸減少，到最後消失，所以都是樂於獨處。但破戒比丘「不樂獨處」，他們會覺得無聊，因爲心心念念想著世間法；假使在世間法上有更多的五欲可以滿足，他們就喜歡；但要求世間法五欲的滿足，獨處時不能獲得的，要跟人家攀緣才能得到，所以他們「不樂獨處」。

如來就說：「或時獨處，或時獨行，身則戰懼；」有時獨處，有時獨行，他自心中有所害怕；因爲「破戒比丘」們需要人多勢眾，如果自己一個人獨行、獨住，剛好有幾個淨戒比丘來了，他怎麼辦？對他而言是個大問題，所以他們都不喜歡獨行、獨處；總是要找一群人，去哪裡就一起去，飲食就一起飲食，總是群聚在一起，人多勢眾他們就覺得安心。如來就點出來說：「見淨戒者，僻藏避迴，心怯自愧，不喜欲見。」也就是說他們獨行或獨處時，最害怕遇見清淨持戒努力修行的比丘們，心中很恐懼，因爲清淨持戒的比丘假使跟他談戒行，或是要跟他談法義，他怎麼辦？獨處獨行時就沒辦法應付；假使人多勢眾的話，至少可以橫生事端、不斷地牽引到別的題目去，其他的破戒比丘可以幫腔使他迴避掉；但是獨處獨行時遇上淨戒比丘就沒辦法了，所以他們「獨處獨行」時「身則戰懼」。

假使遠遠看見淨戒比丘來了，趕快「僻藏」趕快「避迴」，會選一個偏僻的地方隱藏起來，要不然就走上另一條路迴避對方，他們認爲獨自一人時只要不見面就不會有問題；所以他們這個表現是「心怯自愧」，心中這時是害怕、是膽怯的。這樣的比丘還算有救，因爲懂得「自愧」，假使連「自愧」都沒有，那已經不是「破戒比丘」了，要叫作三惡道之一。如果有人連「自愧」都沒有，在人類境界中就可以看得到那一道。因爲仍然有「自愧」的緣故，所以「不喜欲見」——不會喜歡也不會產生「欲心所」，不會在見到清淨比丘時覺得很好，所以「不喜欲見」。

換到接受供養時又怎麼樣呢：「受供養時驚疑怖畏，心常馳騁多所想念，深貪財利愛樂美食，」也就是說，出家以後不事生產，當然是接受供養，但他接受供養時心中是「驚疑怖畏」，心中總是有一點害怕；害怕人家說：「師父！您昨天什麼事情作得不對。」或者：「您前天那件事情作錯了。」怕人家會提出來說，因爲有的居士當面會拈出來講，俗話說的「哪壺不開提那壺」，因爲居士得護法，他覺得是在護法就要講，所以「破戒比丘」心中也總是驚疑。一方面害怕、一方面疑心說：「這位居士會不會布施時順便講我兩句？」因此心中就產生了怖畏，所以受供養時也不是很安心的。

他們心中總是會不斷胡思妄想，而且心中起貪就不斷「馳騁」，一直在想念著很多事情：「人家會不會對我批評？今天的供養到底有沒有好東西？會不會順利？」他想很多，因此「多所想念」，這樣的人可想而知，修定也修不好的；修定修不好就越無法降伏自己不好的心性，就成為一種反轉的互相增上，就這樣拉扯著不斷輾轉往下墜。歸咎他們下墜的原因都是因為「深貪財利愛樂美食」，出家之後假使在法上都沒有希望時，往往會覺得出家失去了意義，所以會尋求補償，就是住得好、穿得好、吃得好，多一點財利供養，這是一種補償心理。如果出家之後安貧樂道，這個人在法上就有實證的希望，他遲早會跟法相應，因為他沒有「深貪財利」，也沒有「愛樂美食」，就是隨順現狀，有好吃的就吃好吃的、也不貪，沒好吃的就吃難吃的，能充飢飽腹身體康健可以修行也就夠了，心不貪而清淨的緣故，證法的因緣就會出現。

這種「破戒比丘」破戒的原因是一開始就「深貪財利愛樂美食」，古時是這樣，末法時代往往也是這樣。本來是出家前想：「出家多好，多清淨！

又有法可以實證。」沒想到出家以後，寺院中也不清淨，跟自己住在家裡一樣，心中大失所望；說到佛法，又沒辦法實證；本來覺得自己開悟了，也被師父印證了，後來突然說這個境界不是開悟，是悟錯了！那怎麼辦？眞的沒辦法了，只好拚轉型了；這狀況諸位在臺灣也看見了。

但我倒是想要隨喜一件事，臺中一位老師有一天寄給我 e-mail，說南部那個道場，他們不再談「禪淨密三修」了，他們現在只說「禪淨雙修」，又說他們這樣已經好幾年了。他說：「我想老師您應該很早就知道了。」我說：「不知道欸！沒有人告訴我。大家也許都認爲我知道了。」這樣也很可喜，我們應該隨喜，至少不繼續跟密宗假藏傳佛教公開掛鉤，以前過去的就讓它過去吧；那後面該怎麼收拾、怎麼羯磨滅罪，那是另一回事，但至少對外公開的事，已經不跟密宗假藏傳佛教往來，這是好事，我們應該要隨喜。但凡見人有一絲善事，我們就應該隨喜，不管他們以前怎麼樣。他們現在不談密，轉型而走另一條路，我覺得也好；雖然是作觀光生意賺很多錢，但被賺錢的那麼多陸客不也跟佛法結了一點緣嗎？這倒也不錯，所以我也認同。只要不再抵制正法都是好事，只要不再妄說佛法，都是好事。

那麼破戒比丘「深貪財利愛樂美食」，就是 如來說的「大賊」，不論他所行、所食、所飲一滴水，全部是竊盜而得。因爲他們本質已不是比丘了，但他們還穿著僧服，那僧服也是竊盜而得，接受供養時也是竊盜而得，所以這種人捨壽時後果是很嚴重的；因爲他們一天到晚都住在邪見中，而邪見的罪遠比種種的竊盜罪更重，是所有罪中最重的，所以 如來說：「如是比丘命終之後必入地獄。」想到這一點，假使我是「破戒比丘」，腳底都變冰了；可是好像有的「破戒比丘」不會變冰，因爲他們不讀這部經，也不曾聽聞這部經，所以他們腳底還是熱呼呼的、到處遊走。那我們瞭解那個果報時，確實是爲他們擔心，那就應該爲他們解說這一部經，然後整理出來廣爲流通，這才是救人的最大功德，救人應該這麼救。

你去醫院搶救一個人回來，不過是救一個人一世，但如果把一個「破戒比丘」或破戒比丘尼、破戒優婆塞、破戒優婆夷救回來，救一個就很夠了，那是救他未來無量世；因爲「破戒比丘」等四眾如果下地獄，可不是一劫、兩劫就回來的；就算一劫、兩劫就能回來人間，到底相當於人間幾世？想想看，一世就是一個人，那你救了一個人不墜地獄，等於救了幾個人？這個算盤要懂得撥一撥，所以我們要想辦法去救這樣的人。因爲 如來已經預記：「如是比丘命終之後必入地獄。」這樣入地獄的果報不是一劫、兩劫就了事的，總是要在那裡待上很多劫，然後再來餓鬼道，餓鬼道受報完再來畜生道，畜生道也受報完才能回到人間，剛回到人間是不是可以快樂學法了？不！前五百世盲聾瘖啞。那是什麼日子？五百世都不見太陽、不聞聲音、講話當然都不會講，這樣子的日子不會好過的。

可是人間的果報受完了，後面還有餘報，回來人間時甫聞正法心中懷疑更增誹謗，於是又犯戒而再度下去。除非他有一世把正見找回來，將邪見摒除，然後羯磨、懺悔滅罪了，洗心革面作一個眞正的佛弟子，否則這種下墜三惡道的事情是會不斷重演。所以這一入地獄在未來際不是一次的事情，因爲那個惡種子沒有滅除；在別的經中 佛陀也有講過這樣的事情，在根本論《瑜伽師地論》中也有說過；所以我們要想辦法救這些人，不管他們是比丘、比丘尼、優婆塞、優婆夷，我們都要想辦法救；救一個算一個，救一個人就等於救十百千萬個人，因爲下去以後要很多世才能回來。如果不必讓他下去，那他下一世繼續生在人間，就省了那麼多的痛苦和果報；如果能夠救得十個、一百個、一千個、兩千個人，那功德可就大了！所以這事情是我們應該要作的。

如來又歸結說：「**舍利弗！是名破戒比丘七憂惱箭必墮地獄。**」這樣開示到這裡，總共是七支憂惱箭了。所以犯了十重戒還不是最重的罪，心中的邪見長存不滅，出家了更會誤導眾生，使令更多的眾生邪見長存不滅，這罪更重。諸位從 如來這個開示來想想看，有一個人出家之後每天修密宗假藏傳佛教的雙身法，他不廣度眾生；另外一個被尊為導師的比丘出家之後持戒清淨，看起來都不犯戒、也不貪供養，但一天到晚在誤導眾生佛法，還否定如來最勝妙的正法，說如來藏是外道神我，還說大乘非佛說；諸位想想看，是前者犯戒比丘罪重，還是後者否定正法的比丘罪重？（大眾答：後者。）因為後者自己的邪見之罪是恆時相續，包括睡覺時邪見種子還在自心流注而運作，恆時相續都不中斷；而且他不是自己一個人邪見，還誤導非常多的眾生跟隨他的邪見不能轉變。

而那個一天到晚跟女信徒行邪淫的人，大不了一天一個人，一年三百六十五人；那他每天總是要睡覺的，睡著以後就不犯戒，而且十重罪只犯其一；

可是那一個亂說法的比丘是恆時恆處都處在邪見中，而且誤導很多的眾生，而邪見一罪就超過其餘各種罪的總和，所以他的罪重過好幾倍，算數譬喻不可為喻。那從這裡大家就瞭解，禪淨密三修比起釋印順廣傳邪見，就不算是最重罪了，釋印順廣傳邪見之罪才是重！瞭解這個道理，不會再想說：「這**蕭老師怎麼一天到晚在講釋印順的是非？**」可是我沒有講他是非，他也沒有是非可以給我講，我講他的都是關於「**邪見**」的事。因為他沒有聚斂錢財、貪受供養，也沒有搞雙身法，我縱使要講他的是非也沒得講，而且我一向不說他人是非，只作法義辨正，我十幾年來都是解說他法義上的錯誤。

說了這麼久，還是有一大群比丘尼始終不改，我看她們到死都不會改的，因為已經中毒很深。這樣看來，顯然釋印順的罪比所有「**破戒比丘**」們的罪都要嚴重。說一句公道話，全球「**破戒比丘**」或破戒四眾的罪合起來，也不如他的罪那麼重，因為他恆時都在「**邪見**」中，而且誤導一大堆人都不肯捨棄「**邪見**」，所以說他的罪最重。這樣看來，這第七支憂惱箭他也有分；所以他到底怎麼死的，連他自己也不知道，到現在為止也沒有人敘述他是怎麼死的。我曾經講過，假使我是釋印順，讀了正覺的書（因為一定會有人送給我），我讀了以後知道錯了，爲保障我的未來世，我該怎麼作？（有人答話，聽不清楚）不可能！他騎虎難下，他想要懺悔就能懺悔喔？他應該怎麼樣？私底下親筆寫了三份懺悔文，在不同時間、不同地點交給不同的三個人，吩咐他們：「某甲！我死後，你就幫我公布出來。」過個幾天又找另外一個人，不讓任何人知道——包括某甲，找來某乙說：「我死後一週，如果沒有人公布我的懺悔文，你就公布出來。」如法炮製再找另一個某丙這樣作。

是應該這樣作，否則到病重時說：「我要公開懺悔。」誰讓他懺悔？徒弟們一定說：「師父！您懺悔了，那我們怎麼再弘法？」一定是這樣，他要懺悔都不成。而且臨命終那幾天一定不會讓他開口對外人講話的。有可能讓他對外人開口講話嗎？我的判斷是不可能。很簡單啊！每天點滴中加上一點麻醉劑讓他睡覺就好了，讓他睡到死了算數。所以我的猜測，他連自己怎麼死的都不知道，連懺悔的機會都沒有；因爲他反正要走了，徒眾們各人要保命啊！能怎麼辦？又不想把道場解散，解散了要怎麼過活？所以我說他不夠聰明，是因爲他太聰明所以不夠聰明，但我們這個笨笨的人倒是會設想。

所以這第七支憂惱箭他是逃不掉的，大家都說他有智慧，可是我看他遠不如現代禪的李老師；李老師聰明，還懂得寫懺悔文，死前由知情者廣寄各道場，至少滅罪了，但釋印順什麼補救動作都沒作，就這樣以他的書中「邪見」繼續誤導眾生；不但不如李老師，還遠不如南懷瑾居士。我說他還遠不如南老師，南老師至少還懂得交代基金會說：「**等我死了，幫我在網頁上刊出來：我沒有認為我開悟，你們自己認為我佛法上有修證是你們的事，我只是在講中華文化。**」他還是有點智慧的，面子？面子算什麼？面子就只有這幾十年，剩下最後那幾天的面子還要顧慮幹什麼？未來多世的事情才是重要的事。人都要死了還顧慮面子？死了就沒有面子；想想是那幾天或者死前那兩年的面子，比起未來的無量世果報，孰輕孰重？了然分明啊！

可是釋印順就想不通，所以釋印順到底是聰明或笨，也是很容易判別的。世間話說得好：聰明人往往都幹傻事，傻瓜卻幹了聰明事又得利。所以我講的傻瓜賣米的老闆，秤好了再抓一把給買的人，人家說這老闆夠傻，可是他的生意鼎盛；如果他量器裡面墊個什麼東西使米量少了那麼一點點，後來人家發覺了會怎麼樣，一傳十，十傳百，客人全走光了。所以傻一點好，笨一點好，太聰明不好；印順就是太聰明，所以專門幹傻事，幹到死時成為老糊塗就糊塗地死，這第七支憂惱箭他可逃不掉了，多麼可惜！

諸位想想看，他有沒有可能沒讀過我的書？有沒有可能？（有人答話，聽不清楚。）爲什麼諸位說不可能？被收起來？不可能！因爲我把他的法從根本上否定了，這是何等大事，徒眾們敢收起來不給他讀嗎？我認爲不敢，沒有誰膽子敢這麼大。就好像我弘揚這個如來藏妙法，有一天人家出來說：「**蕭平實講那個如來藏的法是錯誤的，那是一個大山頭和尚講的。**」你們大家知道了會遮掩起來嗎？會怕我氣死了嗎？不會吧？一定會認爲說：「**茲事體大，這一定要告訴導師！**」印順的情況亦復如是。

你想人家在《自立晚報》週日的〈自立講台〉登了一篇文章諷刺他，第二週的週日〈自立講台〉專欄，就登出他的回應函，多麼快，那是週日才刊登的專欄。所以他不可能沒讀過我的書，但他這個聰明人還不夠聰明，不懂得爲自己設想，而是繼續堅持他的「**邪見**」，所以如來說「**是名破戒比丘七憂惱箭必墮地獄**」，因爲這第七支憂惱箭最重要、最強調的地方就是「**邪見**」的常住而不間斷，釋印順正好是這種人。接下來 如來又說第八支憂惱箭：

經文：【「復次舍利弗！破戒比丘樂在眾鬧，散亂多語，性好嫉妒；與破戒者以為親友，常樂論說破戒惡事以為喜樂，不知羞恥。違逆深經，心疑不信；或時聞說如是等經，疑逆諍競，不樂聽受；東西顧望，心不專一；以手掩口，仰視虛空，從座而去謗佛法教，懷瞋恨心罵說法者；以如是等過惡因緣，命終之後深入地獄。舍利弗！是名破戒比丘八憂惱箭必墮地獄。」】

語譯：【如來又說：「舍利弗！破戒的比丘們喜歡處在大眾喧鬧之處，心中散亂而且言語很多，他們的心性是喜歡嫉妒別人的；他們與破戒的人互相作為親友，時常愛樂於論說破戒的那些不好事情當作是歡喜快樂的事，心中不知道羞恥。他們也都違背以及拂逆了深妙的經典，心中生起疑心而不信受；假使有時聽聞別人演說像這樣深妙的經典等，心中就生起懷疑並且加以違逆而產生了言語的鬥爭和競勝，不樂於聽受；當善知識正在宣講勝妙經典時，他們東看看西看看、看過來望過去，心中都不專一；有時以手掩住嘴巴，然後仰視虛空，就從座位上起立離開了，然後誹謗佛陀以及所演說的佛法聖教，懷著瞋恨心去辱罵說法的人；就以這樣的過失和惡因緣，命終之後墮入很深的地獄中。舍利弗！這就叫作破戒的比丘第八支憂惱箭，必定會下墮於

地獄。」】

講義：這就是說破戒的比丘，他們在佛法上不努力修行，心是攀緣不斷的，所以喜歡處於大眾之中吵吵鬧鬧，然後心中覺得很快樂的過日子。他們的心是散亂的，破戒比丘不會是有定心的，因爲有定心的人當他每天入定成爲習慣之後，就會遠離欲心、喜歡清淨而沒有負擔的定境，所以這種攀緣於五欲和大眾的破戒比丘們，心中一定是散亂的，一定是攀緣的。攀緣於大眾時才能獲得利養，才能獲得互相支援的勢力，所以一定是多語，話一定很多。假使每天都入於定中覺得喜樂，出定以後一定不太多話，怕散亂。如果他喜歡攀緣，話一定很多，話多心就散亂，因爲必定會攀緣和思索要說什麼事情，要跟人家互相往來等事，所以心一定散亂。這是互爲因緣的，這一種「**破戒比丘**」既然貪著在五欲上，假使看到自己的供養不如別人，心中一定會嫉妒；假使不會嫉妒，他就不會成爲「**破戒比丘**」了。

我記得弘法早期那十年內，有時會有師兄或師姊來向我抱怨：「**我們正覺是正法，爲什麼我們錢財這麼少？很多重要的事都不能作。他們那一些都是邪法，都是誤導眾生，爲什麼錢財那麼多？不公平啊！**」我都告訴他們說：

「我們錢財雖然少，可是我們有欠過錢嗎？當我們要買講堂或者要買什麼時，我們有欠過錢嗎？」有的人比較聰明就說：「喔！對喔！我們都沒欠過錢，我們要用時就剛剛好有。」那有的人沒意會過來，還繼續忿忿不平，表示什麼？表示他看在表相上了；那我就知道他的定力不是很好，我這樣一看就知道了。因爲定力好的人不會在這上面用心，而且說老實話，需要在這上面用心的人是我，怎麼會是他？我都沒有在這上面用心，他急什麼呢？因爲我要用錢時就剛好夠用，從來沒有說我要作什麼事情時沒有錢可用；所以他那個忿忿不平的心其實不需要，因爲忿忿不平之後錢也不會變多，那也證明他定心不夠；定心不夠時有一天就會被世間法所影響，怪不得他後來也離開了。這是正常的事，那他離開了，今天不會聽到我講的，我也沒算得罪他。

所以說「破戒比丘」的攀緣心是來自於五欲的貪愛，既然如此，他看見別人的供養多，而自己的供養少，心中就會嫉妒。由世間法轉移到法上來也一樣，當他看到別人有所實證時，心中也會嫉妒，正是「性好嫉妒」；因此就不能跟清淨比丘同見同行，所以「與破戒者以爲親友，常樂論說破戒惡事以爲喜樂，不知羞恥。」他們是不會懂得羞恥的，當他們在背後和一群同樣破戒的人互相親近作為好友，時常在議論那一些清淨比丘們的某些事情時，就會加以否定；對於同樣破戒者的各種破戒事情，他們卻洋洋自得，這樣就引為好友，就這樣子覺得很快樂。

像這樣的人，如來說他們是「不知羞恥」的人。人假使不知羞恥就無可救藥，而這樣的人也會「違逆深經，心疑不信」，老實說這是互為因果的，深妙的經典不是輕易可以理解的，假使深妙的經典是一讀就可以懂，那就不叫深妙了。以往正覺沒有弘法之前，有許多實修的人都說「般若甚深極甚深，難會極難會」。但卻有更多的人說：「般若沒什麼，我讀了就懂了。」甚至像陳履安先生《大品般若》六百卷，他說半年就讀完了，也自認為懂了；沒有證如來藏的人半年可以讀完，到底是懂還是不懂？證如來藏的人半年還讀不完，一年也讀不完呢！結果沒有證如來藏的人半年讀完，說他懂了，這還真是佛門怪事一樁。

諸位看《金剛經》我講那麼久，出版了九輯，到底那是深不深？那麼深的經典，那麼深的妙法，才短短幾頁的經文，《金剛經》誦得很快、很熟的人，二十六、七分鐘就誦完了，但我講完整理出來是九冊。陳履安他老兄《大品般若》六百卷，半年就讀完了還說他懂了，我還眞不信。假使有人告訴你說：「《大品般若》我一年就讀完了，全都懂了。」那你就對嘴說：「那你不懂，因爲懂的人要讀好幾年。」其中非安立諦三品心的內容，他懂了哪一品心？所以這一些人都是「違逆深經」，隨便讀一讀，意識層面想一想就說他懂了；他說懂時其實是不懂，還不叫作「違逆深經」嗎？「違逆深經」的人是什麼？總是覺得：「這經中說的也沒什麼啊！」否則就說：「這不是佛講的，這太淺了。」然後就講出一些忤逆佛陀的話。

不巧的是釋印順正是這種人，他說：「如來藏是外道神我，事實上沒有第八識。如來說第八阿賴耶識，是爲了度那一些恐怕墮入斷滅空的人而故意施設的，沒有如來藏可證，因此大乘經不是佛說。」這不就是「違逆深經，心疑不信」？他對大乘經典不信、懷疑也就罷了，他對《阿含經》的大部分還是懷疑不信的；有這樣的比丘可以叫作佛教中的導師，眞是佛門怪象！對於如來所說，任何一個佛弟子都要全面接受，不能選擇性的接受；即使是個聲聞人，他修行的法道雖然只專注在解脫道上，但他對三乘菩提也全面接受的。

「或時聞說如是等經，疑逆諍競，不樂聽受；」從來沒有一個實證初果、二果的人，敢否定 如來演說的大乘菩提，他們也接受佛菩提道，只是大乘菩提的般若與種智他們不懂，他們也不想當菩薩，所以沒有付諸修行；但他們在解脫道上是有實證的，而他們對 如來所有說法全都接受，從來沒有否定過。可是那一些凡夫僧們竟然敢「違逆深經」，開口閉口說「如來藏是外道神我」，時常掛在嘴邊的是「大乘非佛說」；這表示他們對 如來的聖教「心疑不信」。假使有時聽聞到別人演說這樣深妙的經典等，心中一定起疑，然後故意違逆、故意要來推翻你，所以就產生了諍論。

而且有人要跟你競爭——爭一個理，認為他的理才對。有一個小法師叫作慧廣，不就是這樣嗎？他硬要爭。我現在還在等著看，看他還會不會另外寫一篇文章出來，我再來出一本局版書，再繼續賺錢捐給會裡。未來都不會爲他的文章出版結緣書，凡是他再寫了什麼文章，我們就寫一本書來回應他、再來賺錢，我藉他來賺錢護持正法。因爲他有諍勝心，那沒關係，我藉他來作機會教育，教導更多的小法師們也很好，藉機會也賺一點錢，正法道場不怕錢多；萬一錢多用不完，寒冬送暖就作大一點也行。我若有錢不是不會花，錢很好花的，我不怕錢多。這一類人對深妙經典是不許聽聞的，一旦聽聞了就會跟你鬥爭、跟你諍論，一定要跟你爭一個長短，無理的硬要說到有理；他們不樂於聽受，沒關係，他可以寫更多的文章來反對我，我們就賺更多錢、教育更多的人，也是好事。

所以有人以爲說：「這蕭平實在講經時，又是批評這個人，又是批評那一個人，看來他都每天在生氣的樣子。」等到哪一天混進正覺講堂一聽：「什麼？他在講別人都是笑瞇瞇的，很快樂的樣子。」因爲一般人以爲我在評論別人時都很生氣，假使寫字時一定會生氣而寫得發抖，或者打字時也會抖著手打，沒料到我根本不生氣。我從來不生氣，因爲這是我的機會，我得要感謝他們，而且辨正法義時法樂無窮，怎會生氣？再想想看，如果不是外面或者會裡有人一而再、再而三的反對，我有機會把法說得那麼清楚、講得那麼明白嗎？一定沒有辦法完全從大眾所疑的層面去講的，我只能正經八百依著經典來說，他們的疑還是沒有辦法斷除；那他們提出來質疑時，正好同時解了很多人的疑。

另一面，同時也證明這個法的正與眞，證明這個法的深與妙，證明這個法的廣大無垠，這也是好事啊！所以有人以爲我看到人家寫來質疑的信時，會氣得發抖，但我從來不曾如此，因爲這是我的機會。假使沒有人來質疑，你能講那一些本來不好自己來講的法嗎？你主動去講的話，人家就罵「愛現」。當人家質疑時，你就師出有名，可以如實寫出來，所以這是好事，是給我們機會。就好像是俗話說的：他們是作球給我，我這球要怎麼打就由著我了。道理是一樣的。

可是那一些人「**不樂聽受**」，他們聽這種勝妙法時越聽心中越難過，因爲這是他們以前所否定的。可是換作我是他們，我會乾脆改過來；只要改變就好了，何必生氣？改變了以後就有機會實證，這也是我的機會，爲什麼要放棄而堅持錯誤的「**邪見**」？所以傻瓜看來還是比較聰明，而我也會專心聽聞勝妙甚深的法；但那一類人聽聞人家說法時，「**東西顧望，心不專一**」，爲什麼呢？因爲他們不接受，就想：「**我不接受，別人也不會接受。**」因此就看左鄰右舍，如果有人也不接受，他們就覺得很歡喜；如果看左鄰右舍都像諸位這樣歡喜聽受，他們心中就氣壞了！他們希望尋找同樣的邪見者來支持自己，所以聽聞勝妙法時「**東西顧望，心不專一**」。他們心裡都在想：「**你這**

句話有毛病，等一下看你還會不會再講錯；如果講出跟剛才這句話牴觸的地方，我就當場把你戳破。」他們都是在想這一些，聽勝妙經典時當然「心不專一」。諸位聞法是專心在聽聞有沒有更深妙的法，但那一類「破戒比丘」不是如此，他們一直在尋找毛病；當他們尋找毛病時就漏失許多重要的法義，永遠學不好。

那如果聽到後來，眞的沒辦法而無法推翻時，他們就「以手掩口，仰視虛空，從座而去謗佛法教，懷瞋恨心罵說法者；」「以手掩口」有兩個用意，一方面是氣得嘴角發抖不想讓人看見，一方面不想讓別人認出自己到底是誰，所以要這樣作。然後「仰視虛空」，就是不屑的樣子。像不像？像喔？「仰視虛空」就是我常常講的「用下巴看人」，表示不屑。當他不屑時就會「從座而去」，是表示抗議的意思：「我不屑聽你的法。」就這樣走了。然後就「謗佛法教」，因爲善知識講的法一定是 佛說的法，一定是 如來的聖教；那他不接受，離開以後就是會誹謗。尤其是當人家問他說：「你那天爲什麼聽著聽著還沒結束就離開了？你是很不高興嗎？」那他就開始誹謗。一定會誹謗，不但是誹謗 佛所說的聖教，而且「懷瞋恨心罵說法者」。

所以你們看這一百年來的佛教，有誰被罵過「癩蛤蟆、人妖」？還有罵什麼我都忘了，想不起來了。他們罵我的好像有五、六種，佛教界沒有人被罵過這麼多個低俗的字眼吧？但我都被罵過了。我可沒有生氣，我認爲這也是個機會。所以人家拿報紙上罵我們的廣告給我看時，我說他們爲我一個登了半版的廣告，那時正覺還沒什麼名氣，才不過幾百人很小的佛教道場；人家拿給我看，那是十幾年前的事了，我說：「啊？有人肯花四百多萬元買了那麼幾個報紙爲我登第一版的半版廣告喔？哇！我們會開始有名氣了！」因爲以前我們錢少得可憐，想要買其中一個報紙的一份廣告，大概要整整一年的收入才夠，他們竟然買了（我記得是）四份報紙，其中有一個是佛教的報紙這樣登出來，正覺一下子有名了，人家開始注意到正覺。

所以那時開始有人上網蒐尋正覺的書訊，又搜索到「成佛之道」網站去，一讀我們那些結緣書以後，心想：「這法說得有道理！」我們就從那時人數開始加速增長。以前我們從來不作廣告，也沒有錢可以廣告；我們也不鼓勵大家去拉人來學，總是隨順自然；結果那一次廣告之後開始顯著增加學人，這是很好的廣告。所以當時有人好生氣，我說：「不用生氣，這是替我們作廣告，大家應該這樣想，根本用不著生氣。」看事情不要從世俗層面去看，要從它將來會怎麼樣演變去看，但是會怎麼樣演變是看我們怎麼樣去回應。就像二〇〇三年那一次從會裡發動法難的事件，當時有好多人氣得要死，我說：「沒有關係，套一句股票的術語叫作短空長多；長期來看是利多，短期來看是好像走空，其實沒關係。」我說：「這是我們的機會。」所以我就開始構想要作什麼事來回應。

但是我都感覺我作得不夠，最後來了一封信，我判定那是一位以前跟隨他們的比丘尼寫的，是什麼人就不講她；那信封上的寄信地址是「臺北縣淡水鎮一八三號五樓」，淡水鎮沒有路名的一八三號五樓，也沒有具名，顯然不是要我們以信件回覆她，那我就知道她的意思，她希望我們可以用文字公開回覆，這樣就可以解釋她的疑惑。所以我就寫了《燈影》一書，公開流通以後她就會讀到。當時我是先寫了〈略說第九識與第八識並存…等之過失〉，當時有人一直告訴我說：「老師啊！有這篇文章夠了，正法應該沒問題了。」我說：「還不夠。」然後又有人來說：「有臺南法義組寫了兩本書出來回應他們，這樣也夠了。」我說：「還不夠。」一直到那一封信來時我讀完了，我就說：「當我以書本回答這一封信以後就夠了。」我就確定下來，但我跟他們講時還有人不信，我說：「不信的話你們看，這本書出版以後一個月天下底定。」

接到那封信時剛好臺灣流行 SARS，大陸叫作「非典」，剛好全面停課，我好整以暇三個半月中完成；包括書寫、封面設計、印製，全都弄好就出版，通知大家來講堂領了書立刻回家，以免群聚感染。然後我說：「天下底定了，不用再為這次法難事件作什麼事情了。」因爲我已經看清楚了。但是後來仍有人不太信我說的話，我說：「你不用懷疑，要是不信的話，我可以證明給你看。」那時的財務組長是美芳師姊，我請她來說：「妳把法難開始之前一個月，到《燈影》出版後一個月，同修會的護持狀況按月列表給我，做一個趨勢圖給我。」結果是怎麼樣呢？本來護持款都有一個水平，當他們發動法難時就掉到底了，然後在谷底水平橫向移動，一直到那本書出版一個月後，又回到原來的水平，就這樣子證明了。我說：「這不是很明白的證明嗎？」於是大家的疑惑都消失了，然後回到原來護持的水平維持沒有很久，就開始緩步上揚。作股票的人都知道趨勢圖是很好用的，對不對？

所以看事情不要只看短短的那一段時間和眼前的事情，事情一發生你就要看到未來。所以這事情一發生我就想到我該作什麼，可是一直都覺得不夠，直到那一封信來時心裡就放寬心了，我心裡想：「**啊！正法無憂了。**」然後那一本《燈影》出版以後我說：「**我以後什麼都不用再作了。**」接著就回到正軌來，該講的經、該說的論，我就講、就說，後來證實果然也是如此。就從那時開始整個佛教界談起正覺時就變得不一樣了，甚至有的大道場信眾問說：「**師父！我想開悟，怎麼辦？**」師父竟然跟他說：「**你去正覺，但別說是我講的。**」料想不到吧？因為他們讀了以後知道這個法是無可挑戰的，這才是　如來的正法。

所以我前後十幾年所說的法，只有越來越深、越來越廣、越來越勝妙，但沒有矛盾、沒有前後牴觸之處，因為我們所證、所說的都是　如來的聖教，是法界中的定量；所以這種事情發生時，我們心裡不必想：「**某甲又罵我了，某乙也來罵我，某丙也跟著來罵我。**」不用這樣想，有人罵就表示你被看見了；假使都沒有人罵，就表示你從來沒有被人家看見，大家都還不知道你的存在，這是一個必經的過程。有人從沒沒無聞然後變成有人罵，罵到最後大家承認他，這樣才算完成了這個過程。當他們懷瞋恨心罵說法者時，我們不用氣憤塡膺，我們應該想：「這是我們的機會，藉這一件事情我們可以作很多佛事，這些佛事作完了，整個佛教界的水平就跟著提升了。」這樣想通了，遇到逆境時心中反而歡喜，因爲可以藉此興作佛事來利益四眾弟子們，功德廣大。

所以現在假使哪一個道場說他開悟了而不是證得如來藏，人家都會說他悟錯了；這是顯而易見的佛法知見水平提升，現在已經到了一個相當高的水平。所以現在臺灣不會再有人說如來藏是外道法，也不會說正覺是外道；現在只有大陸才會有，爲什麼還會有呢？一方面因爲大陸熏習到如來藏妙法的佛教徒還是太少，大陸大約九成的人是信仰密宗假藏傳佛教的，另一個原因是因爲那些大法師覺得他們的名聞利養受到正法的威脅，所以他們必須要抵制正覺，就是兩個原因所造成的。我們在大陸的佛教界，這個過程還沒有走完，在臺灣是早就過完了。因爲我們這個法在大陸弘傳的層面還不夠廣，不夠廣的原因是因爲大陸的宗教法規限制，所以我們現在想要提升大陸佛教界的知見水平，還是有很大的困難。這是題外話，我們就不說它。

但是這一種「破戒比丘」聽聞善知識演說 如來聖教深妙正法時，他們「從座而去謗佛法教」是正常的；「謗佛法教」還不算數，而且還會「懷瞋恨心罵說法者」，所以罵我邪魔外道的人太多了，表示那些人很有可能屬於「破戒比丘」，否則不會這樣作。但我卻沒有罵他們邪魔外道，因為我們只會依據 如來的聖教說這個人是外道、是什麼類的外道：是斷見外道、常見外道，或是某一種外道，不說他們是邪魔。我們就法論法，我們也沒有瞋恨心；所以我講經說法時評論諸方，大家都聽得很快樂、很歡喜，沒有人起瞋心、起恨心，這樣學法是非常快樂的事。假使作法義辨正時會講到心裡氣憤不平，那是多麼痛苦的事，顯示他沒有絲毫法樂可言，就是尚未證悟或是悟錯的人。這是學法的人一定要建立的正知正見。

學法一定是快樂的，古時大家跟著 如來學法都是很快樂的，沒有人學得痛痛苦苦的。痛痛苦苦是很少數人，像難陀比丘放不下家裡漂亮妻子，所以他學得痛痛苦苦；像優陀夷成阿羅漢以前貪淫，所以他學得好痛苦；但那是少數人，多數人都是學得很歡喜的。那我們希望正覺未來也會是這樣，永遠都是很快樂的學習。言歸正傳，如來作一個結論說：「**以如是等過惡因緣，**

命終之後深入地獄。」不只是下墮地獄，而是「深入地獄」，正是由於辱罵善知識心中懷著瞋恨心，又謗佛、又抵制 如來的正法，這一些都是大過失；就由這樣的惡因緣，「命終之後深入地獄」。

人家也許只是去「邊地獄」或者一般的地獄，然後就回來人間；但他們造了這類大罪死後是「深入地獄」；若是深入的話，是要從最重的阿鼻地獄逐漸往上受報，輪流來到最輕的地獄，然後才去餓鬼道；在餓鬼道中要住很多、很多劫，然後才去當畜生，償還以前他們誤導眾生、誹謗善知識的那一些罪；跟他們學法的眾生是被他們誤導，不是自己有心要學錯誤的法。大家是以善心學法，但是卻被他們所誤導，所以那一些人就成爲他們的債主，他們誤導了別人就成爲債務人；當債主遇到債務人時要實行債權的，於是他們得要還。可是他們回到畜生道時，是從地獄回來要經歷畜生道，他們能怎麼還，當畜生時又沒有錢怎麼還？都沒有財產，就用身肉來還，所以他們出生的目的就是用身體去還債。這樣要還很久，還到當牛時表示他們欠的債已經比較輕了，只要服勞務就可以；如果最後剩下最微小的業債時，就是當人家的寵物；人家有需要寵物，他們去當人家的寵物，就表示快要回到人道了。

我們看待畜生時是應該這樣看的。

如果還當豬或者當肉牛、當羊被宰，當雞鴨魚等，那都是要以身肉還債的，全都是在還債。這顯示以邪見誤導眾生的債是很深重的，因爲誤導人家的法身慧命，這債是天下最重的債，他們那些大法師們不懂。所以假使說法時講錯了，後時發覺有錯我們就趕快改，可是他們不懂，要堅持到底；都不曉得這一堅持，後世還債就還個沒完沒了；那我們走過菜市場看見被宰的雞鴨魚，覺得牠們可憐，但是要懂爲什麼牠們今天會可憐，正是因爲往世的債今天要來還，但牠們沒有財產可以還，不能以財產補償別人，只好用身命來補償，那就要補償很久。

所以「**深入地獄**」不是好玩的事，但「**深入地獄**」的原因是因爲「**邪見**」，然後又貪愛五欲而造作了抵制正法、誹謗善知識的罪；因此命終之後「**深入地獄**」，那要回來餓鬼道、畜生道都已經不容易了，得經歷很長時間。就算回到畜生道來，還得要以身肉一世又一世去還債，這不是好事，聰明人一定要信如來語，一定要好好避免這一種有心或無心之過；假使犯的是有心之過，眞的會是「**深入地獄**」。世尊說這個就叫作「**破戒比丘的第八支憂惱箭**」，因為「破戒比丘」們知道破戒之後，像這樣的破戒一定會「深入地獄」，絕對不會是在邊地獄中。

他們不是不知道，但是心中自我安慰說：「不會吧？地獄也許就像釋印順講的『是聖人施教方便』，實際上並不存在，只是施設一個地獄來嚇唬人，讓人家不會犯過失，也許釋印順講得對。」就這樣自我安慰。但是心中又怕：「那假使是眞的有，那時該怎麼辦？」所以這成為「憂惱箭」。這種憂惱箭射入心中是拔不掉的，除非他懂得如法羯磨、滅罪，否則這箭是拔不掉的，因為深入心中了，而這種人 如來預記「必墮地獄」。如來接著又開示說：

經文：【「復次舍利弗！破戒比丘但樂尊重和尚阿闍梨，讚其功德，以求名利；稱持戒者，因以自活。執事便附，隨宜善巧，無有羞恥猶如黑烏，為僧因緣多求衣服，飲食滋口身力肥盛，不知慚愧言無次第，手腳粗燥顏色毀悴，樂視婦女不附男子。如是惡人眾所輕賤，天龍鬼神所不稱讚，乃至諸佛亦不歎說。心性急促常好瞋恚，眾僧斷事，挾為勢力。舍利弗！如是破戒比丘，多於眾中求有威勢，未問而答，常求他過；見淨戒者謂是欺誑，勤求道

者不同其法，喜樂別異，諍者助喜；舍利弗！是名破戒比丘九憂惱箭必墮地獄。」】

語譯：【如來又說：「舍利弗！破戒的比丘們只喜歡尊重他的和尚阿闍梨，讚歎他的功德，藉這個方式來追求名聞和利養；然後自稱是持戒者，以這樣的方式來自己活命。他們領得某一個職事時就去依附於別人，隨著各人的狀況便宜的施設種種善巧謀利；他們沒有羞恥心猶如黑色的烏鴉一樣，他們作為一個僧人出家生活，藉各種因緣來多求衣服，飲食則求能滋益嘴巴和身體力氣，就養得既肥胖又盛壯；又不知道慚愧，凡有所說沒有次第性可言；而他們的手腳粗燥，顏色也是毀悴；樂於觀視婦女而不喜歡親近男子。像這樣的惡人是大眾之所輕賤的，天龍鬼神也都不稱讚他們，乃至諸佛也不讚歎他們。這一些破戒比丘們心性急躁而且沒有耐心，時常都好瞋恚；當眾僧聚集斷事時，他們就拿斷事這個事情，要挾作為自己發展勢力的機會。舍利弗！像這樣的破戒比丘，大多是在大眾之中求取威勢，別人沒有問，他們卻強行站出來搶答，而且時常尋求別人的過失；如果看見了受持清淨戒的人，就說那些持戒的人是欺誑別人；看見了尋求佛道的人，他們卻不跟求佛道的人同一個法，而喜歡標新立異追求別的奇特之法，然後看見有人言語諍鬥時他們就去幫助別人一起諍鬥；舍利弗！這個就叫作破戒比丘的第九支憂惱箭，死後必定下墮於地獄。」】

講義：如來點出一個特點，就是這一類破戒的比丘，他們在道場中誰都不尊重，只尊重一個人，就是住持和尚。他們一天到晚讚歎住持和尚，推崇住持和尚，去求取這位住持對他們的支持，所以好話說盡就是要讚歎住持和尚，然後別人提到住持和尚講什麼時，好像可以商量改變一下，他們就馬上去報告：「某某人說你的壞話。」讓住持和尚對那個人生起不悅。他們只尊重和尚阿闍梨，一天到晚讚歎他的功德，藉這個機會跟隨在教授和尚身邊，這個和尚阿闍梨每天都帶著他們在身邊，他們就可以藉此求名聞、求利養，然後也自稱是持戒清淨的人；也許住持與教授和尚還信以爲眞，對人家說他們持戒好，是清淨的修行人，都不知道他們背後是狗皮倒灶的事情全都幹盡；他們就藉這個方式來養活自己，而且求取更大的名聞、更多的利養。

假使堂頭和尚派他們一個職事，因爲他們一天到晚巴結著，總會拿到某一種職事；拿到某一個職事時，人家有一句俗話說：「拿著雞毛當令箭。」

他們就擴大自己的職權胡作非爲，所以他們不斷地藉這些職事而施設各種方便，權巧去攀附很多人，招集很多人來當他們的隨眾，就運用各種隨宜善巧來達到目的，這樣的人 如來說是「無有羞恥猶如黑烏」。

你們有沒有看過烏鴉？但是有沒有看過白鴉？都沒有。但烏鴉有一個特性，牠們都會搶別人的食物。烏鴉從來就是搶食，看見別的鳥得到什麼樣的獵物或是什麼的飲食，牠們就來搶。烏鴉甚至於會搶老鷹的食物，天下的烏鴉大致上就是這個樣子。現在也可以證明，你們如果去日本遊玩，在東京街頭也會看牠們互相搶來搶去，在郊外也看牠們互相在搶；都是用搶的，牠們不講禮儀。有句俗話講的「天下烏鴉一般黑」，眞沒有錯。因爲烏鴉的心性就是那個樣子，牠們不覺得自己去得來的食物才可以享用，牠們也不覺得去搶是一種羞恥，牠們生來就是這樣子，父母也是這樣的教導，所以牠們眞的猶如 世尊說的「無有羞恥」；「黑烏」就是這樣的，「破戒比丘」就像黑烏這樣，所以「無有羞恥猶如黑烏」。

「爲僧因緣」應當求法，然後攝受眾生；可是他們的「爲僧因緣」是「多求衣服」，多求美食，所以「飲食滋口」；如果吃在嘴裡沒好味道，而且不是滑潤可口的，他們就不要，追求好的飲食；既然追求到好的飲食，當然「**身力肥盛**」。時至末法，僧眾追求好的飲食，我們也就不責備了，因爲他們只要不破戒就很好了，我們是這樣看待。只要不破戒、不抵制正法就夠好了，費心追求飲食，我不想去評論他們。但是如果爲僧而跟世俗人一樣跑到街頭，以手機來玩「抓妖」的電子遊戲，諸位認爲怎麼樣？你們在座的出家眾不懂這個，現在有個新的手機遊戲翻譯作「寶可夢」，有些出家人拿著手機就應用地圖到那裡抓妖，報紙和網路新聞報導出來說：「**天下太亂了，連出家人都出來抓妖了。**」

對啊！而且看那個身分，顯然他是一個寺院的住持和尚，因爲他身邊有侍者；他跟另一個人在那邊玩手機、抓妖，還有一個侍者隨侍在旁邊，所以他應該是一個寺廟的住持。出家人看戲、看連續劇都屬於犯戒的，他們竟然玩手機遊戲；手機遊戲在寺廟裏玩也就罷了，還玩到外面來！這僧人究竟受過菩薩戒沒有？一定是受過菩薩戒了，那看戲、觀賞歌劇一定都是犯戒的，何況是玩手機遊戲還玩到寺外來被人家看見，就被報導出來。他們至少得偷偷摸摸在寺院裡玩，竟然玩到外面來被記者拍到，眞不曉得該說他們什麼才好。我這個在家人，每天用手機或電腦已經十幾年快二十年了，沒有玩過其中的遊戲，連開都不曾打開過；他們受過聲聞戒的人，竟然玩到瘋了，玩到寺外很遠而被記者拍攝到。

那「破戒比丘」們就是「不知慚愧言無次第」，他們作事說話時不會自己覺得慚愧。有時我們師兄弟之間往往聽見誰說：「慚愧！慚愧！這個我不懂。」好像修行很差是不是？其實不然，自己知慚知愧，這是善心所；慚與愧都是善心所，無慚無愧才是惡心所。那他們「不知慚愧」，就是五十一心所法那兩個無慚與無愧。在中國罵人家無慚無愧，那是很重的話；而這些「破戒比丘」「不知慚愧」，也就是不懂什麼是慚愧。由於不懂慚愧的緣故就敢亂說法，於是為人談起法來「言無次第」，就亂扯一通了；自己都不懂又裝懂，就亂扯一通，這是「言無次第」，聽法的人當然永遠就不懂什麼叫佛法。

但「言無次第」有不同的層次差別，譬如比較高的層次，那釋印順是否「言無次第」？（大眾說：是！）欸！為什麼諸位說他是呢？因為他正是亂兜一場，這個法去兜那個法，那個法去兜這個法，總是亂兜在一起混著說。「法住法位」他是全然不懂的，某一個法住在三乘菩提之中的哪一個位置，另一個法在世出世間法中又是哪一個位置，都是固定而不能也無法混亂的，不懂的人把它們混亂了也不可能成功，只是他自己的思想或知見被混亂而已，所以釋印順胡亂說法也是「言無次第」，才會被我們的親教師連載文章持續破斥。

然後諸位看看宗喀巴的《廣論》那三士道，全都胡說八道，根本違背《瑜伽師地論》的三士道，那也是「言無次第」。欲界中最底層的、導致下墜的法，他說那是上士道，二乘菩提倒是被他變成中士道了；這就是「言無次第」，虧他還說是《次第廣論》，給他個「次第狹論」的評論就已經太抬舉他了，他根本就次第顛倒，而且是把外道法當作佛法，完全不懂佛法！所以他也是「言無次第」的具體示現，那釋印順抄襲他的《廣論》寫出《成佛之道》，當然也跟他一樣「言無次第」。

這些人有時「手腳粗燥顏色毀悴」，但到底爲什麼會「手腳粗燥顏色毀悴」？他不是「飲食滋口身力肥盛」嗎？正因爲他們凡有所作不是爲眾生，全是爲自己，果報就是「身力肥盛」但「手腳粗燥」，心中想的都是爲自己，果報就是「顏色毀悴」。爲眾生不斷作事的人不會「手腳粗燥」，不信的話你們看我每天爲眾生作事，但我的手腳算是很細緻的。我跟諸位講，可能我比妳們多數女生的手還要細緻；從來沒有人說過我的手是粗燥的，可是我不斷地爲眾生作事，結果手肉很多；細嫩又有肉多好，因爲果報就是這樣。所以我雖然瘦瘦的，但我的手掌很有肉，現在年紀這樣大了都還如此，這是爲眾生作事的果報，跟繼承來的色身是兩回事。

那他們的果報既然如此，表示他們的心不清淨，所以「**樂視婦女不附男子**」，他們一天到晚都在看著女人哪一個漂亮，一天到晚在欣賞女人，沒有欣賞過男人，因爲「**心不清淨**」。《佛藏經》今天只能講到這裡。

《佛藏經》上一回講到四十三頁第二段第四行第一句，講了一半，那麼《佛藏經》的〈淨戒品〉快講完了，接著就要講〈淨法品〉。上週最後一句說破戒比丘「**樂視婦女不附男子**」，有各種的狀況；而他們「**樂視婦女不附男子**」是平常就已經如此，這一段開示剛開始說他們是很會奉承巴結和尚阿闍梨，藉此來獲得在僧團中的權勢，因此可以獲得更多的利養；而這種人喜歡婦女、不喜歡男子，這就是「**破戒比丘**」的心態在外面顯示出來了；因爲可能女人比較不會勸誡他們，他們心中也尚未離欲；但是男人也許看了覺得他們作事不如法，往往會勸誡他們，他們當然比較不喜歡。

接下來說：「如是惡人眾所輕賤，天龍鬼神所不稱讚，乃至諸佛亦不歎說。」像這樣的「破戒比丘」在僧團中叫作惡人，因爲他們的行爲就像一鍋好粥裡的幾顆老鼠屎，這幾顆老鼠屎本來只污染五、六顆米粥，但是只要稍微放久或攪動一下，整鍋都壞了；因此這種人應該默擯，甚至應該逐出僧團。有的人可能不太瞭解，特別是已經在末法時代的今天；古時中國叢林對於破戒比丘是很嚴格、很嚴厲看待的；只要什麼人違戒，他不能如法滅罪或者故態復萌，甚至於有的道場更嚴謹的話，第一次犯規而不是再犯戒，就逐出師門了。逐出師門時不是很簡單說趕出去就算了，往往在晚上，不管外面是不是下大雪，把他的僧服剝了、戒牒拿來當場燒了，然後把他趕出寺院。

在叢林中一向是很嚴格的，可能很多人都不瞭解這一點。叢林中甚至有僧人顧念寺院裡常住吃得太清淡，所以當和尚有事出寺到山下去，典座想：「住持和尚沒個一天是回不來的。」他就弄了一些油、麵和一些酌料，作成了五味粥來供養僧眾，沒想到和尚提前回來，發現了就責問起來。大家都不知道今天爲什麼有這麼好的菜，因爲在寺院裡有油、麵作的五味粥，那是很難得的，古時叢林都是過得很清貧的；結果問來問去都不知道，當然要追問典座，典座也只能承認：「就是我一個人的主意，我想大家過得太清苦，趁著和尚不在，我想讓大家吃好一點。」沒想到和尚不賣情面，當晚就把他僧服剝了、戒牒燒了，當場趕出寺門；那是在晚上，而且那時大地都是白雪。

古時叢林是這樣的，所以古時叢林對於犯戒的比丘處理都是很嚴格的，特別是律宗。那我剛剛講的是一個禪師，他師父就是那個樣子，一點情面都不賣；他在被趕出寺以後就寄居在人家的屋簷下，好一段過程都是如此；然後師父看見了，又有僧眾幫他求情，才讓他回寺安單；那也是因為師父看到他安居於人家的屋簷下，不准他繼續寄居在人家的屋簷下，因為這樣子也算是侵占。出家戒的規矩是制定到很嚴格的，但到了末法時代的今天，在大陸的寺院中大概沒什麼戒可說了，大致上大家都是眼不見為淨，其實不是真的淨。

所以說「破戒比丘」在清淨僧團中，自古以來是被很嚴格對待的，因此說這樣的人叫作「惡人」。想想看他不過是油炸了一些蔬食供養僧眾而已，他又不是為自己，卻被逐出師門，何況像前面講的這麼多破戒的事項，所以這樣的「惡人」真正是惡人，也是大眾所輕賤的；這種「惡人」諸「天龍鬼神」當然都知道，就只能瞞一些世人而已；可是他們往往以爲沒有別人知道，其實很多很多的有情都知道，所以「天龍鬼神所不稱讚」，乃至於諸佛也不太想說，更不會讚歎他們，連提都不想提。除非是談到戒律，否則是提都不想提的。

接下來說他們「心性急促常好瞋恚，眾僧斷事，挾爲勢力。」這種人是沒有耐心的，一心想要出頭，一心想要獲取眷屬以及利養，這是他們的心態；所以不論作事或者談論事情，只要不順他們的心意，或者於他們的利益有損，就不斷的插嘴要攪亂眾僧在議論中的各種事情；還有在斷事時，他們特別喜歡插嘴。怎麼說斷事呢？譬如某一件事情應該是怎麼樣，寺中眾僧大家來議論、來決定，特別是人事之間有某一些誤會時，僧事僧斷，所以大家一起來討論；這是要來斷定如何是、如何非時，他們因爲「心性急促」所以不斷插嘴；如果有人指責他們這樣作是不應該的，那他們又因爲「常好瞋恚」，所以都要跟人家吵架；這是他們一貫的行爲，必須藉著這樣一貫的行爲讓人家恐懼於他們，不敢去輕易招惹他們，然後他們就可以挾持整個僧眾斷事的場合，來達到他們想要的目的，這個叫作「眾僧斷事，挾爲勢力」。

如來又開示說：「舍利弗！如是破戒比丘，多於眾中求有威勢，未問而答，常求他過；」像這樣的破戒比丘，在大眾之中會互相攀緣，然後結黨；結黨以後就有一股勢力，他們私下去運作，使得大家都不敢去招惹他們，這就是「求有威勢」。而且說話討論事情時都很強勢，甚至別人沒有問他們，他們也要強出頭來答覆某一些事情；而且他們喜歡說別人的過失，特別是稱說淨戒比丘的過失；持清淨戒的比丘們只要一小點的污點，或者一件小小的過失，他們就把它放大好幾倍來說，這叫作「常求他過」。他們看見持清淨戒的人就說那是騙人的，是表面上清淨、私底下不清淨，這就是「見淨戒者謂是欺誑」。

「勤求道者不同其法，喜樂別異，諍者助喜；舍利弗！是名破戒比丘九憂惱箭必墮地獄。」他們是這樣以私心在作事的，至於努力求道精勤修行的人，因爲想法與他們不同，作事就跟他們不同，因此和他們所喜歡的、和他們所愛樂的各不相同；如果有人對持淨戒的人有所爭執時，他們就幫著那個爭執的人去辱罵持清淨戒的僧人，這就是結黨的行爲。這一種人破壞清淨戒、破壞僧團的清淨，這是很重大的罪，但他們不知道，所以如來特地吩咐說：「舍利弗！是名破戒比丘九憂惱箭必墮地獄。」也就是說，這是第九個原因他們死後必定會下墮於地獄。那麼到此講過九支憂惱箭了，最後一支憂惱箭，如來怎麼樣開示呢：

經文：【「復次舍利弗！破戒比丘，好樂他事，任持其理，有鬥諍處以為喜樂。衣服嚴身學他威儀，求好臥具利養安身，樂人稱讚。護惜檀越及吝住處，恐好比丘來見我過；憎持戒者，親附破戒；常讚布施，不讚持戒、忍辱、精進、禪定、智慧，不讚寂滅、遠離、獨處。常好譏論持戒者過，亦不稱讚行頭陀者；或指說其事，或惡口橫加，或憶想妄說。依恃種姓，數問親族，以少因緣為貪說法。常以曲心而懷驚疑，眾所憎惡，久而益賤；於持戒者常好譏說，苦切實語者不欲親近，意不喜聞如是等經；好持讚誦如是經者，聞說是經心歡喜者，亦不喜見。又不喜聞讚持戒法，說是等經不來聽受，設來聽受不久即還；多與白衣而作知識，常樂論說持戒比丘，以得自在輕行暴惡，舍利弗！是為破戒比丘十憂惱箭必墮惡道。舍利弗！我滅度後，如是等人滿

閻浮提，專行求利，以自生活。」】

語譯：【世尊又開示說：「復次舍利弗！破戒的比丘，他們很喜歡修行以外的各種事情，對於那些世間法的各種道理他們都受持得很深入，如果有鬥諍的地方他們就很喜歡。衣服也選擇最莊嚴的，來學習別人的威儀，讓人看起來覺得很莊嚴、很有威儀的樣子，並且追求好的臥具以及各種利養來安住其身，他們最喜歡的就是被很多人所稱讚。破戒比丘也護惜樂於布施的施主，並且對於自己的住處很慳吝地不願意人家稍微去看一下，恐怕努力在修行的好比丘們來到他們的住處時，會見到他們的過失；他們也都憎惡持戒的人，心中很喜歡破戒的人，所以對破戒者常常都去親附；他們還有一個行為是時常讚歎布施，但都不讚歎持戒、忍辱、精進、禪定、智慧，也不讚歎寂滅、遠離和獨處修行。他們時常都喜愛譏論持戒者的過失，也不稱讚行頭陀行的比丘們；如果有人指說他們種種過失的事情，他們就以很粗鄙大聲的言語來橫行加諸於勸誡的人，或者自己隨便想一想就隨意講說別人有過失。這類破戒比丘也會依恃於出家之前的種姓，不斷地告假去問候出家前的那些親族，在不太有因緣說法時也要強行說法，藉著說法來接受別人的供養，滿足貪心。這一些破戒比丘也常常以不直的心，懷著驚怖疑心，這樣的人不能直心待人，所以大眾都憎惡於他們，隨著時日越來越久他們就越趨下賤；這些破戒比丘們對於持清淨戒的比丘們總是喜歡加以譏笑和評論，假使有人用苦切的眞實語來勸告他們，他們卻不想親近，他們的心中也都不喜歡聽聞像《佛藏經》這一類的經典；假使有喜樂受持讚誦像《佛藏經》這一類經典的人，或者有人聽聞這樣的經典心中就歡喜的話，他們都不想看見這一類的人。破戒比丘們也不喜歡聽聞人家讚歎持戒的方法和戒的受持道理，如果有人演說像《佛藏經》這一類的經典時，他們都不會前來聽受，假設有時前來聽受也是聽不了多久就離開了；這些破戒比丘們多數時間都是跟在家人往來，充當那些在家人的善知識，而時常都喜歡論說持戒比丘們的種種事情，藉這個方式在僧團中得到自在而能隨意行於暴惡之事，舍利弗！這就是破戒比丘第十支憂惱箭，死後必定下墮惡道。舍利弗！我滅度之後，像破戒比丘這樣的人遍滿南閻浮提，他們專門從事追求利益的行為，用所追求的那一些利益來用在他們自己的生活上。」】

講義：世尊這一段開示完了，諸位可以觀察海峽兩岸的寺院或者海峽兩岸的出家人，是不是大多數如此？而這部經典是兩千五百多年前說的，就算是印順他們主張的說：「那大乘經典是後代的佛弟子創造的。」那至少也有一千多年了吧，那麼就算是後代弟子們新創造的，一千多年前講的現在不都實現了嗎？那麼這些創造經典的佛弟子，想來天眼通與宿命通也眞夠厲害吧！所以經文講的一一實現了。所以釋印順他們都是胡言亂語，凡是預記後代出現事情應驗的經典就被他們說是後代弟子創造的，根本就是在否定 世尊的十力與天眼明，居心叵測。

「破戒比丘，好樂他事，任持其理，」譬如出家後開公司作生意、經營得有聲有色，算不算是「好樂他事，任持其理」？對啊！而且在他們的指導下那幾家公司都經營得很賺錢，這種具體的事例我就不用具名舉列，大家想一想就知道了。會賺錢的一個月賺幾億不是難事，比較不會賺的一個月賺個幾百萬也不是難事；甚至《廣論》道場廣設商店經營生機食物，因爲經營商店賣的產品是義工信徒去作或者去種出來的，他們開了店，店員、店長也大多是信徒義工，他們這些店一開，附近同性質的民間商站都得關門，因爲競爭不過。然後他們賺了錢拿去供養達賴喇嘛繼續推廣雙身法與外道的「邪見」，這是不是違背比丘戒？也是在幫助破法者破壞佛教？比丘作生意，是出家人擁有在家法；大量錢財拿去供養達賴外道，則是大力支持破壞正法的「邪見」者，其罪極重。

出家人的本分上是應該受供養的，四事都不應該自己賺錢來獲得，結果他們去作生意，在臺灣開了幾十家，又去大陸開了六百多家，好厲害！但這樣就是「破戒比丘」，因爲出家人不應該作生意，更不應該大力資助破壞佛教正法的達賴外道。那他們「好樂他事」，這作生意的事情在佛門出家人中不是本分事，屬於他事。作生意，在家人可以作，出家人絕對不應該作，但他們愛樂賺錢就是「好樂他事」，對於三乘菩提的修證等本分事卻不喜歡，他們喜歡的是外道法的識陰境界，特別是在寺院中對某些出家人傳授雙身法。那是什麼團體？專門推廣《廣論》的團體，他們叫作有福有智的團體；請問這樣作有福有智嗎？其實是大大地損福；而且在三乘菩提的實證上大大的缺損，所以無福也無智。

可是他們在經營事業上眞的「任持其理」，手腕非常之好，但是這類的比丘們，如來說「有鬥諍處以爲喜樂」，凡是有鬥諍的地方他們最喜歡了，所以假使有人在網路上評論正覺，他們一定會匿名摻上好幾腳；所以現在網路上議論正覺的，大致上都是密宗假藏傳佛教的人。傳統佛教的道場大致上已經不談論正覺了，他們不談論，即使是「默擯」我都覺得是好的；但是那一些密宗假藏傳佛教的人是繼續批評，而且是不如理作意的批評，對他們自己並沒有好處。爲了維護幾十年的風光和名聞利養，獲得的是未來無量世的苦果，他們眞的不會算計；所以有鬥諍處就喜歡，因此而加入混戰謾罵。

但是當他們出門，衣服齊整看起來非常莊嚴，效法學習的是別人那一種威儀，所以有的大師出門時，那僧服是非常齊整的；不單是布料，連怎麼縫製都有講究。他們也學大師，卻只是表相，私底下的所思所行都不符合佛法；而他們住處臥具一定是很好的，可能大多數的同修們所用的臥具都比不上他們；除了睡得好以外還追求更多的利養，用這樣的方式來安養其身。

但是我們講了這部經，這〈淨戒品〉說到今天這裡，將來出版時，可能我又會讓人恨得牙癢癢的。我就怎麼當不了好人？我一向主張出家人不該擁有在家法，在家人不應該擁有出家法，否則就沒有出家、在家的差別了，世間的教相全都要混亂，而戒法也會完全失去作用而導致佛門四眾全都失去戒體。我們除了這樣的主張惹人嫌以外，又指稱諸方大師們在修證上的落處，明說他們的錯誤所在，這也影響人家的名聞利養，正因爲這個緣故蕭平實成爲大惡人。特別是對密宗假藏傳佛教而言，蕭平實是一個十惡不赦的大惡人，因爲對於大法師們而言，我頂多擋了他們的財路，但是對於密宗假藏傳佛教，我擋了他們的財路也擋了色路，是可忍孰不可忍？所以密宗假藏傳佛教喇嘛們恨我恨得要命。

不但喇嘛們，那些在外圍藉密宗假藏傳佛教在賺錢的在家人辦的密宗道場，因爲他們跟喇嘛也許三七分帳或五五分帳，我破密宗外道的法義理論與行門，使那些藉密宗法器開店賺錢的居士們也氣死我了；這有語病，他們不是居士，他們是藉密宗假藏傳佛教法器賺錢的生意人；所以他們上網辱罵我也是平常事，因爲我妨礙了他們的生意，他們上網罵我也是應該的，我接受；接受便叫作得忍，我是於此得忍，所以我不生氣。那密宗所謂的出家其實都是騙人的，因爲喇嘛們的出家不是出家，他們是以在家人的本質來獲取出家人可以獲取的一切；但這不符合佛法也不符合人間所認知的律儀。如果出家人而可以擁有在家法，那他還算出家嗎？那本質就是在家。

而且這種人「樂人稱讚」；你儘管讚歎他們，高帽子亂戴都沒問題。戴高帽子有些人是拒絕的，因爲覺得自己沒有那個本質，所以會當面拒絕；可是密宗假藏傳佛教的喇嘛們，高帽子你儘管爲他們戴，都沒問題，因爲那是小兒科，特大號的大妄語─成就報身佛果─那種烏漆墨黑的大高帽子他們都戴上了，而且是自己主動戴上的；他們宣稱自己成佛了，說那是即身成佛─在這個色身上便成佛了。有時還有喇嘛宣稱：「我們即生成佛，一生便成佛。」他們有喇嘛還因此罵人呢：「你一生成佛太慢了，我們在這個身體上現在就成佛。」因爲他修雙身法，認爲樂空雙運時全身受樂就是成佛了。後來讀了《狂密與眞密》才知道：「唉呀！原來這都是假的。」知道說：「原來佛法不是密宗這個道理，而是三乘菩提之道，所以我們密宗藏傳佛教這個不是眞的成佛。」可是他卻昧著良心繼續在騙別人說：「這個即身成佛是眞的。」這種人就是再多的高帽子給他們，他們也不以爲意，因爲他們習以爲常了。

有時我們說這些喇嘛們是生活在一種被洗腦後的幻想境界，被宗喀巴的兩部《廣論》給洗腦以後，自以爲那樣是眞的成佛了，所以連 釋迦老爸他們都不看在眼裡；像這樣的人都是「樂人稱讚」；你只要稍微一句評論說他不對，他就憤恨塡膺一天到晚辱罵。可是這種人都還屬於外道，稱不上是「破戒比丘」；因爲喇嘛們眞的是外道，他們憑什麼叫作佛門的出家人？眾所周知，佛門的出家人要經過三壇大戒才算數，三壇大戒中要受什麼戒？沙彌戒、比丘戒（比丘尼戒），壓軸好戲、最大的戒是千佛大戒，叫作出家菩薩戒，而他們密宗曾經受了哪一種戒？完全不受。那還能叫作佛門的出家人？而密宗的三昧耶戒根本是外道戒，不是佛戒，那個戒規定信徒受密灌以後每天都要長時間精修雙身法，全屬外道戒。

可是有許多法師腦袋是漿糊，他們自己去受過三壇大戒，卻還承認喇嘛是佛門的出家人，他們都沒有想到喇嘛們有沒有受過三壇大戒；這些法師們看來不如世俗人聰明，學佛是爲學智慧，但他們出家後越學越沒有智慧，世俗人對他們會怎麼想？世俗人若是佛門出家人，遇到這種事情會想：「你們喇嘛是來搶我佛門出家人的供養，是搶我的資源。」世俗人會這樣想：「我是出家人，你們不是出家人，也來受供養，那你們就是來搶佛教出家人的資源。」世俗人應該會這樣想的，可是那一些跟著喇嘛學的出家人笨到不知道這一點，他們出家學得的是什麼智慧？怪不得他們沒有資格學般若、證般若，眞是越學越笨。喇嘛們都沒有受三壇大戒，佛門出家人受了三壇大戒，至少是個凡夫位的僧寶，位在三寶之中；結果竟去禮拜那些在家而且是最下賤的凡夫，而且是外道的喇嘛作爲老師、作爲師父，笨不笨？我都不知道要怎麼說他們才好，只能說他們笨到無以復加。

現在回來說「**破戒比丘**」，「**破戒比丘**」有一個特性：「**護惜檀越**」——這是我的施主，誰都不許來攀緣。假使別的比丘跟護持他的大施主稍微講幾句話，他就會去追問施主：「**他跟你講了什麼？**」就怕被別人搶了去。可是清淨持戒的比丘不會理會這種事情，就是一味平懷。那他們總是「**護惜檀越**」，如果有人來勸那位大施主說要作什麼，要多花錢，他接著就說：「**你不用作那件事情。**」爲什麼他要勸那個施主不要作那件事情？因爲作了那件事情又得多花錢，將來供養他的錢就少了，所以他就很「**護惜**」。這樣「**護惜**」的結果，大家就知道了，以後所有僧眾看見那位大施主來時，持戒比丘們都閃避，免得惹那破戒比丘生氣。假使那大施主要供養時，大家就趕快推辭離開，免得「**破戒比丘**」又來破口大罵，所以他們、「**破戒比丘**」們都同樣是「**護惜檀越**」的。

至於「斋住處」，不願讓人家去看他的寮房，或者方丈室（假使他是個住持），因爲怕別人看見就知道他有什麼過失。譬如前些時候臺中不是有個某輪法師嗎？他當然沒有「聖」；調查人員找上他的房間時，赫然發現男女雙身合抱的假佛像，這下證據確鑿，他房裡還有一些說明雙身法的密宗假藏傳佛教的書；他那個房間據辦案人員說有一些密道，一般人想要進去沒那麼簡單。我知道的是臺南也有一個道場，他那個大樓電梯若是要到他住的那一層，那是有密碼的，沒有按那個密碼上不了他那一層的。但爲什麼要弄到這麼神祕？和尚的寮房隨便哪一個比丘敲個門獲得允許就可以進去，除了比丘尼以外，大眾請准了就可以進去，他爲什麼要設密碼？有什麼蹊蹺？我也不懂。

因爲自古以來方丈室所有比丘們都可以去敲門，除非安板以後的時間，否則都可以敲門去請法；一定的時間規定好了，凡是弟子們獲得准許就可以進去，裡面一目了然也沒什麼好遮瞞的。結果竟然現在的住持要在電梯設密碼，想上他那一層樓沒有密碼還進不去，平常就只有他能進去，這是有什麼玄機？咱家不知道，因爲我笨。但是 佛陀說這類比丘「斋住處」是爲什麼？

因為「**恐好比丘來見我過**」，就是這樣子。這種憎惡戒法的人會親附破戒的人，會厭惡清淨持戒的比丘，因為會比對出他們是怎麼樣的骯髒，會顯示或凸顯出他們的破戒行為，所以只要有持戒清淨的人他們都討厭；假使同樣是破戒的人，他們就攀附為同黨。就好像動物一樣，同類會攀附為同黨以壯聲勢；那他們破戒比丘同樣會互相親附來壯大聲勢，讓人家不敢隨便指責他們。

這些人心中有貪，所以一天到晚讚歎：「**某施主功德無量，布施很捨得，未來世福德無量啊！**」都只讚歎布施。別的比丘有時會讚歎某某人持戒好清淨，某某人忍辱行修得好，某某人般若、禪定修得好，但他們從來不提這些，他們就只讚歎布施。有沒有道場一天到晚讚歎布施的？有沒有？有啊！而且其中還有一個是全球聞名，因為信眾們愚癡的迷信，所以聽到住持和尚讚歎布施，大家就努力布施，虔誠到不得了！即使有些人不很有錢，也會想辦法去布施很多錢；有些人真的捨不得吃喝、捨不得買穿的，省下來去那裡布施，只因為歡喜布施就可以是初地菩薩；也因為這住持和尚是佛，她是「宇宙大覺者」。可是聰明人懂得那一套，身價幾十億的信徒很聰明，一年布施個一千萬、一千五百萬臺幣，那是拔九牛之一毛；但有的人一個月收入才兩萬塊錢，他們每月去布施一萬五千元，自己過得像乞丐，就是有人這樣。結果後來發覺說：「啊！原來咱家師父不是宇宙大覺者，宇宙大覺者是釋迦牟尼佛。」心裡很傷心，因爲被騙了！

所以後來有的佛教徒心寒：「寧可去布施給基督教，我也不要再被妳騙。」氣起來了，有的人就轉移到別的地方去布施。從內湖那塊地的事情爆發以來到現在，聽說她們的護持款是維持三成，因爲大家覺得被騙了。（編案：這是二〇一六年十月四日所說。）一個佛教團體應該以誠實的心態來作事、來對待信徒，結果她們是用瞞的；接著好多內幕就開始私下流傳，我有個鄰居前幾天遇見了又向我講一堆她的親身經歷，我說：「妳現在才知道。」我說：「我六、七年前就有資料了，只是我們不想談。」她覺得很感嘆！

這就是說，有些人沒有智慧去判斷；那個很有世間聰明智慧的人——所謂的大護法，幾年來捐了一千五百萬元，那是拔九牛之一毛，就當上很重要的幹部；他也夠聰明，身價可能幾十億、幾百億的人，捐個一千五百萬元，當上他們的重要幹部。所以當人家讚歎說：「你眞懂得布施，你是大施主，功德無量啊！」每一次都讚歎這個，就不讚歎說：「你也能受持淨戒，持戒的功德眞大；而你忍辱的功夫修得很好，般若知見也很不錯。」從來都不談這個，就只讚歎你布施，就知道他心裡在想什麼。從現在起學聰明一點，以後人家都只讚歎布施時，你就把口袋按緊一點，什麼話都別講，因爲這種人無助於你的修行，他想的是你的錢。嘴裡說苦啊、空啊、無常啊，可是心裡想的是「錢是眞的」，錢不是無常。如果他是心口如一，不會想著你的錢；除非他米甕裡眞的沒米了，才會告訴你，因爲他深知錢財無常，現在只是道糧欠缺了才會告訴你。可是有人一天到晚想著你的錢財，那能叫作無常啊？出家所爲何事，眞的想不通。

可是很多信徒就是沒有智慧，那聰明的人會觀察：「我捐了錢，錢用到哪裡去？」對吧？應該這樣子，捐錢之前應該先觀察、先想好。學佛以前我也曾經捐過某一個外教單位，後來我聽說他們每個職員都領薪水，而且年節還發獎金，我就不再捐了。我想，我捐了錢是要給窮人的，你們把我捐的錢領走了。所以有些人對某個佛教慈善團體後來也不捐了，是因爲聽說他們參加某一個團出國，或是去某一國家布施，他們幹部們還領什麼出差費或是領什麼錢。啊？原來眾人捐的錢他們是領薪水、還領出差費的。大家想一想，這個錢用的不值，就再去尋找有無別的道場是所有的錢全部都用到窮人身上去，沒有哪一個人布施給窮人錢財時是領薪水的；得要這種團體，才是眞正清淨的團體，否則就只是在經營慈善事業罷了。

道教中其實也有這種清淨的團體，不是只有我們同修會。我們所有人都是義工，從我開始到任何一位同修，大家出來作義工沒有人領差旅費、領薪水的。民間的嘉義有個行善團，聽說他們也是這樣，大家出錢出力沒有人領薪水的，應該是這樣才對。但有的所謂慈善團體，也有政治名人或電影明星，他們弄個慈善基金會，自己本身有好幾億或幾十億，不用自己的錢財來成立基金會，卻向粉絲或其他人大肆募款，共同捐錢來成立他的基金會，讓他來作慈善。那麼有錢的人，自己捐多一點而讓民眾隨喜來捐款共同作慈善不行嗎？一定得要大部分由民眾來捐給他作嗎？也有電視臺是這樣幹的。所以我說布施時也得衡量一下怎麼樣可以達到最大的效果——可以直接布施到需要的貧苦民眾身上。在世間法上布施本來就應該衡量，如果那一些行善團體的人領很多薪水，過年過節還領兩個月、三個月的獎金，那你布施給這樣的所謂慈善團體，我都懷疑他們是不是眞慈善，或只是藉這個方式來賺取錢財而已。

那麼在佛門中也一樣，當人家一天到晚讚歎你布施，都不讚歎你的持戒、忍辱、精進、禪定、智慧，你就知道原來他心裡面在想什麼。假使是眞正的出家人，布施是有時跟你談一談，爲的是你應該修集見道資糧，但大部分時間會跟你談持戒、忍辱……等法，這樣子他繼續跟你解說苦、空、無常、無我時，你來信受才有道理。假使他口裡說的是苦、空、無我、無常，心裡想的是錢有常、錢不苦、錢不空，這種人千萬別供養。

所以這裡又要說到外道喇嘛們，他們教導信徒供養佛菩薩時用觀想的，但供養他們時要現金，不許觀想，你們說這有道理嗎？確實沒道理。假使觀想是有作用的，那就告訴喇嘛們：「我每天在家裡觀想，每天都供養您五十萬元，您收到了沒有？」觀想眞的有用，這樣就可以了。如果觀想有用，那好極了：「我再繼續觀想，我今天銀行帳户進帳一百萬元。師父教我說觀想是有用的，那我觀想進帳一百萬元，就分五十萬元供養師父。」但觀想完了去看銀行帳戶中有沒有錢進來？都沒有。那就有理由可以拒絕供養了：「因爲師父您說觀想有用，可是我觀想進帳一百萬元就沒有進來，那我要供養您五十萬元現金就沒錢了。」應該這樣子來應對那些喇嘛們，所以那些觀想的目的是幹什麼？就是洗腦。所以才要教信徒們一進門就學上師相應法，就是要讓你對他絕對的信服。你觀想好了以後就全信他了；這叫作外道，所以他們不講菩薩六度。

你們有沒有誰聽過喇嘛們宣講菩薩六度？沒有啊！菩薩六度不講，不然講一點小法好了，他們有沒有講過四聖諦？特別是滅諦與道諦，有沒有講過？全都不講。他們有沒有講五陰苦、空、無我、無常？也不講，所以他們是標準的外道，根本不是佛門出家人，只是來騙取佛教徒錢財的外道。假使密宗喇嘛們哪一天大家都說好了，都去受三壇大戒，受完之後遵守三壇大戒，那我就承認他們是佛教的出家人，否則永遠都不能承認他們，他們只是一個歛財騙色的外道罷了。

那麼持戒清淨的比丘遇到施主們，不只讚歎布施，也會論及其餘五度。而這些「**破戒比丘**」們「**常好譏論持戒者過，亦不稱讚行頭陀者**」；持戒的人只要有一點點小過失，他們就放大出來到處宣揚。「**破戒比丘**」如是，有一種外道也是這樣，號稱他們五教之法一以貫之；其實他們對佛教之法都不懂，竟然敢說一以貫之。那他們幾十年來一直在流傳一句話說「地獄門前僧道多」，問題來了，縱使眞的有佛門僧人被密宗外道誘惑所以墮落到地獄去，但問題是人家是受了戒以後犯戒而墮落，他們一貫道中誰曾受了戒？他們連戒都不敢受，有什麼資格來批評人家犯戒？要批評人家犯戒前，應該是他自己也去受了三壇大戒，然後說：「你們看我很清淨，從來沒有犯戒。」才可以批評人家犯戒。可他們連戒都沒有受，有什麼資格批評佛門的僧眾？所以以後遇到一貫道再講這一句話，就問他們：「你們有沒有受三壇大戒？如果沒有受戒，沒有資格評論。」應當這樣告訴他們，要叫他們閉嘴。喇嘛們當然不會來批評佛門僧眾破戒，因爲他們專門幹破戒的事情，他們更沒資格提。

所以「破戒比丘」縱使破戒嚴重，外道們也沒有資格批評，只有持戒比丘可以評論他們。「破戒比丘」怕人家譏笑嘲笑，所以「常好譏論持戒者過」，目的是加以平衡。他們當然更不會讚歎行頭陀行的人，因爲一個行頭陀行的人會顯示破戒比丘是多麼貪，那他們如果去讚歎行頭陀行的人，心中自己會覺得有壓力，所以永遠都不會讚歎；因爲讚歎行頭陀行的人，等於搬石頭砸自己的腳。如果有人把剛才　如來說的這些事情提出來跟他們講，告訴他們說：「如來有講，破戒比丘只讚歎布施，不讚歎持戒、忍辱、精進、禪定、智慧，你們是不是這樣？」他們聽了就很生氣，瞋恚心起，於是「惡口橫加」，這時他們顧不得什麼威儀了，就破口大罵。

比丘至少在表相上是三寶之一，穿著僧服在那邊破口大罵，諸位想想看那是什麼場景，那你認為沒有這種事嗎？眞的有，其實不少，而且還有打架的；這樣的比丘其實還不如世俗人，因為世俗人一般的習慣都會說：「君子動口不動手。」那出家人還動手了，顯然不如世俗法中的君子，當然沒有僧寶這「寶」字的實質。所以「惡口橫加」是很不好的惡威儀，那破戒比丘遇到指責或者遇到勸戒時，他們就是會這樣。有時論事，他們會憑著臆想而妄說，就是說不如實語；有時捕風捉影，根本就不是事實，他們卻當作事實來講，目的是要顯示說：「天下烏鴉一般黑，我們也沒有差到哪裡去。」這就是他們的目的。

有的破戒比丘「依恃種姓，數問親族」，他覺得出家之前是剎帝利種姓或者其他高貴的種姓，用這個作為憑藉，在出家之後瞧不起別人。可是在佛門中　如來規定不許這樣。例如優波離持律第一，但優波離出家前是幹什麼的？他是專門幫人家理髮的，在天竺為人剃頭的人是下賤種族；所以有一次拔提釋王去見 如來時，優波離也在場，拔提釋王不肯禮拜他；那時優波離已經證阿羅漢果了，拔提釋王還是不肯禮拜他；後來 世尊說：「你應該要禮拜他，因為他是阿羅漢，佛法中不論種姓，只看證量。」那拔提釋王聽說是阿羅漢，於是就禮拜。所以「依恃種姓」在佛法中是不允許的，佛法中一直都是很平等的。

當然，臺灣曾經有一個比丘尼說要廢除八敬法，可是 如來為什麼施設八敬法？不是因為不平等而去施設，是因為當時天竺的情況女眾煩惱多，需要由比丘來作僧眾的基本管理或教誡，那是聲聞法的僧團之中應該如此的。那位比丘尼的戒是怎麼受的我不知道，竟然想要廢除八敬法。如果在菩薩僧團之中就沒這回事了，一切人平等，所以我們菩薩僧團中男眾、女眾平等；又如親教師會議中沒有規定女眾親教師一個人只有半票，大家全都一樣。所以大乘佛法中是絕對平等的，沒有不平等之處。而 如來施設八敬法是有它的作用，即使設了八敬法，正法時期也是減了五百年；因此不能隨便廢除 如來所制定的任何法，這是穿著僧服的任何一個僧眾都應該遵守的。

那麼這一些人「依恃種姓」也是勢所必然，因為他們就是要作威作福。既然要「依恃種姓」，就不斷地告假回去俗家探望；這個目的就是時時告訴人家：「我是什麼種姓。」回家探望親友的同時，當然也要撈一點錢回來用，所以在不適合說法的場合，在非常非常勉強才能說法的場合，他也主動要為人說法。在如來的時代只要說了法，所有聽法的人都必須供養他，如來在世的天竺風氣是這樣的。即使是現在的印度，不管是佛門或外道的出家人，一般也都還是乞食，都還是有許多人供養的；那受供前或受供後，他們總是要為人說法，這是印度的習俗。那麼破戒比丘「以少因緣為貪說法」也就平常了，因為有說法就會有供養；所以不是很適合說法的場合他們也要講，講了法以後顯示有一點證量，人家就依例供養他們。

可是這些破戒比丘「常以曲心而懷驚疑」，因為他們心地不直。他們心裡想要作什麼，但嘴裡說的是另一件事情，所以求供養有諸多的手段，咱們不會，他們可是很在行。明明那圍牆還好好的，卻說：「我們的圍牆很舊，快要倒了，得要翻修，可是沒錢啊！」於是大家就捐，可是捐了好幾年竟說錢還是不夠。總之，理由多的是，咱們學不來。可是他們有很多方式可以告訴大眾說：「你們該捐錢了。」有時覺得自己吃得不好、住得不好，又沒有補品，於是告訴大眾說：「如果遇見善知識，應該好好供養善知識，那就會有大福德。」講上一堆，大家就想：「師父在討供養了。」於是人蔘、其他的補品都來了，這就是「曲心」——心地不直爽。

可是供養收多了，證量缺缺，心中就懷著驚疑。特別是有時在同修之間互相會有一些法就流傳了，有時會傳說：「以前某某大德跟隔壁寺院借了一匙鹽，後來忘了還，然後有一天睡午覺作了一個夢，說好大一座鹽山要壓死他。」有些出家人同修之間會傳說這些事情，他們聽了心中又驚又疑：「眞的嗎？眞的嗎？我沒有證量卻收了那麼多供養，死後怎麼辦？」有的就這樣想，然後心中害怕，很震驚。不過我倒覺得有這種傳說，以及讓他們驚疑是好的，這樣他們才可能遷善去過。

有時會有同修跟我說：「人家讀了您的書，晚上會睡不著覺。」我說：「睡不著覺好啊！假使他們照樣呼呼大睡就沒救了，佛教就完了。」當然他們心裡覺得驚疑恐怖時，才會懂得說：「我要怎麼懺悔，我要怎麼改過。我改了，可是以前被我誤導的大眾、被我錯印證的大眾怎麼辦？」才會去改變及補救，不然怎能救得了他們。

所以有時眞的不應該像俗話說的心中存有婦人之仁，那孩子該吃藥就得讓他吃，該打針就得讓他打針，不要怕他受痛或者藥太苦。同樣的道理，我們的書既然這樣寫了，講得那麼淋漓，有人說我筆鋒很犀利，這一點我承認。既然要寫得這麼淋漓，目的是爲何？就是要警醒他們，這叫作針砭。下針時哪有不痛的？用尖銳的石頭去扎穴道時哪有不痛的？既然要痛下針砭，就不要怕他們晚上睡不著覺；睡不著覺，才可以反思怎麼樣補救自己所造的那些惡業；把那些惡業去設法彌補消弭了以後，他們將來修證佛法時就沒有業障了，那是好事啊！所以對於曲心的人，我們應該痛下針砭；對於心直的人，卻是要委婉勸誡而鼓勵他們。

但這一些人「常以曲心而懷驚疑」，懷著驚疑時跟人家相處就不會直心來作事、言語，所以大家都憎惡他們；因爲他們不但破戒而且心地不直，說話時或作事時都是彎曲的，因此「眾所憎惡」；憎惡久了大家就瞧不起他們，因此「久而益賤」；但這一些人心裡不平衡，所以對持戒者「常好譏說」，總是要嘲笑人家，那這種嘲笑的言語我們就不學它。另外一種叫作「苦切實語」，有的比丘眞的不忍心，想要救他們，因爲明知道他們這樣作，未來世的去處是很清楚可以瞭解的，所以不計嫌，一心要救他們，勸戒的話就說得苦切，可是他們對於這些說「苦切實語」的人卻不想親近。他們也明知道人家爲了要救他，可是卻不想親近；至於第一義的勝妙經典等，他們更不想聽聞，因爲一聽聞就發覺自己不對，越聽聞越發覺自己不對，如果聽聞久了就不能或不敢爲人說法了。若不能爲人說法，那麼供養從哪裡來？他們是這樣的著眼。

這樣的人還有另一個面向，如來說「好持讚誦如是經者，聞說是經心歡喜者」，這兩種比丘，他們都不喜歡看見；因爲這兩種人會顯示比「破戒比丘」有智慧；不但如此，也會顯示他們比「破戒比丘」們清淨，所以破戒比丘根本就不想看見他們。如來又說：「又不喜聞讚持戒法，說是等經不來聽受，設來聽受不久即還；」正是如此。所以不論哪一部經典，只要讚歎持戒的法，他們從來不讀；如果有善知識在講這一種經典，他們都不會來聽受。

我們《佛藏經》講到現在，特別是〈淨戒品〉講到現在，大家聽得歡歡喜喜，在座比丘、比丘尼們都同樣很歡喜，這意味著什麼？大家都是持戒清淨來修行的。如果不是持戒清淨來修學正法，那〈淨戒品〉剛開始講，下一週就有許多人不來聽了！對吧？一定是這樣的，因爲越聽越難受，沒辦法安忍，有一句成語叫作如坐針氈。可是我們很難得，講〈淨戒品〉時依舊坐得滿滿的，而且聽得很歡喜。這顯示什麼？顯示正覺的出家眾和會外大部分道場是不一樣的！這是値得讚歎的事。

假使是會外那一些破戒比丘們，我看他們將來讀到《佛藏經講義》，大概〈淨戒品〉剛讀到時就會丟棄不想讀了。可以預見的是《佛藏經講義》出版時，講〈淨戒品〉的那幾冊大概一般出家人都不會購閱，因爲他們讀了會覺得很難過。但是我在這部分經文中並沒有多作發揮，只是該講的講一講，不作引申。因爲 如來的聖教該講的我還是要講，但不是像前面講第一義諦法時那樣詳細。

接下來說，這一類的破戒比丘「多與白衣而作知識」，「多」，意思就是說常常或者大部分的時間，大部分破戒比丘會經常去當在家人的善知識。他們爲什麼會那麼喜歡爲在家人說法？因爲說法就有供養！法說得多了，那些在家人如果都沒有正知正見，聽完了就覺得很佩服，然後就大把銀子供養，這就是他們的目的。不但如此，他們「常樂論說持戒比丘」。爲什麼要這樣呢？因爲想要避免那一些聽法的居士們去跟持戒比丘學法及供養，就說持戒比丘們的壞話，人家就不會起心動念去供養持戒比丘們，破戒比丘收的供養就多了。

作這兩件事情的目的是「以得自在輕行暴惡」，就是讓持戒的比丘們不太敢去招惹他們，這是一種手段。就好像臺灣有個出家人一天到晚去法院告人，所以很多人避之唯恐不及，不敢招惹她。不論佛門中的在家、出家修行人，所有人都不喜歡跑法院，她卻一天到晚告人家跑法院，人家就想：「算了！我不跟妳對話。」所以到最後她就變成孤家寡人。一個人在臺灣佛教界稱孤道寡，那不是很可憐嗎？她自己不覺得可憐，但我認爲這是可憐人。可憐人的身分，應該也算我一份吧？因爲我在臺灣佛教界，即使是在大陸也是稱孤道寡，沒有誰想跟我對話。對吧？爲什麼搖頭說我不對？真的啊！沒有人要跟我對話，不論哪一個大法師，我如果遞了名刺過去，他們一定推說：「沒時間！沒時間！」因爲我這個人也是惡人，不過我這個惡人是悲心救人，不是像刺蝟那樣長了刺要刺人；我是要救人的，只是因爲我都說「苦切實語」，所以讓人家不高興。

如來又說，這一些破戒比丘藉著「多與白衣而作知識」，藉著「常樂論說持戒比丘」，讓人家不敢去招惹他們，於是他們「以得自在」，就隨意指責別人、罵別人，使其他比丘們都不招惹他們，世尊說這是「輕行暴惡」，是隨意就敢暴惡於其他比丘的，這就是破戒比丘們常有的行爲。如來就下結論說：「是爲破戒比丘十憂惱箭必墮惡道。」

佛門有一句話說：「寧攪千江水，不動道人心。」寧可使盡神力把一千條大江的水都攪渾了，也不要動一張嘴講幾句話去觸忤了修道的人，使修道人的心浮動起來，更何況是作了這麼多的惡事，來觸忤持戒修行的比丘？這種罪是要下地獄的。如果作得不是很嚴重，至少也要墮落惡道的，所以如來說：「是爲破戒比丘十憂惱箭必墮惡道。」這個惡道可能是畜生道，可能是餓鬼道或者鬼神道，也有可能是地獄道，因爲這三種都屬於惡道。

如來最後說：「舍利弗！我滅度後，如是等人滿閻浮提，專行求利，以自生活。」現在不就是這樣嗎？假使我是妄說法的比丘，山頭經營得很大，後來看到正覺出來弘法，知道自己的法不對了，我會怎麼作呢？不得不轉型，之後賺大錢了就專門來布施眾生，求大福德；同時撥一部分款項來護持正法道場，然後我來作大懺悔。假使是我，我會這樣作；面子賣給誰啊？沒有人買的，面子不值錢。很多人老要面子，但面子不值錢，裡子更重要；面子最多能有幾十年吧，山頭經營到這麼大時都老了，還能有多久的面子可以維持？但裡子是未來好幾劫的三惡道大苦，算盤稍微撥一下馬上知道，趕快改弦易轍才是聰明人；我這個笨笨的人，爲他們說出了聰明的想法。

換作是我，我若是每個月賺幾億元的大山頭，既然戒都破了，因爲出家人不許作生意；那沒關係，我這一些錢繼續賺，就以這個惡去換取更大的善；我來救濟貧窮，我也用這些錢來護持正法，然後作迴向——證悟菩提；我也努力去羯磨滅罪，該彌補的、該改正的都要趕快去作，這樣可以換得未來世安樂，未來世眞正學法時就不會有業障。業障、業障，爲什麼成障？是因爲造業！如果不是造業就不會有業障，最多就是福德因緣不具足，但不會有業障。假使學法時有業障，表示往世造了什麼業，那業在這一世該怎麼樣去把它消弭掉？如何把它補救起來？最好不要等到未來世作，因爲那是無數倍的困難；在這一世可以作就立刻作，這樣才是聰明人。

如果智慧不夠或者這一點有想到，但是捨不得那一些資財而不肯補救，未來世從地獄道回來到餓鬼道，餓鬼道回來還得去畜生道，那是要還幾劫才能還得完？這眞要想一想。所以有智慧的人應該要爲自己後世而謀，今世證道眼看是不可能了，至少把後世的業障滅掉，也把後世將會有的那些不可愛的異熟果報消除，這是可以努力去作的，這才是聰明人。如果不相信有未來世的果報，那他出家是白忙一場，不用出家啦！這是我的至誠語，希望未來有人讀到了我今天的開示後，可以自救也可以救他，這是我的衷心期盼，就以這個期盼作爲〈淨戒品〉的圓滿。今天講到這裡。

最近很潮濕，好像臺灣附近又有颱風吧，但是大眾都風雨無阻來聽經。《佛藏經》講到現在，我們講多久了？一年多？兩年？我都忘了。上次是一百三十七講，今天是一百三十八講。開講是二〇一三年底？今天是二〇一六年，有兩年半了。本來以爲大概一年會講完的，眞是意料之外。但是今天要進入〈淨法品〉第六。前面講過〈淨戒品〉，如來在清淨戒法上面很注重。今天終於要講〈淨法品〉，但 如來在淨法的內容開講的起始部分，還是與戒有一點連帶關係的；因爲在佛法中，法是不能離開戒的，有法才有慧，可是慧與法一而二、二而一，但是法與戒同樣是一而二、二而一。所以 如來開示的三學是不可分的，戒、定、慧一定是互相有所關聯，不是各自獨立的。就像成佛之道的內涵一定是人乘、天乘、二乘以及佛菩提乘，也就是具足五乘之法，其實是不可分割的。所以我們進入〈淨法品〉第六時，應該對 如來的聖教一體接受，不應該像釋印順那樣有選擇性的接受；那是不正確的作法，那也是一種破法的行爲。那麼今天正式進入〈淨法品〉第六，我們來恭聆 如來的開示：

經文：【佛告舍利弗：「昔迦葉佛預記我言：『釋迦牟尼佛多受供養故，法當疾滅。』舍利弗！我法實以多供養故，後當疾滅。舍利弗！譬如貧人得大寶藏，心則大樂。如是舍利弗！未來世中多有比丘，親近白衣受其供養，漸相狎習而與執事，心便歡喜以爲悅樂，猶如貧人得大寶藏。如是癡人貴於世利，世樂奴僕；若見比丘多人供養，心便謂之得阿羅漢；見少從知識，便謂惡人。如是比丘爲利養故，捨無上正覺，隨所樂者即成其事。舍利弗！如來於今爲是癡人說如是等經，何以故？破戒比丘聞說是經則生悔心，當還持戒，不作大賊受他供養。舍利弗！若有比丘得聞是經，心不清淨，不喜不樂，是則名爲弊惡比丘。何以故？舍利弗！淨戒比丘無法不樂，若說布施，若說持戒，若說忍辱，若說精進，若說禪定，若說智慧，若說如是厭畏經法，心皆喜樂。」】

語譯：【如來告訴舍利弗說：「以前迦葉佛預記我說：『釋迦牟尼佛多受

供養的緣故，法將會很快的滅失。』舍利弗！我的法中確實也是由於多受供養的緣故，未來將會快速的滅失。舍利弗！譬如貧窮的人獲得大寶藏，心中就非常地快樂。就像是這個樣子，舍利弗！未來世中有很多的比丘，他們親近白衣而接受他們的供養，漸漸地互相很熟悉、很親暱，然後就為那一些白衣們作事情，心中便很歡喜而覺得非常地喜悅快樂，猶如貧人獲得大寶藏一樣。像這樣的愚癡人，他們看中的是世間的利益，都是世間快樂法的奴僕；如果看見有比丘受到非常多人的供養，他們便認為那樣的比丘就是證得阿羅漢的人；如果看見很少隨從的那一些善知識，便說那樣的人是惡人。像這樣的比丘為了利養的緣故，捨棄了無上正等正覺，隨著他們所喜樂的事就去助成他們的事情。舍利弗！如來於今天為這一類的愚癡人演說像這樣的經典，為什麼呢？因為破戒比丘聽聞如來演說這樣的經典以後心中就會產生悔恨，將來會回來再繼續受持清淨戒，不會再作大賊去受別人供養。舍利弗！如果有比丘聽聞到像《佛藏經》這樣的經典，心中不清淨，不喜歡不快樂，這樣的人叫作弊惡的比丘。是什麼緣故我這樣說呢？舍利弗！受持清淨戒的比丘如果沒有法可學就不快樂，或者說布施，或者說持戒，或者說忍辱，或

者說精進，或者說禪定，或者說智慧，乃至於或者演說像這樣令破戒比丘厭惡畏懼的經典與勝妙法，他們心中會都是喜樂的。」】

講義：這一段經文 如來開示有一點不同，就是讚歎諸位持戒的比丘、比丘尼們，當然同樣也是讚歎諸位持戒的優婆塞、優婆夷們；因爲如果是破戒比丘聽聞這一些經典他們是不想來聽的，聽上一次、半次他就不來聽了，可是諸位繼續風雨無阻來聽而且聽得喜樂，佛說這樣的人就是淨戒比丘！好，我們來探究一下 佛陀的意旨何在。佛說以前 迦葉佛曾經預記說：「**釋迦如來的正法由於僧團中多受供養的緣故，那麼正法將會很快滅失，不能繼續弘傳。**」迦葉佛這麼說，如來也加以印證，所以如果佛門中出家菩薩們希望獲得非常之多的供養，而且是多多益善，從來沒有設下一個額度或者上限，說供養到哪裡爲止就不再接受供養，那麼這樣佛法就會很快滅失。

從古代來講，三武滅佛之時爲什麼皇帝滅佛？因爲大眾不斷地把田地、房舍捐給出家人，當時出家人如果實證三乘菩提的話，就不會有私心貪愛而廣施於人民，也就沒問題。那時捐贈給出家人的田產乃至錢財，集合起來是比皇帝還富有的；皇帝眼紅不眼紅？皇帝當然眼紅啊！當皇帝眼紅時對出家人一定不利，所以皇帝口中頗有微詞，就會有人出來爲皇帝作事，於是否定佛教的那一些文章等言論就開始流行起來；最後就有一些大官奏請皇帝要作什麼事情，於是「滅佛」的事情就發生了。這就是說，不論作什麼都要有一個分寸，但是有私心、有貪愛的出家人不會放棄既得利益的。

那出家人在世間法上遠遠超過皇帝，皇帝不高興就會倒楣了，當然就會毀滅佛教。這時有的人不懂因果關係就說：「**欸！什麼護法神？皇帝滅佛時護法神跑到哪裡去了？**」就怪罪起來。但其實說正格的，毀滅那些佛教的事情其實也是護法神幹的，因爲那時的佛教根本不是佛教，知道嗎？那都是密宗假佛教。密宗的出家人（後來成爲西藏的喇嘛們）佔據了整個國土最好的田產；那時還不叫喇嘛教，喇嘛教是西藏傳出來的，那時叫密宗佛教或密教。其實密宗假藏傳佛教的經典是在唐朝就開始流傳了，那個善無畏或是不空三藏，就已經開始翻譯了帶進唐朝。那時還是事密，主要是持誦眞言；但不是日本眞言宗暗地裡傳給出家人雙身法，所以日本人住在寺廟裏面出家娶妻生子就這樣繼承，那是出家人擁有在家法，眞的不可以。

那時都是密教的假佛教，他們鼓吹的是大家努力捐輸錢財供養，結果天下的資財大半進入了密教寺院，導致整個國家的生產力下降，國勢衰弱了；有智慧的人看到這個現象當然要出來講話，所以皇帝（唐武宗）就滅佛了！譬如大中皇帝，他爲什麼能當上皇帝？本來沒他的分，正因爲皇帝把那些假佛教滅掉以後，他那時剛好逃難躲藏到寺院中出家，後來不是遇見黃檗禪師嗎？不管他最後是否悟了，總是有了正統佛教的因緣，後來局勢轉變使他成爲皇帝，於是他復興了眞正的佛教。從唐武宗滅「佛」到宣宗即位（年號大中）當皇帝而復興佛教，這些就是護法神作的事，所以看表面是不準確的。好多人只看表面：「**佛教被滅了，那時你們護法神在護什麼法？**」其實不然，這樣才是眞正的護法。把假佛教給滅了，眞佛教才可以從頭開始。

喇嘛教他們講的西藏佛教史是不可信的，所謂西藏的毀滅佛教跟他們講的道理是相反的，他們自己才是毀滅佛教的人，所以很多事情要看眞相不能看表面。那麼因爲僧眾寺院聚集的田產等等已經太多，人民過得不好而不安靖，國力大損時皇帝受不了，就會開始有動作出現，所以把那一些所謂的佛教滅了，那些密教僧人被逼還俗，假佛教的田產沒收。但是後來有的僧眾是正統佛教的，既然一體被滅了，他們也逃不掉，那就乾脆反穿僧服。他們怎麼反穿呢？僧服穿在裡面，外面穿世俗人的衣裳，回到寺院裡再脫下來。那是很難堪的局面，但是爲了眞正佛教的復興也是不得不然。

所以不管是在家或出家人，作事情都得有個分寸，不管大陸、臺灣都一樣，假使臺灣某一個宗教團體把臺灣募得的錢往世界各地去作善事，臺灣的貧窮人不救濟或者推卸責任，會不會有人出來講？有。前些年不是有人出來講？也有當官的、也有學者。臺灣如是，大陸不也如是嗎？如果哪個宗教團體一直把錢往國外帶，一定會追究，每一個國家都一樣。你如果一天到晚從美國藉著宗教的名義把錢搬到臺灣來，美國也會追究的。這是一樣的道理，是所有主政者必定會作的事，他們爲了國家也必須如此，所以當唐朝那一些僧眾不知節制，弄到國力衰弱而僧眾很富有時，當官的跟皇帝一定會有動作，這就是一個分寸的問題。

同樣的道理，世俗法中也是如此，譬如董事長開一輛 Benz S600；有沒有600？有喔？但他的下屬總經理或者分部的經理開一輛勞斯萊斯，請的司機還穿得比董事長的司機體面，那你想董事長感覺如何？道理是一定的。但我不是說你們不許去開勞斯萊斯，我沒這個意思；因爲我一向喜歡低調一點，從來不跟人家比這個，我從來不跟流行。這就是說，僧眾也要懂得把握分寸，假使今天我被全球佛教公認為法王，我還是會很低調，見了國主——比如皇帝，我也一樣恭恭敬敬來尊稱他、來對待他，不要給他有一絲一毫不悅；因為你對他恭敬雖然不會得到什麼好處，可是你一得罪他，對佛教可就有壞處了。懂這個道理嗎？你個人因此而得到壞處不打緊，可是會影響正法的久續流傳。

為了這個緣故我們當然要恭敬他、尊敬他。但是我們心裡很清楚：我恭敬你時其實你沒有得到恭敬，我也沒有恭敬你，三輪體空；我只是在演一場戲罷了，既然是演戲，都無所謂。要有這樣的正見，因為你從實際理地來看正是如此，既然你的所見如此，那你的所行無妨為了利樂眾生而去作某些事；當他需要人家恭敬，你就布施恭敬給他；他需要人家推崇，你就布施推崇給他，就只是布施而已。假使哪一天有一個國家皇帝召見說：「蕭平實！你來！來來！你如果禮拜我，叫我一聲阿爸，那我就准你在我這個國家弘法；只許佛教弘法，其他的都不行。」那你如果是蕭平實，你接不接受？（大眾答：接受。）對了！真是我的知音。只要對法有利、對眾生有利，全都可以接受。

如果說：「那這樣，我這國家給你一半，你當國王我也當國王；你統治半國，我統治半國，但是你就還俗吧，來當國王。」要不要？當然不要。因為你當了國王還能弘法嗎？所以要去斟酌怎麼樣才是對正法的弘傳最有利。所以僧眾是應當有所節制的，譬如談話節目上面或政論節目上面，前一陣子不是那些名嘴講到氣得不得了嗎？說某某山又某某山，他們每一個月進帳都是八億、九億、十億的。有沒有？對啊！這些話，官員們聽在耳裡、想在心裡，一定不是滋味吧？雖然一般佛教徒聽了，很多人是沒感覺的，但我們特有感覺；我們的感覺是說，這些大山頭是在作生意！我說堂頭和尚不聽明，假使聰明，收了多少錢就布施多少錢救濟眾生；雖然犯了戒——因為出家人作生意是犯戒的，但是可以利益眾生；生意已經都作了，就繼續利益眾生，不要納入私囊。

納入私囊是最笨的人，因為那麼多錢財納入私囊，結果是後世一劫、二劫，三、四、五劫、無量無數劫都要去當窮人；當窮人不打緊，還有犯戒的問題，未來無量世中要一世一世去還，要到什麼時候還清？這得要用腦筋想一下。假使有想到這一點，我想他們腳底早就涼了！但我看他們都沒想到，只看到白花花的鈔票，心裡面歡喜歡喜再歡喜。問題是再多的錢，睡也是那麼一張床，吃也是那麼一碗飯，最多給你吃五碗，或是一餐一百萬元好了，能用得了多少、多久？所以聰明的話，要以正法爲歸。以前沒想到，現在知道了就該設法去補救，這才是聰明人啊！

所以佛門僧眾如果多受供養而不知節制，會有問題，佛法不會興盛的。那麼 釋迦如來成佛以前遇到 迦葉如來，迦葉如來這樣預記，事實上也是這樣，因爲所度的這一些僧眾的習性已經是這個樣子，多劫延續下來難以改變，所以安貧樂道的僧眾是少數，這樣的少數可以說是佛門僧眾中的異類，這些僧眾是我們大眾應該要恭敬供養的。可是外面那一些大山頭，他們錢多得不得了，你供養他一百萬元就好像一顆細沙投入海水一樣，他們沒感覺！眞的沒感覺！那你如果在正法中僧眾身上供養一萬元，就顯得很珍貴，而且這錢變得很大，福德也跟著大。假使你去找王永慶說：「我布施一百萬元給你。」他會說：「你侮辱我？太瞧我不起了。眞想布施給我，至少一百億元。」他如果還在世，有人去試試看也不錯，可能就像我講的這樣。但你如果找一個窮苦人家，只要布施給他一千元，他就很感謝地說：「感謝！感謝！」是不是這樣？是！所以寧可雪中送炭，不要錦上添花，這是我的看法。

那麼為正法的緣故，僧眾如果能安貧就會樂道，為什麼呢？生活只要沒有憂慮就可以了，道糧都足夠，吃穿都沒有問題，住用的也沒問題，不需要更多了。多了心中就會起貪，他們就是因為貪，所以不斷去作生意，每一個月少者賺一、兩億，多者五、六億元。還有個團體，聽說她們一年收入大約一百億臺幣；這樣算起來每月收入多少？將近十億一個月。那是什麼原因使她們能獲得這麼多的供養或護持？是因為大妄語。而一般的信眾是分不清的，到底誰有證量、誰沒有證量，絕對多數人是分不清的，所以迷信：「我師父是佛。」

迷信的緣故，所以有的人明明生活過得很清苦，一個月收不了兩萬塊錢，他們省著吃、省著用，節省一半花費去供養她們那個團體；每個月都這樣供養，是自苦其身而去供養所謂的佛。結果經不起檢驗，後來發覺：「原來我師父不是佛。」這下好傷心呢！真的很傷心啊！那真是傷了人家的心，本來示現為佛，後來承認自己不是佛，那信眾當然傷心：「我被妳騙了，妳騙得我好苦。我一、二十年來就信妳是佛，結果妳現在說不是佛。」正應了那一句成語——情何以堪！確實不堪，所以很多人現在不但不繼續捐，還離開了！但是這樣一來好不好？我說好啊！因爲一般的寺院道糧進帳就回復正常了，以前都是被不正確的方法集中到那種團體或道場去，現在很多人離開了，因爲失望了。我們正覺後方附近這家寺院，至少他們安貧樂道，雖然沒有證道，也不曾大妄語，清清淨淨安分守己地修行，那我認爲護持他們反而好過那些大山頭，爲什麼要去護持大妄語、騙人的大山頭。

所以一般的寺院情況現在似乎有那麼一點點的好轉，倒是比以前好一些，所以 世尊特地講到 迦葉如來預記祂(釋迦如來)的法會速滅，是因爲多受供養，那就是告訴我們說，佛門僧眾要少受一點供養。如果受供後資財足夠了，就不要以聚積爲事。如果已經足夠用上幾年都沒問題，供養若是繼續來而推不掉，那時怎麼辦？那就和信徒一起用來救濟貧窮，只要不用在自己身上都是可以的，這是一個好原則。所以如果十年後、二十年後突然有人送來五億元、二十億元供養，我也收；就全部都把它用來救濟眾生，這就不會有問題。

他們在我身上種了好福田、善福田、功德田，眞是得大福德；那我就在眾生身上種福田——種貧窮田，但因爲我親證三輪體空而作布施，也是功德、福德無量。當眾生有需要，我在他們身上種福田，藉機使他們對佛法生信，然後我以所證的般若智慧來看待這一些布施，以及看待被對方供養的事，以三輪體空的智慧境界來作這一些事情時，福德與功德都無量無邊。

如果大家都證悟了，藉著我受供養的這筆錢再來作布施，大家都同樣是三輪體空，這福德與功德不可限量！在這個情況下，我接受他二十億元供養絕無絲毫過失，因爲沒有一點一滴錢財落在我自己口袋中，那有什麼不行？假使落在自己口袋裡，因爲我這一世沒穿僧服，即使少到一塊錢也不行，這就是我的原則。所以菩薩法固然顯示出菩薩道的可愛異熟果，所以資財具足圓滿，但是不應該利用法來接受供養；這是我從一開始弘法建立的制度和想法，以前沒有改變過，現在不會改，未來也不會改，因爲這是我們正覺的門風，一直如此而且要堅持下去。

隨著正覺正法的推廣，正覺不再像以前那麼窮。正覺以前很窮，現在正覺會漸漸越來越不窮，但不會富有。越來越不窮，資金充裕了就拿來寒冬送暖，每一年都辦。今年即將過去了，到明年一月二月農曆新年時，我們還要再擴大來辦；我們要再增加經費，希望藉這個緣故使正法可以更加擴大流傳。正法本身不需要福德，但是弘傳正法的人需要福德，藉這些寒冬送暖的活動，不斷地擴大辦理，會越來越好。

這就是說，當眾生於正法中得到利益，佛教就會被認同。希望佛教不是被人認為說：「**佛教僧人很會作生意。**」如果佛教道場被人家認為很會作生意，那佛教就完蛋了，因為會被認為佛教在與庶民爭利，這是大家應該有的認知。迦葉佛這樣預記　釋迦牟尼佛，釋迦牟尼佛特地把這個預記告訴大家，顯然是希望大家應當有所為，也應當有所不為。那我們要聽取　如來的教誨，要如實去履踐。如來說：「**我釋迦牟尼的法，確實是因為多受供養的緣故，所以未來會很快地滅失而無法廣為流傳。**」

事實就是這樣，正是因為大家崇尚外道法、廣受供養，所以整個密教化以後招惹士大夫、皇帝們不滿，因此就被滅了。其實這個道理，往昔諸佛、現在十方諸佛的開示都一樣，沒有一尊佛喜歡看見遺法出家弟子們多受供養而使正法快速消滅。我們希望藉著正覺來建立一股清流，將來可以更好；因此也希望正覺裡的出家人不要多受供養，四事具足就行了；在家人則不許接受供養，否則開除學籍與增上班學員資格。也許有人想說：「唉！那是因為這一世蕭老師您沒穿僧衣，所以不受供養，您往世收了多少供養我們哪知道？」但我告訴你，我往世也不喜歡收供養，所以多餘的財物還是轉施出去，這已經成為一種習慣。

就說比較近代九百年前好了，那是有歷史記錄下來的，也還有古時記錄下來的文字可查。所以不管什麼供養來了都先供佛，包括僧衣或時新，全都一樣就先供佛；供佛完以後就送到和尚寮去；但是 克勤大師他也不貪，他真的不貪，除了剛好有需要的他就留下來，其餘的又發下來還是給我；所以我常常可以有僧服送給同修們（那時叫作師兄弟，不叫同修），常常是這樣，這已經是一種習慣。如果不是這個習慣維持到今世，人家私下裡（例如當年張志成）送錢來供養，我為什麼不收？因為沒有那個習慣。假使私下裡收了，半夜裡睡覺會很煩惱，一定會睡不著覺的，因為又損了後世的福德。出家人這一世收了這些錢剛好用完了還算好，因為終究是自己生活諸事需要用；如果沒用完，留給徒弟而給徒弟受用，自己來擔那個損福的事，那不是愚癡嗎？

所以這是一種習慣——布施成爲習慣，少受供養成爲習慣。

如果爲了破斥密宗假藏傳佛教不得不保持在家身，那就不要受供養；要不然密宗假藏傳佛教喇嘛們萬一說了句話，你可就不好看了。也許人家說：「**你不許我們喇嘛收供養，你自己不也收供養？**」那你又怎麼說？在那邊辯解說：「**我有證道，你們沒有證道啊！**」那也還是麻煩，不收就沒事了。如果你在家營生本來就有資財，何苦來哉又去收那個錢，來世大損道糧？想想成佛需要多少福德，不知道好好去修集福德，卻還再來損福，那不是愚癡人？這樣的人哪能叫作有智慧的人？這是學人也應該想到的事。假使那個大法師是沒有智慧，而你有智慧卻去跟他學，你就變得沒智慧——就是智慧喪失殆盡才會跟著沒悟凡夫大師學法，一定是這樣的。

所以 如來說：「**我法實以多供養故，後當疾滅。**」確實也如此，假使不是出家人多收供養，民眾也不會生起煩惱，法就不會那麼快消滅。出家人都是多收供養，久了成爲風氣，民眾會起煩惱，然後又有外道法滲入，於是法就滅了，這是互相助成的事。那麼 如來說：「**譬如貧人得大寶藏，心則大樂。**」其實我的看法是臺灣很多出家人在年輕時出家，都是有很好的志向，就是說：「我要修清淨行，然後我要以佛法來利樂眾生。」可是出家以後三乘菩提沒有辦法實證，由於無法實證的緣故就開始灰心，灰心之後又被身旁的那一些事相給感染或者影響了，最後變成習慣以後就同流合污，跟著開始廣收錢財，再也不能修清淨行了；這時已經忘失了以前爲何出家的理想，眞的忘失了！

但這也不能全怪他們，而要怪那些假名善知識的凡夫大師們，因爲他們未證言證、未悟謂悟籠罩大眾，這些年輕的出家人看著就想：「證悟以後還那麼喜歡錢，原來證悟是可以這樣的。」然後大家就跟進。等到後來知道說：「啊！原來我師父悟錯了，我也跟著悟錯了，那我收了那麼多供養……。」心裡這樣想著，可是接下來若是不受供，又覺得怪怪的，因爲已經受供慣了，錢多多益善，就變成這樣，於是沉迷而不能自拔。所以我說要怪那一些假名善知識。

剛開始弘法時我的想法很簡單：我們不要建立道場，我們也不要成立什麼弘法的組織或團體，隨緣弘法；有人要接這個法，就把法傳給他，我就歸隱田園。我當年的想法是這樣。到現在心中還有一幅圖畫在：七老八十了，拄著拄杖，穿著我那一襲長袍，冬天裡在街上踱步買些生活用品。心中那幅圖畫還在，可是現在知道已經不能實現，知道是絕望了。但以前的想法就是這樣，退下來以後我就每天好好把還沒修完的禪定繼續完成，回復二千多年前的那個狀況，但是現在知道已經不可能了。以前我是期待著有哪一個道場是眞正爲了法，我就傳給他，然後我就歸隱田園；可是後來漸漸看著、看著，就知道絕不可能，因爲現在沒有印宗大師那種人了。

所以到後來就必須自己來建立弘揚正法的道場，才能使正法久住而廣利大眾的今世與後世，再也不存著任何一絲一毫那樣退隱的期待了。因爲現代的各大山頭都不是那種眞正爲法出家的人，像印宗大師那種人不可多得了。雖然印宗那時已經風聞衣法南來十幾年了，才眞的信受六祖慧能，也不是眞的能信受一個在家實證的人，但是那種人現在還是不容易得的。那我也沒有如來去告訴各大山頭說：「衣法已經來到臺灣了，你們要趕快依止。」所以根本就不可能實現我的夢想。因爲即使是印宗大師在這個環境下，他仍然能夠把寺院交給我嗎？想來也不可能的，因爲我這一世沒什麼名氣。當你說到蕭平實，他可能想打個問號說：「蕭平實何許人？」對吧？一定是這樣的。

又沒有佛菩薩每天託夢告訴他說：「蕭平實是前世的某某人，從大陸往生到臺灣來而現在弘法了。」都沒有啊！如果很多人每天都同樣夢見的話，可能就會有一開始就信我的人；但事實上沒有，所以我不得不建立正法團體，以求正法久住。

當初有一位老師反對我，後來他離開了，因為他想要建立自己的團體；假使我建立了正法的共修團體，他就永遠都要活在我的陰影下；那時他跟我說：「老師！您真的要撩下去了嗎？」我說：「沒辦法，那一些大山頭是不可依靠的，正法要依靠他們一定沒有前途，那眾生怎麼辦？」所以我同意成立同修會，正覺就是這樣建立起來，而他就這樣退轉了，這是一段曲折。但我們始終要遵照 如來的教誡教授來作，絕對不能違背；如來說佛法多受供養就會疾滅，那我們就避免這個現象發生。所以我們要建立這一股清流，就成為正覺二十幾年來的門風；只要哪個在家人—包括親教師都一樣—收受錢財或很有價值的物件供養被我查到了，就要處理；我們不許這樣的人繼續在會中弘法，一定要撤職。

那你如果說：「那蕭老師您如果被查到了呢？」我說：「我就把我自己給

撤職，永遠離開同修會，很簡單。」但是離開同修會以後，百年後見了 如來該怎麼辦？世尊假使說：「你因爲受供養所以離開同修會。」那時這張老臉該怎麼辦？不能說：「那我不要見如來。」問題是百年後不見 如來成嗎？所以大家在弘揚正法、在學習正法、推廣正法的過程中，一定要建立正知正見，千萬不要在法上接受 如來的教誨，卻在清淨戒等法上說「我不接受那個部分，我只要法就好」，佛法中沒這回事，法一定是依照 世尊所說整體具足的才算是佛法。

那麼 如來說：「就好像貧窮的人獲得大寶藏，心中大大地快樂起來。」未來世的比丘有許多人就像這樣「親近白衣受其供養」，然後漸漸地跟那些白衣就非常熟悉了，甚至還稱兄道弟啊！出家人跟白衣稱兄道弟成何體統？但他們熟得不得了，後來互相熟識而且共同作事，甚至白衣託他們作什麼他們就去作什麼，就因爲這樣所受的供養也就越來越多，甚至在家人邀請他們說：「師父您寺院裡那麼多錢，我們用那些錢來作生意，可以賺更多。」他們也拿資金出來參與在家人作生意，有沒有這種事？有啊！現在還有自稱成佛的人，開百家公司在作生意呢，你想這是不是末法時代的典型？但這樣說好像不太好，因為不該把它叫作典型，應該說是末法時代的怪象。

可是他們心中覺得「悅樂」，每一個月下面的執事比丘、比丘尼報上來：「師父！這個月這家公司又多賺很多錢。」數目報上來時他心裡非常快樂。如果報告上來：「師父！這家公司這個月少賺五百萬元。」他心裡都沒有歡喜（我們不敢說他們不快樂，說他們沒有歡喜），因為眉頭皺了起來。正好都是如來預記的事情，所以他們就像貧人一樣以獲得錢財為樂，因此如來說：「如是癡人貴於世利，世樂奴僕；」他們是被世間樂所綁住、所繫縛，那不是當世間樂的奴才嗎？有智之人願意當世間樂的僕人嗎？但這樣的人沒有智慧，他們只看表相。

「若見比丘多人供養，心便謂之得阿羅漢；見少從知識，便謂惡人。」假使有一位比丘廣有多人前來供養，他看見了心裡想：「這位比丘應該就是阿羅漢了。」如果看見有一位比丘雖然說法很好，可是他的隨從很少，座下才兩三個徒弟，信眾也不多，他就想：「這是個壞人，一定是惡比丘，所以信眾這麼少，出家徒弟也這麼少。」他們世間人只看表相，世尊就說他們把這種比丘叫作「惡人」。末法時代正是這樣，假使某某和尚出行時，一大群人跟隨著，大家就說：「哇！這一定是大菩薩。」假使某某善知識出行時，不過兩三個人、五六個人隨從，他們會想：「這人應該沒什麼證量。」都是這樣的，所以愚癡人只看表相，有智慧的人看實質。你們看佛世那一些大阿羅漢迴心成爲菩薩，各個都是地上菩薩，可是他們去托鉢、去作什麼時都非常低調，何曾有人像現在這一些凡夫大法師們大擺排場？所以我們要有正知正見來看待那一些表相的背後是怎麼回事。

如來又說：「**如是比丘爲利養故，捨無上正覺，隨所樂者即成其事。**」可以實證的無上正覺，他們並不想要，所以正覺弘法到今天，臺灣佛教界公認說正覺是正法（除了密宗假藏傳佛教以外），有哪一個大山頭的堂頭和尚來拜訪過？一個也無。反而曾經有一位喇嘛還蠻有善根，率領著兩三個一樣是喇嘛的徒弟們來正覺拜訪我，他認同這個法；到現在爲止二十來年就只有這麼一次，後來他們不曉得有沒有回歸正統佛教，想來是有吧。

那你們看，到底這一些大山頭的大法師們得法的因緣存在不存在，這就很明白了，所以大部分人都是「**捨無上正覺**」；實際上可以實證的，而且是以超越二乘菩提的法來函蓋了二乘菩提的無上法，這已經在臺灣佛教界證實了，可是仍然沒有一個大山頭願意來求這個法。這不正是 如來講的「捨無上正覺」？所以都是爲了世間的財利在用心。世尊說這些人「隨所樂者即成其事」，到了末法時代的現在這已經是其次了，這末法時代的臺灣佛教現在是出家人乾脆直接作生意，跟大陸那些大山頭一樣都已經是作生意的人了。比如少林寺聽說已經是股票上市了，緊跟著普陀山（普陀山是哪一省？浙江吧？）聽說現在報導出來也要股票上市了，臺灣佛教徒大家覺得很感嘆！你們內地有沒有聽過？沒有聽到？你們消息比我們不靈通，因爲網路上可能都被管制不許報導，但在臺灣網路上都報導出來了。

所以正法流傳到現在這個局面，我們要怎麼樣去把它扭轉過來？假使能扭轉過來，也就是從基層佛教徒的正知見上把它扭轉過來，那麼那些大法師就無法再籠罩人，漸漸地就會回歸正道，這是我們的期望。雖然成功的希望不大，因爲積習已久一時難改，但我們總得努力看看。至少我們努力過了，將來如果不成功，我們也能無愧於心，面見 如來時懺悔一下說：「我曾經努力，確實盡了全力，但是我們仍然沒辦法。」那時求 如來原諒，我想 如來也不會苛責吧？這是我們的本分，應該這樣子作。

世尊又說：「舍利弗！如來於今爲是癡人說如是等經，何以故？破戒比丘聞說是經則生悔心，當還持戒，不作大賊受他供養。」這就是 如來大慈大悲的所在。有那一種破戒比丘，可是畢竟他還有一絲善念存在，不是全然的惡劣；如來的慈悲是無比偉大的！你想那惡比丘墮了地獄，因爲他曾經有一念善心，如來還垂著蛛絲要救他；那樣十惡不赦的人 如來還要救他，他本來可以上來而且可以帶著很多人上來，可惜的是他突然又起一念私心，怕那一根絲斷了，所以把別人踢下去，不希望別人跟著他一樣搭著那條絲上來，就這麼一踢，絲就斷了，大家都沒得上來。

但是你看看 如來這樣的慈心、這樣的悲心，那不是大慈大悲嗎？所以你要多方面去體會 如來的心境。雖然祂的智慧我們無法理解，但祂的心境總可以少分體會吧！所以禪三宣示文最後是「歸命大雄釋迦牟尼佛，歸命大慈釋迦牟尼佛，歸命大悲釋迦牟尼佛，歸命大智釋迦牟尼佛，歸命大行釋迦牟尼佛，歸命大願釋迦牟尼佛」。爲什麼大雄、大慈、大悲、大智、大行、大願全部都集於 釋迦如來一身？正因爲 世尊有這樣的本質。所以宣誓後的一開始就讚歎佛，而且自稱：歸命大雄釋迦牟尼佛。如來的威德不是從嚴肅得來的，不是從板著臉孔得來的，而是因爲大慈大悲大智大行大願，所有一切集於一身，所以有那個威德，但是很多人很少能體驗到這個部分。假使你追隨 如來久了，就可以充分體驗到這一點，那你修行就會非常快速。因爲你一定會依止 如來這樣的心境去作事，你所理解的 如來是這樣，那你耳濡目染漸漸地也會變這樣；十分之中沒有感染到一分，至少也有半分；只要有如來十分中的半分就不得了，我們應當這樣來學。

「舍利弗！若有比丘得聞是經，心不清淨，不喜不樂，是則名爲弊惡比丘。何以故？舍利弗！淨戒比丘無法不樂，若說布施，若說持戒，若說忍辱，若說精進，若說禪定，若說智慧，若說如是厭畏經法，心皆喜樂。」縱使有這樣的惡劣「破戒比丘」 如來依舊不捨，爲救這一些「破戒比丘」所以故意講《佛藏經》。如來的想法是，「破戒比丘」們聽聞這樣第一義的勝妙經典，又說了〈淨戒品〉、〈淨法品〉等，他們聽聞之後，心裡就會生起懺悔的心來，於是就會趕快羯磨清淨，然後繼續重新受持清淨戒，他就不再當「大賊」受別人供養，那他的罪業可以消滅，對正法是有幫助的。

那什麼人是不清淨的比丘？什麼人是清淨的比丘？這是有其本質可以

作區分的；所以　如來說：「**如果有比丘有因緣聽聞到這樣的經典，但因為他心地不清淨，所以聽到這樣的經典時不喜歡、不快樂，這就稱為弊惡比丘。**」因為　如來苦口婆心這樣子說了，而他們還不肯轉變，心中不歡喜、不快樂，那就會在背後嘀嘀咕咕：「**如來為什麼要說這個？如來說我不好。**」等，這就是「**弊惡比丘**」。如果是清淨戒比丘就不一樣了，所以　如來說：「**持清淨戒的比丘無法不樂，**」一定要有佛法他心中才會快樂；如果沒有佛法，今天講來講去是世間法，明天也是世間法，後天也是講世間法，他聽了都煩；大後天大法師要開口說法時他就先走了，不聽大法師開口，這就是持清淨戒的比丘。

因為　如來教誡的就是要以法為歸，結果堂頭和尚一天到晚說的都是世間法，他就不歡喜。可是這個標準，如果換作證悟的禪宗道場時可要小心了，不可以一體通用。可能這樣講，諸位不是很理解，我知道有些人不是很理解，那我講個公案好了。欸！好像眼睛又亮了！我記得古時有位隱峰禪師，為了求法行腳眞的是很辛苦，他為了求法甚至於穿越戰場去尋找善知識，因為那裡正在戰爭；他不穿越戰場就無法見到善知識，但還是顯現神通穿越戰場去尋找善知識，制止了一場戰爭；終於遇到了善知識（馬祖道一禪師），然後就依止善知識座下；所以遇見戰爭時，他把錫杖往空中一擲，然後飛身而過，兩邊軍隊看見就不打仗，各自退兵了；他這也是以法爲歸而作的。

另一位禪師是石霜楚圓，他去見汾陽善昭就依止下來；但汾陽吩咐他說：「今天田裡需要除草，你去除草。」他就去。明天，善知識告訴他說：「那竹林應該要培土了，你去培土吧。」要不然就是評論諸方，總是罵諸方假善知識，卻不曾爲他開示佛法。每天都是作不完的事情，一天一天，一個月一個月就如此過日子；過了將近兩年，他想：「和尚一天到晚都叫我作事情，從來不跟我講佛法。」於是他就去跟和尚告辭說他要去行腳了：「來到這裡已經又到夏天了，每天只是作些世俗工作。」沒想到汾陽睜著眼看他，又罵起來：「你這個惡知識，竟敢來出賣我！」舉棒就打，石霜一急開口正要呼救，沒想到汾陽禪師突然快手將他的嘴遮掩起來，這一下他就悟了。

又如龍潭崇信禪師，他是賣餅人，每天供養道悟禪師，道悟每天留下一餅還給他，他還是悟不了；後來跟隨道悟出家，每天只是作事；作久了，他爲了求悟，就上來請求開示說法，沒想到天皇道悟說：「你每天上來禮拜，我不也跟你點頭嗎？你送上飲食，我不也爲你吃了嗎？我什麼時候沒有跟你講過佛法？」這龍潭崇信當下就悟了。說實話，弟子每天上來，禪師都爲他指示佛法，叫他作事他就去作，不是每天吩咐佛法了嗎？那請問諸位，禪師是不是每天都說世間法？這個和尚是不是每天講世間法？是喔？不是喔？你看他表面上是說世間法，其實不是。

所以在一個實證的道場中，以及在凡夫大法師的道場中，世間法這三個字的定義是不同的。眞正的佛法道場，你一上來請示，和尚叫你去犁田；明天一上來，和尚叫你去竹園培土；後天一上來，和尚叫你去擇菜，全都是佛法，那不是在告訴你世間法。而我們說世間的那些凡夫大師們的道場中，他們講的當然只是世間法，包括他們說的佛法也是世間法。但，爲什麼他們說的佛法也是世間法？我舉個例子，比如大法師講一個故事：某一個徒弟多麼努力參禪，然後有一天他解釋那個公案說：「這個徒弟就證悟了。」最後他說：「所以這個徒弟從此以後就過著幸福快樂的日子。」那麼這個公案就變世間法了。

好端端的一個非常勝妙的公案，來到他手裡黃金變糞土，所以他說的佛法也是世間法。也就是說，他認爲證悟以後從此一念不生，日子過得很快活，說這也叫佛法；果眞這樣就是佛法，那麼外道法也就是佛法了，古來那些證得禪定的外道不都是如此嗎？所以這樣的佛法當然可以跟外道交流，因爲同樣都是意識境界。可是要我們跟喇嘛或其他宗教交流可能嗎？我們願意交流，他們也不願意來交流，因爲沒有交集，除非他們是來求佛法的。所以俗話說得好：「道不同，不相爲謀。」眞的是如此！所以說「世間法」要看什麼人說，一個實證者說世間法時也是佛法，但一個沒有實證者說佛法時也是世間法，因爲他說的一切都在世間境界裡；而實證者在世間法上說來說去時，他還是住在「出世間法」中。

所以淨戒比丘「無法不樂」，如果你每天都跟他說世間法他不快樂，每天只要有那麼幾分鐘爲他說正法，他可以爲你作事一整天不喊累，再怎麼辛苦他都願意。古時叢林就是這樣，所以每半個月或者每一個月叢林中都是在晚上由和尚普說，半個月或一個月才普說一次，也許加上一次晚參，那麼大家就辛苦半個月、一個月，都甘之如飴，就爲了等待那一天和尚說法。像這樣當住持和尚比我好幹吧？對啊！我以前也幹過這樣的和尚，很容易過活，但是護持正法的功德也就小了。咱們現在很辛苦，週二講經，週末增上班，平常有處理不完的事務；而且今年十月開始的禪三，每回再增加一個梯次成爲三個梯次，眞比禪宗和尙辛苦。（編案：新冠疫情流行後改回兩個梯次。）

如果是以前禪宗的堂頭和尙，半個月普說一次就好了；普說一次也用不了兩個鐘頭，但我每週二坐在這裡要講兩個鐘頭。而且禪師普說有時幾分鐘就結束了，很快，大家也都接受，因爲往往一句話下突然相應也就悟了。那我們禪三普說講那麼久，這回禪三我少講了將近一個鐘頭，是從七點半講到九點，覺得還不錯，就沒有以前感覺那麼累，老人可以多睡一個鐘頭還是有差別的。所以你們不用擔心說：「**您每年春秋二季的禪三，能不能撐過三梯次？**」沒問題！保證沒問題的。說大話了。

那麼持清淨戒的比丘「**無法不樂**」，因爲他出家的宗旨就是爲了實證佛法，不是爲了當粥飯僧。如果要喝粥吃飯，在家營生還喝不到、吃不到嗎？出家貴爲僧寶所爲何來？就是爲了佛法的實證！所以持清淨戒的比丘若沒有佛法給他，他就不會快樂；若是有佛法給他，再辛苦他都還是快樂的。所以有時說布施，有時說持戒，有時說忍辱，有時說精進，有時說禪定，有時說智慧，他都喜樂。

堂頭和尚有時說布施，他就會想：「我應該要實證佛法，然後我可以為信眾作法布施。」堂頭和尚說布施時他會想：「我應該布施給眾生法上的無畏。」他會這樣想。如果心不清淨的比丘聽到堂頭和尚說布施，他心裡就想：「堂頭和尚這一說，大概又有很多信眾會送錢來。」他就想到錢去，不清淨與清淨就不一樣了。有的比丘產生反面的想法：「堂頭和尚說布施，一定是想要信眾來供養他。」他自己不清淨，倒把堂頭和尚也想得不清淨。那清淨戒的比丘不是這樣，所以堂頭和尚說布施，說持戒，說忍辱、精進、禪定、智慧，他全都歡喜，詳細去體會堂頭和尚所說那一些法中的意旨。

假使演繹《佛藏經》這一類令「破戒比丘」討厭畏懼的經典佛法，他也全都喜樂。我講這一部經，沒有看到你們比丘、比丘尼皺眉頭，這證明什麼？證明是個正法道場，而諸位是清淨的出家修行人。假使是一般的比丘、比丘尼，心中都在想著孔方兄，那他們聽我講這一部經不會歡喜的；雖然我沒有多作發揮，只是依照經文將該講的講解而已，但他們也不會歡喜。所以想來這部《佛藏經講義》將來流通時，應該前面十四輯會很暢銷，因為法義太妙了；可是後面幾輯，也許就不太有人買，因爲會外的大部分出家人不會喜歡，這是我的預料。所以將來後面五輯賣得不好，我也不會覺得難受，因爲已經早就知道必然如此。但假使很意外的後面五輯一樣暢銷，我就說：「臺灣佛教要復興了！」這段經文就是說明持清淨戒的比丘和破戒比丘的差異所在，如來是這樣告訴我們的。但是爲了法的清淨，還得要更多的清淨，所以如來又開示說：

經文：【「舍利弗！有三種人聞說是經心則憂惱，何等爲三？一者破戒比丘，二者增上慢人，三者不淨說法。復有三種人聞如是經，心則憂惱。何等爲三？一者人見，二者命見，三者我見。舍利弗！我今明瞭告汝，如好善知識以慈愍心，爲人求利求樂求安隱，汝等一心聽受我語，常求善利，心勿放逸。」】

語譯：【世尊又開示說：「舍利弗！有三種人聽聞善知識演說這樣的經典，心中就會產生憂愁與煩惱，是哪三種人呢？第一種是破戒的比丘，第二種是增上慢的人，第三種是不淨說法的人。另外有三種人聽聞像這樣的經典，心中就會產生憂愁與煩惱。哪三種人呢？第一種是落入人見之中的人，第二種是有壽命見的人，第三種是沒有斷除我見的人。舍利弗！我如今明瞭告訴你，猶如好善知識以慈愍之心，為別人求得此世來世利益、為別人求得此世來世快樂、為別人尋求安隱之法，你們應當要一心來聽受我所說的話，要持續不斷地追求良善的利益，心裡不要有放逸。」】

講義：如來先舉示一個概略給我們知道，說有三種人聽到這樣的經典、這樣的法，心中會產生憂愁與煩惱；第一是「破戒比丘」，第二是「增上慢人」，第三是「不淨說法」的人。「破戒比丘」聽了善知識演說這樣的佛法，他心裡一定想：「是在說我、又在說我、不斷在說我。」他心中憂愁苦惱，不會快樂，當然就像 如來在前一段說的：「如果他忽然間起一念懺悔，那他就會成為淨戒比丘，於法的實證就會有希望。」可是「破戒比丘」是不會懺悔的，當然心中憂愁苦惱啊！

第二種人是「增上慢人」，當你演說這種經典時，他心裡想：「這部經典講的是『無分別法』、『無名相法』，可是我說的都是有分別的法，都是有名相的法，我原本以為是沒分別的，結果沒想到還是有分別。」他心裡就想：

「那個善知識說這樣的法，是不是影射我講錯了法？」他會這樣想，因為他未證言證，未悟謂悟；所以聽到人家講出最勝妙的法，而且是如實演說，他心裡就生起憂心；憂什麼呢？憂別人聽到這位善知識說法以後，就知道他以前自以為悟而講錯了，所以憂心。然後他也馬上就聯想到：「別人知道我講錯了，就會知道我沒有實證，我所謂的實證、我所謂的開悟是假的，人家聽聞善知識說法以後一比較就顯出我悟錯了，那他們一定會想我是個大妄語者，他們都會瞧不起我，可能背地裡都還會罵我。」於是他知道自己成為「增上慢人」，心裡有煩惱、有苦惱，這是可想而知的事啊！

第三種人是「不淨說法」，「不淨說法」和「增上慢人」說法又不一樣，增上慢人是未悟言悟、未證謂證而誇大其詞來說法；可是不淨說法者是因為沒有實證，自己在講解時是猜測臆想而說出來，他自己也覺得不太有把握；但因為他愛出頭，才能聚眾而得供養，所以不懂的就猜測臆想而妄說虛說，成為「不淨說法」者。如果不是愛出頭、貪名聞利養，他就不會成為「不淨說法」的人。那這個「不淨說法」的內涵，如來在下一段經文就會告訴我們，我們這裡就不提前細說。

如來又說，還有三種人聽聞像《佛藏經》這樣的經典，心中也會憂愁煩惱，第一種人就是「人見」，「人見」就是說他一天到晚在眾生身上看見是是非非、都是在追求個人自己的利益，他認為說這樣是對的、是正常的；也是認為眾生的存在本質上是真實不虛的，不認為眾生都只是假合而有並非真實。出家身為比丘而竟然會這樣想，以前不知道那叫作「人見」，現在聽聞到這個經法而知道這樣叫作「人見」，他心中就有憂惱愁苦。

第二種是「命見」者，「命見」就是壽命見，從世俗層面來說，就是希望自己活久一點，想要活久一點就怕死，結果了義經中說實際上沒有我、人、眾生、壽者，那他心裡想：「人就是要活久一點，多享受一點，為什麼這也不行、那也不行？結果又說真正實證的境界是離名相的，是沒有語言道的，是沒有見聞覺知的，那這樣子，我為人家說法，或者我平常與信眾往來，我的所言所行都落在壽命見裡，信眾會不會瞧不起我？會不會看穿了我？」從法上來說，就是把命根當作有情的根本，認為命根在就有壽命，有情便能出生與存在；因此對了義佛法就不能理解，也怕壽命很快終了，於是他就有憂心、就有愁苦了，於是煩惱一大堆。

第三種是「我見」，本來都說「我是證悟的聖人」，也對大眾說「開悟的聖人說話是不騙人的」，現在可好，有善知識將這樣的經典講了出來時，卻說應該是「無名相」的境界才是證悟的境界，應該是永遠都「無分別」的境界才是實相的境界，說那是「離語言道」的，他想：「可是我所悟的這個心都是跟語言道相應的，是會與名相相應的，那善知識演說了這部經典就顯示我悟錯了，怎麼辦？信眾會越來越少，供養也會越來越少，那我這個道場怎麼維持呢？」憂心、愁苦、悲惱都有了。所以說，與實證的內涵不相應的人，或者在事相上破戒、增上慢、不淨說法的人，聽聞到這樣的經典都會憂惱，這是正常的。

只有諸位聽聞這樣的經典不憂惱，只有我們的親教師們和諸位聽聞這樣的經典不憂惱；凡夫大法師開了佛法講座講到有名氣了，後來發覺這樣勝妙的經典講出來時，顯示的是「無名相」的境界、「離語言道」的境界、「無分別」的境界，於是他心裡想：「糟了！我要被看穿手腳了！」於是他心中憂愁煩惱；這一定免不掉的。那麼 如來講完前三種、後三種人以後，特地咐囑說：「舍利弗！我如今明明白白的告訴你們，你們應該像很好的善知識一

樣，以慈愍心來爲人們追求此世利後世利、此世樂後世樂，追求此世安隱、後世也安隱。」

愚癡人求此世的利益，不求後世利益；求此世快樂，不求後世快樂；求此世安隱，不求後世安隱；所以不應該作的事情他們也作，或者以前不懂而作過，現在知道了還是不肯改正。但 如來希望大家求此世樂、後世樂，乃至此世安隱、後世安隱，不要只追求一生一世或一時的安隱快樂。因此又繼續咐囑舍利弗等大眾說：「**你們都要一心聽受我的話，要經常性、永遠都要求好的利益，不要求不好的利益。**」善利與惡利不同，惡利是只求世間利，只求這一世的利益，只求一己之利；善利是求世間利也求出世間利，求此世利也求來世利，求自己利益、眾生也得利益，這樣才眞的叫作善利；求此世安隱也得未來世安隱，這才是「**善利**」。

然而求這樣的「**善利**」是辛苦的，爲自己、也爲大眾雖然很辛苦，卻要努力去作，所以吩咐大家說：「**心勿放逸！**」這個放逸不只要從言行上是否放逸來看，還得要從內心是否放逸來看。一般佛門大師們教導大家不要放逸，都只是在身口上說，所以每天拘身常坐、禁語不言，看來很精進，對吧？

可是心裡妄想一大堆，放逸到不得了，但表面上都看不出來。所以我有時候說：「**眞正的不放逸，那是心不放逸。**」

假使一天到晚在爲眾生作事，可是憶佛的淨念始終帶著，那是眞正的不放逸；你看他好像都沒在打坐，可是你知道他的心中都是淨念相繼或依眞如境界而住的狀況，就說他其實是一天到晚都在宴坐；雖然他的身行都在作事，心中是淨念相繼的，那就是宴坐。如果悟後轉依眞如的作意——不貪不求，一心爲正法、爲眾生去作事，這才是眞正宴坐。因爲「**不於三界現身意**」，全部所作所爲都是爲正法、依於眞如作依止來作事，這才是眞正的不放逸。如來爲出家的比丘、比丘尼說的不止心不放逸，身口還得不放逸，所以說「**心勿放逸**」，這是出家眾應該要遵守的告誡，只是現代難得其人。如來接著就針對這一段經文所說，又開始爲大家開示，我們來恭聆：

經文：【「舍利弗！不淨說法者有五過失，何等爲五？一者自言盡知佛法，二者說佛經時出諸經中相違過失，三者於諸法中心疑不信，四者自以所知非他經法，五者以利養故爲人說法。舍利弗！如是說者，我說此人當墮地獄，

不至涅槃。」】

語譯：【世尊開示說：「舍利弗！不清淨說法的人有五種過失，是哪五種過失呢？第一種過失是自己向人家宣稱所有的佛法他全部知道；第二種人是演說佛經時向大眾提出來說『諸經中好像有哪一些互相違背』的過失；第三種人是於如來諸經中所說的法，心中懷著疑惑而不信受；第四種人是以自己的所知來非議其他經典中所說的法；第五種過失是爲了求得利養的緣故才爲人說法。舍利弗！像這樣出世說法的人，我說這種人將來死後將會下墮於地獄，他沒有辦法到達涅槃的境界。」】

講義：完了！那一些「不淨說法」的人死後會怎麼辦？很多人愛出頭說法，目的是爲什麼？爲了名聞利養。那麼這種「不淨說法」的人不是現在才有，從天竺就開始有了，所以你們看啊：佛護、清辨、安惠、寂天……好多人，後來的西藏就更多了，舉之不盡。不說別的，單說《成唯識論》舉證的十大論師中，除了護法等少數幾位以外，其他都是邪師，都是「不淨說法」者；他們死後是要下地獄的，可是有多少人肯信受　如來這樣的預記？「不淨說法」會導致　如來聖教早日滅沒，因爲「不淨說法」的人很多時，正法的聲音就傳不出來，就被遮蓋了。

就好像我們去到書局找到宗教類的書櫃時，不管是一大櫃、兩大櫃，你一看，就想：「唉呀！說佛法的書籍這麼多，我要買哪一本？」買來買去大多是「不淨說法」的書籍。想要買到一本眞正演說清淨法、了義法的書籍，很不容易找到，確實不容易找到。偶爾有正法的書籍，有多少人能看得到、買得到？大部分都被掩蓋了，所以導致正法難以弘傳，因此說，「不淨說法」的書籍流通出去時，那些出書的人是有罪過的，因爲他們等於在遮障正法，至少他們是把正法書籍給稀釋掉，讓眞正的學人不容易找到，所以有很大的過失，死後要下墮地獄。這是在《阿含經》中早就開示過的道理。今天講到這裡。

《佛藏經》上週講到四十五頁倒數第一段第一行：「何等爲五？」就是說「不淨說法」有五種過失，這五種過失在末法時代的佛教界很少人知道，也很少人提及；甚至少數知道的人也不願意提起，都不願意說出來，所以任由「不淨說法」的現象普遍存在佛教界，一直廣泛地存在。那麼 如來在這裡說：「不淨說法」的人有五種過失。

第一就是「**自言盡知佛法**」。在正覺弘法之前，好像許多道場都說佛法他們都知道了，上從堂頭和尚，下到信徒們大概都是這樣講。我也常常提起：初學佛的人才學一、二年，就說：「**佛法我都知道了！**」他所謂的知道就是說，佛法不過是四聖諦、八正道、十二因緣，就沒有其他的法了。因為各大山頭是這樣教，以前所有法師們的所知，也是僅止於此；想要再更深入一點就沒有了，因為師父們都說「**所有佛法就只是這樣**」，因此大家都認為「**就只有這一些**」。可不知道那些並不是佛法，只是二乘法——聲聞緣覺法，不是真正的佛法；那些叫作羅漢法、緣覺法，不是成佛之法，但以前他們都「**自言盡知佛法**」。

打從正覺開始弘法以後，講第八識如來藏，講阿賴耶識、異熟識、真如等，臺灣佛教界大家都不習慣；不但大山頭不習慣，信眾們也都不習慣。所以當年咱們言之諄諄，他們可是聽者藐藐，不當一回事。甚至於臺北的大山頭說：「**正覺說的法不如法。**」有的大山頭乾脆說：「**正覺是邪魔外道。**」可是隨著我們開始針對那一些妄議正法的大山頭或者大師們作法義的辨正以後，他們才知道：「**原來第八識如來藏的法是這麼厲害，咱們都應付不了！**」

於是漸漸地改從各方面開始評論：「你只懂禪啦！你哪懂唯識？」「你只懂唯識啦！你哪懂密宗藏傳佛教？」於是隨著我們一樣一樣去回應而寫書出來以後，現在他們都閉嘴生悶氣了。

因爲他們隨便妄議我們而不得不回應的，可以講的我大概都講了，包括解脫道南傳佛法我們都講了，如果要說我還沒有講的，大概就只是律部了。但是律部經典，我也講了《優婆塞戒經》，就差《五分律》或者《摩訶僧祇律》我沒提出來講。但我想，如果哪一天在週二開始來講《摩訶僧祇律》，可能大家都會聽得很厭煩，因爲那不適合作爲說法的主題，那是出家者應該有的律儀，而不是四眾在法上修證的內涵，所以大概沒機會再講。因爲大部分的修行者是優婆塞、優婆夷，而且《優婆塞戒經》中說的有事有理，也講了不少了義法，所以咱們講了《優婆塞戒經》應該也夠了。

我們講了那麼多的法、寫了那麼多的書以後，諸位沒有聽我講過一句話說「我盡知佛法」吧？我從來不敢說我全部都懂，我總是說：「我懂得的就告訴你吧！」當年也有人拿八地菩薩所證的境界來問我，我直接告訴他：「那是八地菩薩的境界，你別問我。」那他就覺得我的證量很差，他想我是很差的，因為他們是證佛地眞如的人；而我連八地境界都不懂，有什麼資格跟他們對話。可是後來也眞的證明我沒有資格跟他們對話，因為他們轉依不成功，回墮離念靈知誤認作佛地眞如，離我太遠。太遠的意思諸位懂了？他們連跟會裡的親教師對話都難，因為他們否定了阿賴耶識以後還說有眞如可證，法上就講不通了。經過這樣幾番波折之後，現在佛教界很多大師們大概都會說：「**佛法我不太懂。**」

口上不說，心裡也大概這麼想的。因為那些自稱成佛的大師們，例如釋印順同意把他的傳記書名叫作《看見佛陀在人間》，那不正是自稱成佛了嗎？還有他的弟子自稱為「宇宙大覺者」，把自己的身相面相雕成佛像，每年浴佛節讓人家來浴佛；這一些自稱成佛的人被我這個距離八地還遠的人評論了以後都不敢吭聲，可是我這個人從來不敢說：「**我盡知佛法。**」我總是說：「**我不知道。**」可是不懂佛法的人都會說：「**我全部都知道，佛法就只是這樣而已。**」若是你提出的問題是我所不知的，我就告訴你：「**我不把知道的告訴你。**」

可是大家都沒想到，打從以前成佛的諸佛到現在的十方諸佛，也沒有哪一尊佛會故意憍慢而告訴大家說：「**所有佛法我全部都知道。**」都只是把所有的佛法告訴你，在實際上顯示已經全部知道。如來只會說自己是無上覺，是正遍知，但不會以低俗的口語告訴你說：「佛法我全部都知道。」人家已經是無上正等正覺、是正遍知，不會這樣說；可是凡夫大法師們連我見都沒有斷，都還在主張意識是常住的，就自稱成佛了，然後說：「所有佛法我全都知道。」這就是「不淨說法」的第一個現象。如果有人告訴你說：「所有佛法我都知道。」這樣的大師你就不要信，信了就是自己找麻煩來遮障道業，因爲這樣的人所說的法，只會給你錯誤的、偏邪的知見，不會給你眞正的、可以實修的而且是有證量的佛法。所以遇到有人說他全部都知道，那麼諸位可以遠離，以免被繼續誤導。這是「不淨說法」的第一個過失。

第二個過失是「說佛經時出諸經中相違過失」。當他這樣作時就表示他不懂佛法，懂佛法的人不會這樣。例如佛學學術界以及學術派的法師們或者道場，他們常常會說：「解脫道裡說五陰、十八界是虛妄的，一切諸法都是生滅無常。可是來到《般若經》時一切法空之後，卻又告訴你有個眞如常住；既然初轉法輪阿含期說一切法生滅無常故無我，到般若期說一切法空卻又說眞如常住，到了第三轉法輪卻又告訴你一切諸法不生不滅本來涅槃，這樣前後三轉法輪是互相有所違背的，而且第三轉法輪說的跟初轉法輪是相顛倒的，所以是有問題的，因此證明第二轉法輪、第三轉法輪諸經都是後人創造的，不是佛說。」

我相信諸位來正覺之前大約都聽過這樣的說法，也讀過這樣的書籍。不但釋印順他們那一派那樣講，而後來學密的陳履安弄個眾生出版社出版達賴的書，也說「釋迦世尊前後三轉法輪說法互相矛盾」，這是公開謗佛，也是公開謗法，同時也就兼而公開謗僧；因為自古以來的勝義菩薩僧所寫的論，就被他們全都罵進去了。而我們證實不是他們所說的那樣，所以我們講正法、寫正法、出正法的書籍，我們出版社便叫作「正智」出版社；那麼出版亂七八糟亂講法的書籍，說的都是世間眾生所墮境界的書籍，那出版社所流通的書籍講的都是眾生性，當然要叫作「眾生」出版社。連謗佛、謗法、謗勝義僧的書他都可以出，所以他那個出版社那樣的名稱，那樣的命名也是恰到好處，值得認同。

想想看，他們「出諸經中相違過失」，可是本來就沒有過失的前後三轉法輪經典，被他們反說成有過失，對我們而言卻是從來都沒有問題，前後的法義都是互相通達連貫，只有由淺至深、由狹而廣的差別，都沒有互相牴觸之處，他們卻說有牴觸、有矛盾，這表示他們完全不懂才會這樣說。那麼沒有矛盾、沒有牴觸的原因，我們講經說法以來已經說得很多了，這裡就不必再重複。但因爲他們不懂，所以指出來說：「《阿含經》怎麼講，《般若經》卻這樣講，這就不對！」然後又舉出來說：「《阿含經》怎麼講，第三轉法輪方廣諸經竟然這麼講，所以前後矛盾互相違背。」這就是「說佛經時出諸經中相違過失」。所有實證的人只要聽他們講出這麼一句話，就知道他們是個凡夫；很容易判斷的，他們就屬於「不淨說法」者。

第三個過失是「於諸法中心疑不信」。他們會「出諸經中相違過失」就表示不能理解那一些經典中所說的諸法淺深之分、廣狹之別；是因爲他們完全沒有證量，那他們對於諸經中所說的法當然就疑心而不信受。且不說諸經中的說法，單說我十幾年前講的《邪見與佛法》，把很深的法用很淺顯易懂的方式講出來，整理成書流通了，到現在也沒看到哪個道場的堂頭和尚說：「這本書講的還是正確的。」從來沒有。我們也不斷說明意識是生滅的，至今也沒見哪個山頭出來承認說：「意識眞是生滅的。」始終沒有！這表示他們對於經中說的十八界、五蘊生滅不住、無常苦空無我的道理，始終不相信，都還在疑心。

他們會疑心說：「如果依照如來在《阿含經》的教導，入無餘涅槃時是把五蘊十八界、內六入、外六入全都給滅了，是要把名色全部都滅了，那麼入涅槃以後是不是變斷滅空？」但是如來在《阿含經》中說涅槃中有本際，也說有能生名色的識，而他們都不信、不知。或者說他們根本讀不懂，因此對《阿含經》就已經不信了，對於《般若經》就更不信；因爲《般若經》比《阿含經》更難懂，所以更加不信。那麼「不淨說法」的人心中既然對諸法有所懷疑而不信受，那他們上座爲人說法時一定口是心非！但又不得不隨順經文說：「這個應該如何，那個應該如何。」可是心中懷疑著，講起法來就是閃閃爍爍。

所以假使說法時閃閃爍爍，那是有問題的人，就是信不具足的新學菩薩。往常有一些大師小師評論說：「這蕭平實說法斬釘截鐵，說一定如何、一定如何；哪有人說法是這樣的，一點謙虛都沒有。」原來說法是要謙虛，老是說自己講的不一定正確喔？所以當我們出來說法時，舉證說證悟應該什麼樣的內容，見性是應該眼見為憑時，諸方大師就說：「**說法要謙虛一點，悟了不必給人家知道嘛！**」問題是他們也出來演說《六祖壇經》，六祖一開始就是長篇累牘標榜自己是如何開悟的呀！我還沒有一出來說法就標榜怎麼開悟的。我有不斷標榜說我開悟時是怎麼樣怎麼樣的嗎？我只是輕描淡寫說我證悟後當時是怎麼樣的，然後我開始說法了。

如果依照某大法師說的，悟了不能夠讓人家知道，那麼從近代證悟者一直往前追溯到如來，都是悟了而讓人家知道的，特別是六祖慧能。如果悟了不能夠讓人家知道，是不是悟了要趕快入涅槃？否則遲早會讓人家知道的。禪宗也有一句話說得很好：「**如錐處囊。**」那布囊裡裝著錐子，除非一直把它擺著不揹出去，若是把布囊揹著走來走去，一下走到這裡、一下走到那裡，那錐子遲早會戳出布囊的，絕對藏不住的。你若有智慧，說法講話就會跟人家不同；人家說意識是常住的、是不滅的，你不會跟著說意識不滅、意識常住，一定從心裡直接講出來說：「**意識是生滅法。**」那人家就會知道了，怎麼可能不讓人家知道？你蕭平實上座說法，依大法師的看法，是否應該先跟大眾聲明說：「**我蕭平實好像是沒有悟啦！所以我說法時得要很謙**

虛，我說的法也有可能是這樣、有可能是那樣，你們斟酌看看吧！」

如果正法講了出來以後又說：「可能這樣是對的。」那諸位信不信？沒人信啊！若是沒人信，你還能度人家實證？才怪！所以那些大法師說的話，叫作心不由衷、口不直言，不該說的話也說了。本來是一個證悟者的形象，是很良好的形象，然而眞夠倒楣，跟蕭平實生在同一個年代，示現證悟之相以後蕭平實又出來說證悟的內容，說得斬釘截鐵又跟我們不一樣，那我們怎麼收拾局面？得要想方設法：我們不要公開大妄語，但是又可以大家繼續相信我們有證悟。於是想了一個高招，就是講經說法時告訴大家說：「開悟的人不會說他是有開悟的。」然後就講到別的地方去，過了一會兒，在大家對那一句話還有印象時，就接著說：「師父我從來沒有說過我有開悟。」

他的意思是讓大家知道：「師父我是有開悟的。」可是表面上看來他又沒有大妄語業；這叫作好像沒有大妄語業，因爲是方便大妄語，可是就迷倒很多人，因爲人類有只看表面的愚癡性，當他道場大、名氣大時，大家就迷信他了！所以我前些時聽到有的同修告訴我說：「老師啊！您都不知道您有好多粉絲。」我驚奇地說：「我有粉絲？不對吧？來到同修會學法是學實證的智慧，怎麼會變成粉絲？」粉絲的定義是什麼？就是個「迷」字。所以喜歡打球有球迷，喜歡收集郵票有郵迷，愛聽歌就有歌迷……等，種種的迷都有；我都不太清楚那些迷，因爲我不迷。讓人家當面恭維「你是標準的歌迷」時，他還洋洋得意，不知道人家其實是在糟蹋他說：「你對於歌太迷了，迷到過火了！」是糟蹋他，他還洋洋得意。

對那一些世間法著迷，就表示智慧不夠才會著迷，智慧夠的人不迷。如果有人成爲我的粉絲，這表示我的教育失敗，因爲我教育大家要有智慧，來到同修會是要以智慧爲歸。我不斷地教育大家怎麼樣有智慧來分別法與非法，來分別正道與非正道；結果有少部分人進正覺同修會變成我的粉絲，那就是迷失了。這就只有兩個可能，第一個可能是我教育失敗，第二是他進來學法沒有學好，才會成爲我的粉絲。那要叫作什麼迷？不能叫法迷，法哪有迷的？你亂講！不能叫作法迷，所以正覺的學員都不應該有迷。

也就是說，於法有正信的人心中無疑，頂多只有說：「我的證量還沒有到，我把它暫時封存，繼續努力。」但是於　如來所說永遠無疑，除非那一部經典你疑心是僞經，就另當別論；但是在疑心之時，還沒有確認它是僞經之前，你也不能直接說它是僞經；但是當你確認時就應該公開說明這一部經之所以成爲僞經的道理，要把理由具體加以說明，讓佛教界瞭解這一部眞的是僞經，不能只是口說而不舉證辨理。就像〈六字大明咒〉出處的那一部密經，我們明確舉出很多理由，證明它是僞經。當你要指稱一部經時，必須要有具體的理由一一加以說明，那個理由是如實的、是充分的，才可以說它是僞經；否則那個謗佛、謗法的惡業，死後難以承受啊！

可是會謗佛、謗法、謗經，問題就是出在他對經中所說心疑不信；心疑不信的根本原因是因爲他沒有實證，假使他實證了就不用疑心。所以在這二、三百年來很多大師小師在否定《楞嚴經》，說《楞嚴經》是僞經時，甚至於還有個呂澂大居士於民國初年寫了一篇文章（雖然分量還蠻多的），文名叫〈楞嚴百僞〉；他舉一百個理由說《楞嚴經》是僞經，可是我說那沒道理，因爲他是依六識論的邪見來指稱是僞經，但六識論根本就不是佛法。我讀《楞嚴經》時發覺那眞是非常深妙、非常深奧的法，連眞悟的人都只能懂得其中小部分，證明那小部分是正法，因爲可以現證，怎麼可能是僞經？所以我偏偏要講《楞嚴經》，如今沒有人再敢說《楞嚴經》是僞經，因爲那裡面的法是實證的，也是可以重複印證，卻是一切凡夫與阿羅漢們之所不知。

凡夫大師們別說要瞭解其中的正義，連言詞的表面都不懂；甚至他們對經中的經文字意也不懂——連文字表面的意思都不懂。所以你看《楞嚴經》最有名的觀音耳根圓通法門，被大師們解釋成什麼？解釋成修定的法而說你最好去住在海邊聽海潮音，說要讓那海潮音從右耳入再從左耳出，左耳入就右耳出，都不要留下來，讓它流掉。這一來就變成無所事事的人，坐在那邊聽海潮音；這與觀音法門根本風馬牛不相及，實際上與耳根圓通法門的正義八竿子也打不著，完全無關。觀世音菩薩太慈悲了，沒有去夢中打他幾棍，眞是太慈悲；要是我，我可沒那個度量，我就每晚入他夢裡，每晚打他三棍，打到他改口承認錯誤爲止，免得造下謗法大惡業。

他們是在謗 觀世音菩薩，把修定的法門說是 觀世音菩薩說的觀音法門，那不是謗 觀世音菩薩嗎？人家妙覺菩薩說的是：你要聽聞正法，瞭解蘊處界十二處、十八界等法全部都虛妄，然後要不斷地聽聞而把所有的邪知邪見都流亡掉；全都流掉以後，最後是要證眞如，是要把能聞、所聞的全都空掉而流亡等，是這個道理。結果他們說是要聽聲音而流亡掉，不要讓聲音住在心中，差這麼多！但是大家都不懂，無怪乎《楞嚴經》要被他們誹謗是僞經，是他們造成謗法風氣的啊！這一群凡夫指稱觀音法門是怎麼修的，另一群凡夫出來說：「你這樣講根本不對，你是依文解義的結果。」也有人說：「你說的符合經典所說，而《楞嚴經》與經典的說法不同，與佛法不合，所以是僞經。」就變成這樣；就成爲一群人來把它否定前半，然後另一群人再來否定後半，就整個完了。

那我想，《楞嚴經》經過我這麼一講，後代大概不會有人再誹謗是僞經了，而且未來世也可能不再有人敢註解《楞嚴經》了。假使後世我再來時讀了也只能認同，後世的我能否定它嗎？後世也不可能註解成比這一世寫的好；除非下一世我的道業又往上跳，那時可以講得更好，否則是不可能的。但是如果道業再往上跳，看完《楞嚴經講記》的內涵時，也沒有興趣再註解了，因爲再作註解就會成爲錦上添花，而那一些對眾生而言將會是空花，可望而不可及，那麼白費心神去補寫要幹嘛呢？再說了，如果道業又再往上跳，應該會護持某某人出來繼續弘法，咱家只會來跟你們入夢指點一下，平常不在人間說法了，因爲那時將是來來去去而沒有常住的地方；所以我估計未來不會再有人註解《楞嚴經》了，因爲《楞嚴經》之所以爲眞實經典，並且顯示其勝妙性的工作已經作完了。那我們爲什麼要這樣作？因爲肯定，全無疑心，所以我們就這樣把它註解了。

我們說法時也都是斬釘截鐵，如果有所疑，我就不會講出來。我不會告訴你說：「**可能是這樣的意思，也可能是那樣。**」如果我書中也寫「**可能這樣、可能那樣**」，當代多數人和後代人大概都會罵說：「**蕭平實是釋印順第二。**」因爲印順就是這樣，同一個法有時這樣講、有時那樣講；當人家說他這樣講不對時，他的門徒會說他也有那樣講，他自以爲說這樣是中道。但中道跟這樣講兩邊而互相矛盾無關，中道不是在說法上面模稜兩可，說法是必須斬釘截鐵不通商量的，是有一法永遠不墮兩邊而永處中道，就是實相境界的眞如。如來說法也沒有跟你說可能這樣、可能那樣，從來沒有，從來都是斬釘截鐵的。所以他們誤會中道也眞的很離譜，他們都是「**於諸法中心疑不信**」，這就是不淨說法者的第三個過失。

如來又說：「**四者自以所知非他經法，**」諸位看看釋印順寫了那麼多本書不就是這樣嗎？他只崇尙《阿含經》，卻非議般若以及第三轉法輪諸經。

他非議般若諸經，大意是說：「因爲般若講的是一切法空，那跟《阿含經》講的差不多，只是多一些名相來重新再講一遍，所以般若經的法教應該判爲性空唯名。《般若經》其實不是佛說的，但因爲它說的跟佛陀在《阿含經》說的道理一樣，因此也可以叫作佛經。」他是這樣講的。可是問題又來了：對於他所認定爲 佛說的《阿含經》，他又沒有全部接受；他只選擇其中的小部分接受，大部分都不接受。你說這樣的人還可以稱爲佛門的法師嗎？至於第三轉法輪諸經，他是完全不接受的。

所以他是主張如來藏不存在的，說是 如來爲了那一些害怕落入斷滅空的人，所以建立說有如來藏，其實沒有如來藏；就這樣講。但他是對《楞伽經》斷章取義乃至是斷句取義，經中不是像他那樣講的，他是在毀謗 佛陀。那麼他們的標準說法是認爲：如來藏的說法是自性見外道的法。就這樣誹謗，這就是「**非他經法**」的具體典型。至於第三轉法輪其餘的經典、其餘的法，由於跟他所認知的六識法不相同，他就加以非議。但對我們來講《阿含經》全部都正確，所有的般若經典也都正確，第三轉法輪方廣經典、唯識經典全都正確，並且互相沒有矛盾、沒有衝突。但他們不懂，從文字表面理解並作比對，覺得好像不一樣，其實是他們不懂，然後就以自己的所知來非議經典、非議正法，這是凡夫大師的第四個過失，我們因此說釋印順也屬於「不淨說法」者。

那麼「**不淨說法**」者還有第五個過失：「**以利養故爲人說法。**」爲了利養而爲別人說法，說法的目的是爲了利養，所以那些大法師們如果舉辦大型的說法盛會，你們進場時都會看到一個現象，左一個功德箱，右一個功德箱，不論去到哪裡都看得到，現場有好多個功德箱。不但說法時這樣，我記得那時在臺灣大學體育館，佛光山從大陸請了佛指舍利過來，供在那裡讓大家瞻仰禮拜，也是好多的功德箱；然後那佛指舍利周遭還站了四個喇嘛，把破壞佛法最嚴重的喇嘛們找來當作護法者，還給他們很好聽的名稱，叫作金剛護法。他們用什麼金剛來護法？諸位想想看，那是在羞辱 如來欸！所以有一位老師跟我一起去禮拜佛指舍利時，看到這些現象，他忍不住跪在地上痛哭；我能怎麼安慰？只好摟著他的肩膀，還能怎麼樣？神聖莊嚴的佛指舍利，就被他們弄到那個樣子。

所以這些人不論作什麼都是爲利養，那是他們還沒有轉型之前的事，才會辦理那次佛指舍利的梵唄法會。法會的定義是說法之會，這才是眞正的法會，他們那個應該叫作梵唄之會，不是眞法會。所以他們不論是梵唄的儀軌或者說法之會，全部都是爲了錢。聽說有些法師租了體育館或什麼大場館，辦一次梁皇寶懺就進帳幾千萬元。我才一聽就說：「**嚇死人！沒有眞正的法，只要辦個梵唄就可以有幾千萬元收入，好厲害！好厲害！**」但是無妨，爲什麼我說無妨？因爲有的眾生喜歡這樣，藉這個機會幫他們跟佛教結上好緣，也沒有壞處，我可以接受；只要不妄說法都行，不誹謗正法都行。

因爲有的人從來都沒接觸過佛法，但是心裡想：「**我要超度祖先，需要這個法會。**」就來參加，於是規定內壇壇主一千萬元，或者名氣較小的法師就另外規定少一些，也都無妨，反正內壇功德主家裡很有錢，弄一些錢到佛教來也好，不一定有壞處，否則他留給子孫也是花掉。至於信眾，有的來捐個五千、捐個三千元，都來報名參加，他們是爲了利益祖先，這也算是孝道，可以鼓勵，我不反對；所以儘管他們一場梁皇寶懺下來幾千萬元收入，我不吭聲，還認同他們，因爲至少讓民間人士接觸到佛教。假使哪一天那些信徒對佛法有興趣了，或者轉眼過二十年後，當年四十歲，現在六十歲，心想：

「我應該學點什麼吧？」然後他來學了佛法，這也好，所以這個無妨，但不要妄說法。

所以釋印順一生都不搞錢，可是他不斷地虛妄說法，我就完全不認同，因爲他是從根本在破壞佛教。假使有人出來說法是爲利養，這本來是應該要反對的，出來說法時把正法給眾生，正法需要護持，所以護持你的道場那是眾生的事，但不應該爲了利養而出來爲人說法；這就是我的看法。所以說法時在那邊廣設功德箱，這是不如理、不如法的。諸位想想看，假使 佛陀說法時到處是功德箱，你覺得怎麼樣？我看 佛陀恐怕也要罵人吧，一定會找了主事者來明知故問，看是誰放了功德箱，然後一開口就說：「汝愚癡人！」佛陀是會這樣說的。

那我們從來不放功德箱，不管作什麼法事都一樣；所有親教師們也不開口勸募，你們來共修，有的人已經二十來年了，沒聽過我們講一句話說：「同修會現在沒錢了。」從來沒有，更別提說「你們要護持錢財」。從來沒有，護持正法是各人自動發心所作的事，修集的福德也是各人自己的；會裡有錢時我作多一點事，沒有錢時我作少一點事，就這麼樣而已。你們捐錢，我也是每年捐錢，就是這樣。所以不要爲利養而出世爲人說法，那叫作愚癡人，那也是販賣佛法；販賣佛法的結果，本來爲人說法時還有許多福德，未來世福德不可限量，結果他們不斷地收錢，把福德一直耗損；耗損了福德而收得的那一些錢，也不能請人在他死後爲他匯到下一世去；就算有宿命通，下一世明知道自己是誰，人家也不承認他，法律上也不承認他，前世的子女也不會承認他。

就算他向子女證明就是前世的老爸，子女也會告訴他說：「**老爸！你是在講上一世，但現在是來到這一世，你已不是上一世的你，你沒有權利跟我講什麼話，要錢沒有！**」對不對？一定這樣的，頂多每個月供養一些錢讓他生活就是了，想要把以前的銀行存款與財產拿回去，沒得談！既然這樣，何必要收那麼多供養幹什麼？帶不去未來世，倒不如布施出去；布施以後成爲來世的世間福報，這些錢財就存在自己的如來藏銀行，這樣最好也最保險，如來藏銀行誰也無法搶、誰也搶不走啊！依舊是來世的自己得受用，別人都無可奈何，也沒有人可以講話。

所以「**以利養故爲人說法**」眞是愚癡人，假使證悟以後爲了謀求利養而四處說法，就算有悟，證量也不會高；因爲悟後要轉依，轉依越成功就越不貪錢財，想的是　如來的正教要怎麼樣長久住持，其他的就不考慮。因爲明知道這是無常物，只有眞如是常、佛性是常，其餘皆是無常。爲了利養而說法，收得再多錢財又帶不去未來世，能帶去未來世的方式就是培集福德、廣作布施；在成佛之道中，培集福德都來不及了，爲什麼還去損耗福德？這樣瞭解才是正道。

也就是說，如果他說法的目的是爲利養，所以賣門票：「**我來某地說某種法，總共一千個座位，一個座位賣五萬塊錢。**」那他可能說一場法就賺得幾千萬元，這是標準的「**以利養故爲人說法**」，像這樣的人，你們可以確定他是沒有證量的。所以你看達賴每一次來臺說法時都是要賣門票，有沒有？一張門票幾千塊錢臺幣；信徒若是有另外供養他時，他就是私下相見時再爲信徒摸一摸頭，信徒就給他一個紅包供養。那些信徒很笨，都沒想到他那一雙手多髒；對啊！他是專門搞雙身法的人，他的手會清淨嗎？對喔？結果大家去給那一隻污穢的手摸了頭，被弄髒了頭還要給錢，世間就有那麼笨的人。咱們聰明人不幹傻事，看穿了他的底蘊，所以我們知道不管他說什麼法，都是「不淨說法」。

如來說，「不淨說法」者有五過失，總共是這五個；說完了，如來作一個結論說：「**舍利弗！如是說者，我說此人當墮地獄，不至涅槃。**」諸位可以檢討末法時代那一些說法者，特別是自以為悟而為人說法的出家人、在家人都一樣，看這五個過失他們犯了多少？最少犯一個，有人犯兩個，有人犯三個、四個；那密宗假藏傳佛教的喇嘛們是五個都犯。如來說：「**像這樣為人說法的人，死後將會下墮地獄，他們都沒有辦法到達涅槃境界。**」

所以在這裡我也要告訴我可能會有的粉絲們：假使我哪一天要求你供養我五百萬、一千萬元，假使我看中了你身價幾百億元，就說「**你拿兩億元來給我花**」，假使有這麼一天，你們必須當下棄我而去，千萬不要再來找我。因為如果我哪一天這樣作了，表示我是地獄種姓，一點證量也沒有才可能這樣作。我值得大家追隨，是因為我是個傻瓜；我把法給大家，每年還捐錢來護持正法，我是個大傻瓜；正因為是大傻瓜，我才值得諸位追隨。

這大傻瓜，我要問諸位了：三界中最大的傻瓜是誰？對了！正是如來藏，你們都講對了。就是要像如來藏這樣，雖然傻可是慈悲啊！把每一個眾生照顧得好好的，不管是自己過去無量世的眾生、現在世這個眾生、未來世無量數的自己五陰眾生，都照顧得好好的，不會無緣無故就要了自己的命。即使幹壞事也照樣讓他活得好好的，這不是傻嗎？傻呀！包括一天到晚辱罵祂的釋印順，祂也把釋印順照顧得好好的，這不是眞的傻嗎？眞是傻！可是你證得這個天下第一號大傻瓜、特大號的大傻瓜之後，你轉依祂當個傻瓜時，卻是智慧泉湧不斷地冒上來，這樣才是眞正的修學佛道。

如果我很聰明伶俐，每天編著說法告訴你：「我很需要錢。」或是告訴你：「我現在窮，米甕裡沒米。」你心裡就知道：「又是找我要錢。」應該趕快離開，因爲這個人一定沒有證量。這個道理諸位要知道，既然知道這樣，就不要再當粉絲了，要用智慧來親近這個法、來親近我學法，千萬不要當我的粉絲。如果哪一天我的粉絲越來越多，我眞的要起煩惱了，因爲我必須檢討：「我到底是哪個地方作錯了，或是哪一些法說錯了，會招引來這麼多的粉絲。」如果每一個人都是正信的、有正知正見的，看事情也看得透徹，那就不是粉絲了，我就不需要煩惱。粉絲多，有好些人喜歡或高興，可是我怕；因爲如果大多數都是粉絲，我走人以後這個正法團體就會大幅度的縮減，起不了護持正法的作用。

所以應該每一個人進了同修會以後都是有正知正見的，而且都能依如來藏爲歸——以法爲歸，努力求證眞如，證得眞如之後努力修行，共同繼續荷擔如來家業，這才是正覺的弟子，否則就跟外面那一些道場的信徒一樣。外面那些道場的追隨者百分之九十五是粉絲，粉絲可以說是死忠的，但卻是不理智的，不理智就會壞事，會耽誤了大師的道業。因爲他會自以爲：「我好厲害，我的信徒幾百萬、幾千萬人。」於是忘了「我是誰」，眞的忘了自己是一個凡夫，那他就不會檢討，就被粉絲害了。那粉絲如果知道這一點，應該醒覺來說：「我不要再害我師父了！」應該這樣想。可是粉絲們會不會這樣想？不會，所以叫作粉絲。

這是末法時代的正常現象，但是我們要設法把它加以扭轉，所以我們選了這一部經典來解說。如來說：「不淨說法的人死後將會下墮地獄。」有這五種狀況的人，我們是爲他們擔心的；可是他們拒絕恭讀此經，我在想這部經的講義將來出版時，他們大概也會拒絕閱讀。假使有哪個道場法主願意讀一讀，我就說他有機會得救、不墮三惡道；願意讀就懂得去懺摩滅罪，否則未來世堪憂啊！這「不淨說法」的五種過失 如來說過了，然後 如來苦口婆心又再爲我們開示：

經文：【「復次舍利弗！說法比丘處在大眾，信樂法者爲敷高座，捨佛正法而說外道嚴飾文辭；我久勤苦求是法寶，而此惡人捨置不說，但以經中相違語義，互相是非，不順正法；於聖法中高心自大，隨意而說，爲求利養。舍利弗！若比丘說法雜外道義，有善比丘勤求道者應從座去，何以故？舍利弗！有信白衣數置高座，不應演說外道諸義；若不去者非善比丘，亦復不名隨佛教者。舍利弗！說法甚難。如是說者，我說此人名爲外道、尼犍弟子，非佛弟子；是說法者命終之後，當生尼犍子道。何等是尼犍子道？邪見是尼犍子道。何等爲邪見？謂是地獄、畜生、餓鬼。何以故？舍利弗！身未證法而在高座，身自不知而教人者，法墮地獄。舍利弗！如是因緣如來悉知，我諸弟子以種種門，種種因緣，種種諸見，滅我正法。舍利弗！若有眾生，聞如是經第一義空無所有法，心歡喜者，當知是人眞我弟子。」】

語譯：【如來又開示說：「復次舍利弗！說法的比丘處在大眾之中，有信樂於正法的佛弟子爲他敷設高座，但是這比丘捨棄了佛的正法而爲大眾演說外道種種嚴飾的文辭；我釋迦牟尼長久勤苦求得這個法寶，而這個惡人竟然捨置不爲大家演說，只是以經中互相違背的言語道理，來互相是非，不隨順於正法；於如來的聖法之中以高慢心、自大心，爲大眾隨自己的意而說，爲了求得利養。舍利弗！如果比丘說法時夾雜著外道所說的義理，有善心的比丘、勤求佛道的人，應該從座位上起身離去，爲何這麼說呢？舍利弗！有信的白衣敷置高廣的座位時，比丘就不應該演說外道的種種義理；如果聽到外道的種種義理而不離去的人，他就不是善比丘，也不能稱之爲隨順佛陀教導的人。舍利弗！說法非常的困難。像這樣說的人，我說這個人就是外道、或是裸形外道，不是佛弟子；這樣說法的人命終之後，將會出生在尼犍子道之中。什麼人是尼犍子道？邪見就是尼犍子道。什麼是邪見呢？也就是地獄、畜生、餓鬼。爲何這麼說？舍利弗！自身沒有實證佛法而處在高座，自身不知道佛法而教導別人的人，依法應該要下墮在地獄中。舍利弗！像這樣的因緣如來全都知道，我後世的許多弟子以種種的法門，種種的因緣，種種的不同見解，來毀滅我所傳授的正法。舍利弗！如果有眾生，聽聞像這樣的經典

中所說第一義空的無所有法，心中歡喜的話，應當知道這樣的人眞是我釋迦牟尼的弟子。」】

講義：現在要先請問諸位，諸位是不是 釋迦如來的眞弟子？（大眾答：是！）太棒了！因爲你們對於「第一義空」的「無所有法」心中很歡喜。可是「第一義空」的「無所有法」到外面去講，人家聽了都起煩惱，難得有幾個人心中歡喜。那如果要叫我到外面去講，我能講給誰聽？所以我從來不出去會外講，只好每週二來這裡跟諸位講。你們看，到現在也沒有誰邀請我去講深妙法，對不對？因爲我開口「第一義空」閉口「無所有法」，或者開口「眞如無所有」，閉口「如來藏無所得」，誰請我去講？大家都是想要有所得。

而且我如果去說法時一定要求他們：「將來你如果有因緣得到這個法，不許藉這個法賺錢。」那麼有誰要邀請我去說法？所以你們去禪三很倒楣，〈宣誓文〉中就說：不可以藉這個法去獲取名聞利養，如果是在家人，連接受供養也不行。如果不是認同「無所得法」、「無所有法」，看到那〈宣誓文〉時就說：「我不參禪了，混完這幾天回家後我就離開正覺。」對吧？對啊！求有、求所得的人，一定這樣。所以咱們正覺是佛門中的異類，人家已經私底下在笑：「這蕭平實是個大傻瓜，有這個法可以傳給人家，收多少錢都沒問題，爲什麼就規定自己不能收，還規定別人不能收？」

可是我們這樣的大傻瓜才是聰明人，因爲無量無邊福德一世一世又累積下去，那成佛不是很快嗎？如果每一世爲人說法都收很多供養，這些供養留著能給誰？如果是在家就留給子女，子女也許等你走了，財產繼承好了就買勞斯萊斯來開，現在買雙B的車子已經是小兒科了。有這個勝妙難證之法在身，可以收上好幾億又好幾億元，那他們買勞斯萊斯時都不會心疼。如果是出家人，出家人死後交給誰？交給徒弟；未來徒弟日子過得很舒適，要什麼有什麼，過得比在家富人還要舒適，但大法師他自己呢？大損福德！下輩子可能連買間公寓都買不起，怎麼辦？那到底是聰明還是笨？正是笨啊！

當然有一種情況，譬如他出家以後修密法，好幾個比丘尼養在寺中，其實就等於皇后、皇妃一樣，當然他死後很多的錢還是留給孩子。當然是孩子，對不對？然後孩子也跟著出家，有沒有呢？你們也知道有。我是知道有的，但那還是傻瓜，焉知那孩子不是來要債的？而自己下一世卻可能要墮於三惡道中。假使有法實證了而這樣作，還是會墮於三惡道中。假使有法而是個在家人，廣收供養，雖然不墮三惡道，但來世將會當窮光蛋。所以一個很有智慧的菩薩而他卻窮得不得了，假使遇到這樣的菩薩，你就知道他前世廣收供養，私下可以跟他授記；如果他生活無虞不必人家供養，可以出來弘法，你看我們親教師各個都是這樣，都不用收受供養，而且出來弘法時全部都是自己花錢、出旅費來講堂；他們沒有向講堂領過差旅費，自己開車來汽油也自己花錢買，汽車修理費也自己花錢，這才是菩薩。如果眞的需要人家供養才有辦法來弘法，才有辦法維持生活，表示他上一世收了不少供養；這道理是不變的，所以廣收供養不是好事。

上一週經文中 如來告訴我們：「迦葉佛爲祂授記說：『將來因爲釋迦如來法中很多比丘廣受供養，所以法不能久住，很快滅失。』」這也是無可奈何。那我們在剩下的九千年之中要建立一股清流繼續流傳下去，而且這一股清流要繼續擴大來影響佛教界；假使眞的能產生影響使末法時期再加個一千年、兩千年，那該多棒。當來下生 彌勒尊佛在兜率天看到時說：「不錯，將來我下生人間時有很多助手來幫助我。」祂就不會很辛苦，那時就是我們的福氣；因爲祂如果可以不必很辛苦的話，說法的時間就會很多，可以爲我們說更多的勝妙法，那就是我們的福氣啊！所以我們應該這樣作。

諸位都是喜歡「無所得法」，所以去到禪三道場證悟之後不可以說：「導師您又沒有給我什麼法，您給我的其實是我自己本有的眞如，又不是您給我的。」不可講這話，如果講這話，我一腳就把他踹出去。眞的該打！因爲從外而得者不是家珍，眞正的法是自家裡本有的，才會是永遠不生不滅的；我教導你、幫助你，是要你把自己家裡的珍寶找出來，那是你本有的，才不會失去。假使我給你的你將來還會失去的，那就不是眞正的家珍，一定是外來的也是無常法。假使我幫你找出來的是你自家本有的，沒有出生過而是本來就在的，本有的法不生，不生就不滅，不滅就表示你可以永遠擁有這個法，這樣才是眞正的珍寶。

因此禪師講：「從緣修得，緣盡還散。」如果有一個法是修行以後才能得到的，那個修行以後才出現的事物不管多珍貴，終究會再散壞；當未來修緣散壞時就會跟著散壞。如果你修行所證得的法，不是因爲你修行而得，而是你修行之前祂本來就在的，在修行之後因爲善知識教導而把祂找到的，這個法就是不生之法，將來祂就永遠不滅，這才是眞寶。佛、法、僧三寶稱之爲寶，一定是不生不滅法才能稱爲寶。那麼諸佛依法而生，僧依佛而生，眾僧依佛證得的寶卻是自己本有的法，而佛之所以爲寶也是因爲不生不滅，所以自性如來不生不滅的緣故就會有莊嚴報身的如來；而法性身永遠不滅，所以稱之爲寶。同理，僧之爲寶，正因爲證得這樣的法，所以知道自己有佛、有法、也有僧，成就了自性三寶，所以稱爲寶；去推究法之所以爲法，是因爲祂不生不滅。所以法到底是什麼？法就是眞如，眞如就是如來藏，又名異熟識、阿賴耶識。

因此 世尊所說一切法都圍著如來藏來爲大家說，假使不依如來藏而說解脫道的涅槃，那就是外道斷見，解脫就不可能修學成功；假使依意識心來說解脫道而不依「法」如來藏，那麼他就會成爲常見外道，解脫道也修不成功。同一個道理，修學實相般若、修學一切種智莫不如是，所以法就是如來藏。這樣看來三寶的本質就是法，從本初佛修行時就已經是如此，本初佛成佛了，然後一佛又一佛一直傳下來更是如此，不能外於法而有三寶。

既然如此，說法時應該說什麼法？對啊！就叫作說「法」啦！法就是如來藏，要不然《維摩詰經》爲什麼說「**法不可見聞覺知**」？又爲什麼說：「**若**

行見聞覺知，是則見聞覺知，非求法也！」這是爲什麼？這表示法就是如來藏，這是很明白的事；因此說法時，就應該是解說如來藏。如來這一段經文告訴舍利弗說：「演說佛法的比丘處在大眾之中，大眾信樂於佛法，所以爲他敷設高座，」這裡要留意，說法者不可以與眾同座，一定得高座，這就是爲什麼我們買講堂時要造這個講桌和這個法座。我們還沒買講堂之前租人家的地下室上課，上課時也是高座，就是請人買一個現成的桌子，然後做了椅子，下面還有一個平臺稍微墊高一下。

因爲以前租那個地下室的天花板很低，也不能坐太高，而且那個場所也很小，大概只有這個講堂的一半，還要扣掉這個辦公桌、倉庫，所以那時上課的地方只能擠下四十幾個人，最多不超過六十人；那時天花板很低，椅子不能墊太高，所以只有一個大概是二十公分高的檯子，把講椅稍微墊高一點。因爲一開始我就認爲說法者不能跟大家平坐，如來也是這樣開示：說法者一定要高座。因爲尊崇於法時就必須高座。能夠說法的人，身爲出家人當然是佛弟子，當他處在大眾之中，別人知道他有法，希望他上來爲大眾說法，大家尊崇於法，因此爲他敷設高座；座位坐高了就是尊崇法，同時也能使聽法的人看得見他。

那人家敷設高座讓他上了法座，應該是爲大眾說法吧，不然他上去作什麼？那麼法是什麼？法就是如來藏；依如來藏而有二乘菩提、有大乘般若、還有方廣種智，這樣函蓋一切佛法。但他上座之後捨棄了佛教導的正法，爲大眾演說外道法。外道法都是邪見，而他可能用很優雅的文辭來說，但文辭不論如何優雅，終究是外道法、終究是邪見！假使有一天我坐上法座，講《西廂記》好不好？《西廂記》的文辭很不錯，蠻優雅的，那諸位認爲如何？不好！假使眞的講了，諸位應該怎麼樣？應該「**從座起去**」，應該這樣才對。或者我哪一天上座講《聊齋誌異》，那也不錯，它遣詞用字也眞的不錯，我曾經試著去把書中文字換上別的字來用，還眞不太容易；它的文辭也不錯，但是說法者可以講嗎？不可以。

不管它的文辭如何嚴飾，都不該講，因爲說法之所以名爲說法，就是要解說如來藏妙義；依於如來藏講二乘菩提、講實相般若、講方廣種智，這才是眞正的說法。外道沒有法，從來都說外道沒有法。以前有人不懂法的意義，告訴我說：「**人家外道也有法，它叫作外道法。**」我說：「**你講對了，它叫作**

外道法，不是佛法所說的法。」所以假使有人用外道法來說，我們就說他沒有法，因為是佛弟子，不該講外道法。那如果他承認他是外道，承認他所說的是外道法，那我就說他有法，而他的法叫作外道法，但不可以說那是佛法。所以捨佛正法而說外道法的「嚴飾文辭」，這是違背 如來聖教；身為代表佛法弘揚者的比丘、比丘尼都不應該這樣作！

如來傳的這個法不是容易得的，確實是「久勤苦求是法寶」！我們有說過 釋迦如來是古佛再來，是在過無量無邊百千萬億那由他劫之前成佛的，祂那時成佛很慢，是因為前面沒有幾尊佛可以教導，前面多數時間都是自己在摸索；直到有更早修行成就的佛成佛時，釋迦如來接受了教導才加快了進程，絕對不止三大阿僧祇劫，因為在那之前已經修行很久了。那我們運氣好，有 釋迦如來教導，依著祂的教導，我們三大阿僧祇劫就可以完成，但古佛是一面摸索自修的，到後來終於有第一尊佛出世，然後再延續下去的修行過程就快多了，但前面摸索的時間非常久，所以 釋迦古佛的這一些法寶確實是長久勤苦求來的，顯示這樣的法非常尊貴。

而這個比丘上座時竟然不演說這樣的勝妙法，所以 如來叫他作「惡人」，因此說「而此惡人捨置不說」。他確實是個「惡人」，想想看，家裡老爸把他的事業交給兒子，那兒子繼承這個事業時卻專賣別家公司的產品，自己的事業擺著不再生產也不再推廣，這死後的老爸怪不怪這個兒子？當然要怪！一定每天在天上指著人間這孩子說：「這個不肖子！不肖子！」

同理，如來說這個人叫作「惡人」，爲什麼惡呢？因爲這法寶可以利樂非常多的佛弟子，他既然知道了就應該爲大眾廣說，而他「捨置不說」，爲了利養、爲了顯示他比 如來更行，所以他說：「這部經中說的這樣，那部經中說的那樣，你看如來說的自己互相違背。」他這樣是爲了顯示自己的證量比 如來還要高，這樣的人出家的心態是不正確的，他把這一部經的說法拿來比對另外一部經，而說那一部經講錯了；其實沒有講錯，只是他不懂而誤會了，因爲太深的經典他不懂。

我們出來弘法以來，看三乘菩提諸經全都沒有任何差異或牴觸，但是達賴他們應成派中觀，或如釋印順他們，都說三乘菩提前後相違。就以這部經的說法來指責那一部經文，又以那一部經再來指責另外一部經，「互相是非」，這樣的人不能隨順於正法。假使沒有我們正覺出來弘法，他們否定正法的伎倆還眞是得逞了；好在我們出來弘揚正法，把他們所非議的那一些說法鋪陳出來，並且辨正給大家聽、給大家瞭解、給大家閱讀，終於大家知道說：「**原來如來前後三轉法輪說法沒有矛盾、沒有牴觸，只有越來越深廣，沒有錯誤！**」這樣我們可以自稱是 如來的眞弟子，我們就可以說他們不是如來的眞正弟子。

那麼這一種人爲了顯示自己很厲害、證量很高——比 如來還高，所以他們隨意貶抑 如來。你們看密宗假藏傳佛教那一些人自稱是佛門的僧寶，可是他們卻凌駕於佛門三寶之上；他們自稱是聖教中的出家人，正好就像 如來這個授記一樣：「**於聖法中高心自大，隨意而說，爲求利養。**」他們宣稱是佛教的僧人，這是在「**聖法中**」的弟子，證量不可能比 釋迦如來更高。但他們卻是「**高心自大**」，你們看喇嘛們出的書動不動就說：「**必須顯教的法學好了，才可以修學密教。釋迦如來是化身佛，我們證的是報身佛，比釋迦佛更高。**」意思是說 如來三乘菩提他們全部已經都修完了，所以他們的證量跟 釋迦如來是平等的；可是他們又修了密法，而且是證得報身佛，因此比釋迦如來證量更高。他們的意思是這樣，這就是「**於聖法中高心自大，**

隨意而說。」

那他們這樣的目的是什麼？爲求利養啊！所以供養佛菩薩時都用觀想的，但是規定弟子們供養喇嘛他們時，卻一定要用現金。我卻說他們的信徒如果夠聰明，都可以到香紙行買壽金或銀錢，一買就是幾千萬元送去供養喇嘛們。壽金一疊就是冥界的幾十萬、幾百萬元了，那一個紅紙箱裝著冥紙就是好幾千萬元了（可以用那個供養他們，因爲他們將來用得著；這不是玩笑話，是眞的，當他們死後到了鬼道時就用得著）。這一些人都是「**爲求利養**」，可惜密宗假藏傳佛教的信徒不夠聰明，他們都是粉絲而不是佛教徒。

「**於聖法中高心自大**」的人就只有喇嘛們嗎？不止！從蓮花生、阿底峽、寂天、宗喀巴一直到現代的達賴都是如此啊！動不動就說：「**釋迦如來只是化身佛，我們證的是報身佛果。**」宣稱他們比 釋迦如來證量高，卻不知道他們只是把乾掉的屎當作火腿在吃，然後也教導他的信眾這樣子；但那一種外道法是惡道法，如來聖眾在無數劫前就棄捨、吐掉的，而他們愚昧，如來聖眾們因爲覺得不乾淨而吐出在地上的，他們去撿來吃，還來向佛教聖眾們炫耀，所以這一些人確實都是「**高心自大**」的人。因此他們演說所謂的佛法時都是「隨意而說」，他們宣稱顯教的法已經修完了，所以他們可以修密法，也是這樣主張的。但我們現在卻證明正統佛教的法他們完全沒有修證，一點點都沒有證得；依照他們自己的說法，他們全都沒有資格修密法，從宗喀巴所宗奉的祖師們一直來到現代的達賴都一樣，他們沒有一個人有資格修密法。

那我這樣子講出來、寫了出來，他們也不敢講話，因爲事實擺在那邊。尤其他們爲了求名、求利養，各個都寫書出來流通，正好是現成的證據，證明他們沒有悟得顯教的法。那他們既然沒有開悟，怎麼能夠修密法？因爲他們說的是「**顯教的法修完了才可以修密法**」。所以嚴格地說，不止應該先開悟，而是應該在顯教中成佛以後才可以修密法。可是他們所說修成顯教佛果的境界只是覺知心一念不生，但一念不生時還是常見外道，最多只是欲界定，都還沒有初禪，離外道所證的未到地定還差很遠，就別提初禪了，那可以叫作證得顯教的佛果？可見他們完全不懂佛法！他們的不懂佛法狀態，是比悟錯的正統佛教修行還要嚴重。例如南懷瑾老師在書中說：「**心中沒有語言文字妄念，就叫作無想定。**」我就說他不懂佛法，可是密宗假藏傳佛教的喇嘛們不懂佛法，遠比南老師厲害過十萬倍；南老師至少沒有像他們那樣荒唐說「釋迦牟尼佛是化身佛，層次不高，我是報身佛，層次更高」，至少他沒有公開這樣講。

可見密宗假藏傳佛教那些喇嘛們，上從蓮花生、宗喀巴，下到現代的達賴，再從達賴到一切大小喇嘛全都一樣，都是外道，根本不是 如來的弟子；他們只是爲了求利養而冒充佛法、冒充佛教僧人，本質都是外道，依 釋迦如來所說：「**我說此人當墮地獄，不至涅槃。**」時間又到了，今天只能講到這裡。

《佛藏經》上週講到四十六頁第一段第三行，今天繼續說：「**舍利弗！若比丘說法雜外道義，有善比丘勤求道者應從座去，何以故？舍利弗！有信白衣敷置高座，不應演說外道諸義；若不去者非善比丘，亦復不名隨佛教者。**」

這等於是爲後末世的比丘、比丘尼們立下規矩——不可以當濫好人，不可以鄉愿。因爲在佛法中，法的是與非、對與錯，從來都是界限分明，不能和稀泥的。如來在《阿含經》中也講過，假使有人去認同或者支持相似像法，佛教正法就會因此漸漸滅沒；是因爲相似的像法淹蓋了一切的正法，使正法的如實理無法被廣大的佛弟子們所知。所以 世尊說：正法不會頓時滅亡，只會被相似的像法漸漸地淹沒。

那麼在這一段經文中，如來更爲我們訂下規矩：如果有比丘在說法時，他總是夾雜著外道的義理，如果聽法者他是有善心、有善意的比丘，是勤於求道的人，就應該從座位上起身然後離去。就是說，比丘們在演說佛法時，不許夾雜著外道的教義或理論，因爲夾雜進來以後事實上仍然不是佛法，但是眾生聽了會以爲那也是佛法，將來眞正的了義法出現在人間時，他們就會誤以爲是外道法而抵制正法，所以「**有善比丘勤求道者應從座去**」。如果有的比丘、比丘尼聽到座上比丘或比丘尼說法時，夾雜外道的義理，竟然還在座位上安坐著如如不動，他們這樣就是違背 如來的教誡。違背世間法時縱使有報，也只是世間報，但佛法中的出家人違背了 如來的教誡，果報是函蓋世間報以及出世間法果報的；所以從今以後凡是聽到比丘或比丘尼說法時夾雜著外道的法義，就應該立刻起身從座位上離去。

那麼 如來解說爲何要這樣子作：對三寶有信心的在家人爲他敷設而布置了高座，請他上座說法時，希望他講的是佛法而不是要他講外道法，結果他不斷地夾雜著外道的法義進來說，等於是指稱那些外道法也是佛法，這是違背了「有信白衣敷置高座」的目的；既然說法者違背了有信的居士們敷座的本意，在座的比丘、比丘尼們就應該離去，必須自己來當表率。

爲什麼說他們如果不從座離去就不是善比丘？因爲他身爲出家人，是佛教三寶中的一分子，當座上的比丘在演講外道法義時，他在座位上繼續聽受，表示他也同樣認同法座上比丘所說的外道法是佛法，這樣對正法是很不利的。因爲眾生對於比丘所說的法沒有辨別的能力，那他在座位上安住而繼續聽受時，就等於認同了座上比丘所說的外道法義，所以 如來說：「有信白衣敷置高座，不應演說外道諸義；」如果有人不在座位上立即起立而離開，如來說這樣的人不是「善比丘」，或者說不是善比丘尼。那麼 如來也定義說：「這樣同時也不可以叫作隨順於佛陀教導的人。」

接著 如來又開示說：「舍利弗！說法甚難。如是說者，我說此人名爲外道、尼犍弟子，非佛弟子；是說法者命終之後，當生尼犍子道。」這些話都很重，但事實就是這樣；特別是到了末法時代總是有人講：「說法很困難啊！」然後他們就解釋說：「經中的意思非常難懂。」他們這是兩個意思：第一種是演說正法很困難，這是推託之詞，其實是自己不懂，然後推說：「眾生根器很差，所以往往都聽不懂，爲他們說法沒什麼作用，不如就作一些拜懺一類的法會。」就這樣說。但其實是他自己不懂，那他這樣說是有過失的。

另外一種說法是：「經中的法義非常難懂，所以想要上座說法很不容易。」他這樣講是比較老實，但是既然知道經中的法義很難懂，爲什麼不想方設法來尋找善知識設法求證，然後共同來宣揚正法呢？所以他開口就說「說法甚難」，閉口也說「說法甚難」，意思是告訴別人不用要求他說法。但是這樣一來，正法又如何能夠弘揚呢？又如何能夠利益眾生呢？因此 如來就說了：「像這樣講的人，我說這個人的名字就叫作外道，或者是尼揵弟子，他們不是佛弟子。」

外道，我們出來弘法以後被情勢所逼，不得不評論諸方大師們，當我們辨正法義時，有時會說他們講的法是外道法，說他們和常見外道或者斷見外道沒什麼差別；我們有時候會這樣講，於是有的人就上網去罵：「蕭平實一天到晚罵人家外道，如來從來不說人家是外道。」可是如果我們用外道兩個字在電子佛典中蒐尋，那可是一大堆，怎麼能說 世尊不曾說過外道呢？「外道」這兩個字本來沒有罵人的意思，只有被指稱外道的人，他身為佛弟子覺得羞慚，才會感覺好像被罵了。這樣看來，那些上網指責我在罵人是外道的人，應該他們自己認為被我罵著了，表示他們自認為是外道。其實外道兩個字不見得是罵人的話，本來就沒有罵人的意思；如來說的外道，是說他們心外求法；也有人說他們是在正法之外而求法，所以叫作外道。

那外道是一種人，可是「尼犍弟子」到底是什麼？關於「尼犍弟子」，先要談尼犍子，再談尼犍子的弟子。這一種外道又名「離繫外道」，他們自認為沒有被繫縛，自認為已經解脫了，因此他們叫作離繫。他們的離繫甚至於作到什麼地步呢？例如說有時他們乾脆連衣服都不穿，而且大多數尼犍子是不穿衣服的；他們不管到了城市去，或在鄉野都不穿衣服。當人家問他說：「你們為什麼不穿衣服，沒有禮儀。」他們的說法很簡單：「你們都被衣服繫縛住了，我們是連衣服都離繫，繫縛全都不存在，所以我們不用穿衣服。」他們有時會塗灰，塗白灰目的不是為禮儀，而是為了預防蚊蟲叮咬；所以你們有時看到古印度的圖畫上，畫著一、兩個人或三、五個人身體白白的，就是塗灰，那就是裸形外道，就是尼犍子外道。但他們有時候不塗灰，如果沒有蚊虻時就不塗。因爲他們自稱是解脫者、離繫者，所以有的人就叫他們爲「離繫外道」。

他們爲了示現離繫，所以修苦行，對世間的五欲刻意顯示不受誘惑；但不能說他們是不執著者，因爲他們根本上是執著的，只表現在外的是離繫，所以他們修苦行。如果說他們眞的不執著五欲，那他們早就各個都是「梵行已立」的人，可是他們都沒有初禪；那是自己宣稱離繫，不是眞正的離繫。而他們爲什麼要修苦行？他們宣稱說：「**我只要這個身體受苦，受苦時我就可以償還往昔虧欠於眾生的業債，就可以出離三界生死。**」這是他們的理論。

那我現在請問諸位：這理論有沒有道理？眞的沒有道理。因爲他們受苦時只是自己受苦，可是他們欠眾生的債並沒有還給眾生，欠的債依舊欠著。他們認爲受苦以後就可以償還所欠眾生的業債，那根本是個邪見，所以我們說尼犍子全部都是外道。那麼 如來說：「**當有人說『說法甚難』時，這樣說的人要叫作尼犍子外道的弟子，不是佛弟子。**」因爲佛弟子是依正見還眾生的業債，必須自己付出時讓眾生有實質上的收受；如果眾生沒有收到他還的過去世欠的命債，或者財物、或者名利等債，那他受苦是他個人的事，實質上並沒有還了眾生的債，這才是佛弟子的正見。但尼犍子外道卻不是這樣，所以說他們是外道邪見。

那麼「說法甚難」，是爲什麼說法甚難？因爲這樣說的比丘，他自己對佛法是不懂的，因此才會告訴大眾「說法甚難」。既然他不懂佛法，經中的法義全然不懂，那不就跟裸形外道—離繫外道—一樣了嗎？所以 如來說「他就是尼犍弟子」——就是裸形外道的弟子，不是佛弟子。佛弟子不應該告訴大眾「說法甚難」。如來又授記說：「像這樣的說法者，命終之後將會出生在尼犍子道。」說他死後將會出生在離繫外道的家庭中。

如來又說：「何等是尼犍子道？邪見是尼犍子道。」什麼樣的人所修法門是離繫外道的法門呢？說邪見就是離繫外道的修行法門。如來又解釋說：「何等爲邪見？謂是地獄、畜生、餓鬼。何以故？舍利弗！身未證法而在高座，身自不知而教人者，法墮地獄。」如來解釋什麼叫作邪見，就是地獄、畜生、餓鬼，說他們的所知就是邪見。

諸位可以想一想，這一些有情爲什麼會墮落於三惡道中？正是因爲邪見而造作了與三惡道相應的業行，所以菩薩有時路上看見某一個人就說「地獄種姓」，有時路上看見某一個人就說「畜生」或者「餓鬼種姓」，那是有緣由的，不是隨便亂指控。因爲看見他所造作的行爲，將來會出生到畜生道去的，就說他是「畜生種姓」，因爲他的畜生相已經顯現了——他的心行、口行、身行顯現出來的就是畜生相；既然是畜生相，當然就要說他是畜生了。菩薩看事情不是只看這一世，而是把未來世也看上去。因爲以他這一世的身口意行來看，本質就是畜生。

如果有人動不動就張口咬人，表示什麼？表示他將來要去當狗。也就是說其實人家並沒什麼錯誤，他一天到晚指責誰錯誤、誰又錯誤、誰又錯誤，就是狗性。那些狗不是這樣嗎？狗不論看見誰，除非是主人或家人，否則牠見了就狂吠一通；牠不管你是個大善人、大惡人或者是普通人，見了人就吠。如果有一個人不管見了誰就指責，那不是跟狗一樣嗎？他將來死後就是當狗，因爲口業造多了——時常咬人。狗的習性要改很困難的，所以你要叫一條狗不吠還眞難，牠只要見了陌生人就吠，也不管陌生人是不是侵入圍牆之內或門戶之內才吠。有許多狗是不管這件事的，你只從圍牆外經過時牠也吠，根本就沒停下來，也沒瞧你有無進牠屋子，牠就吠了，不斷地吠。如果聰明的狗，這時牠不吠，等到人家往屋裡窺探了，或者進圍牆了牠才吠，那狗就聰明了，表示牠在狗道的劫數不會再很久了，有可能再過一、兩劫就離開狗道又回到人間。所以喜歡張口就咬人的人，眞的要小心；一天到晚指責別人，明明別人沒有什麼錯誤，他卻一天到晚在指責——咬人，幾乎沒有誰不被他指責的，這就是畜生性。

如果有的人喜歡造作一些缺損福德的事，就是專門損人不利己，當然也包括損人利己在內；這樣的人雖然不至於謀財害命，但是他未來世就是餓鬼眾生，因爲他的餓鬼身口意行已經出現了；這樣的人就是沒有福報的人，所以這樣的人就叫作餓鬼種姓。那麼地獄種姓也是一樣的情形，無緣無故指責賢聖，或者無緣無故破壞正法，或者爲了自己的私心，故意扭曲正法、否定正法，這個就是地獄種姓的有情，可以從他的身口意行去認證出來。那這一些有情之所以會墮落三惡道中，正是因爲他們的身口意行成就了三惡道身口意相應的行爲，所以他們就是三惡道的有情。而邪見正好如此，邪見之重甚至會下墮地獄，邪見之輕則受生爲畜生，邪見之中則生爲餓鬼，這都是有緣由的。

那麼邪見之所以引人下墮三惡道，原因就是因爲他們誤導眾生，這是最主要的；如果他只放在心中而不造作業行，倒也相安無事，因爲只有意業時不會成就業道。可是當他把意業付諸於口業身業時，他的業道便成就了。然而邪見最具體的表現、影響眾生最重大的表現就在於說法，如來明講了：「舍利弗！**身未證法而在高座，身自不知而教人者，法墮地獄。**」這個「法」字《大正藏》的用字不好，那是錯誤的，我們把它回歸到原來的字，叫作「法」。這就是說，自身沒有實證佛法，而竟然在高座上安座說法；自身自己並不知道那一些法，而竟然自認爲懂或冒充爲懂，而去教導別人的話，依佛法而言，他死後要下墮地獄。

注意喔！這樣作的結果不只是下墮餓鬼或畜生，而是下墮地獄。這不是由誰來處理他去下墮地獄，而是依於佛法中所受的戒律，以及法界的必然果報所產生的因果律，他自己就是會下墮地獄；這一種人死後不經過中陰階段，直接就下去了。也就是說，在末法時代這兩種現象是普遍存在的：「**身未證法而在高座，身自不知而教人者，**」想要教導別人從生死的此岸到達沒有生死的彼岸，必須要自己走過一遭，知道路徑了，然後再回來教導大家，才說是眞正懂得解脫之道的人。假使自己都沒走過，還在想像就來教人家怎麼走，那都是憑空想像，不能說是可以具體執行而達到目的的法。

就好像有人一直都沒有去過新疆，而他只是在臺灣想像，就告訴人家說你應該怎麼走；可是你前往新疆的路途有搭飛機的、有坐火車的、有開汽車的，甚至也有走路的，有很多方法，而這一個人什麼都不懂，憑著自己心中的想像就鉅細靡遺告訴人家怎麼走，結果信受他教導的人忙活了老半天，根本就到不了，因爲他是想像的。最糟的是他還告訴人家說：「**你到新疆時，將會是怎麼樣。**」但其實他連聽也沒聽過，看也沒看過，更別說親到，結果就是亂講一通；然後剛好就有一個類似新疆的地方，有人走到那裡就說：「**喔！這裡應該就是新疆了。**」結果依舊是故土，只是去到那鄰近的地方罷了。那他跟人家說他去新疆玩了回來，講上一堆，但因爲大家全都沒去過，所以相安無事。

正覺出現以前的佛教界就是這樣，百年來兩岸佛教都是這樣，後來終於有個人去過新疆了，在那邊遊歷了好一會兒然後回來了，他開始講新疆是怎麼回事，但這一些沒實際去過的人或者去錯地方的人，卻出來反駁說：「**不！**

新疆不是你講的那樣子。」硬說他們講的那個地方才叫作新疆，還罵別人亂講。但是被罵的人說：「我明明到過新疆，你們是去錯了地方。」只好更詳細地加以說明比對，讓大家知道：「原來眞正的新疆是這樣子才對。」才終於底定下來。這不正是海峽兩岸佛教界這百年來的現況嗎？特別是這二十年來的現況。

這告訴我們什麼？一個從來就不曾游到無生死彼岸的人，一直都在生死此岸的岸邊浮浮沉沉的人，抓著一個木頭，就說他已經到了無生死的彼岸。他認爲那一根木頭就是無生死的彼岸，這就是「身未證法而在高座，身自不知而教人者」，這種情況其實像法時代就已經很多了，到末法時代的今天更多更多了，所以我說「古時已有，於今爲烈」。那麼 如來說這兩種人依 佛而說法，卻尚未實證，當他們上座說法時當然都是臆想或猜測而說的，這是誤導衆僧或衆生，死後要下墮地獄。

可是這問題又出現了：爲什麼「身未證法而在高座，身自不知而教人者，法墮地獄」，這是什麼道理？他又沒有殺人害命，又沒有搶奪財物，他一臉和善，並且也很樂於幫助別人，那爲什麼 世尊說「法墮地獄」？是因爲「邪見」會誤導眾生的道業非常多世，不是只有一世的事情。而且「邪見」的傳播會導致眾生普遍不信正法，而且會反過來抵制正法，因爲他們將會誤認正法是邪法，那麼眾生的法身慧命就越來越危險；因爲這個緣故，所以依佛法的戒律和依法界的因果律而說，他是要下墮地獄的。那麼這樣看來，末法時代的今天虛妄說法的人漫山遍野，將來有多少人要下墮地獄，這是非常嚴肅的問題，可是從來沒有人講。如來聖教擺在那邊而大家都不說，大家都要當好人。

有的人讀過以後心裡想：「這不是在說我嗎？」所以他乾脆不講這部經典。有的人想：「如來雖然這麼說，我提出來講，那我不是要變成大惡人了嗎？這將會得罪佛教界，我乾脆不要講，免得得罪了諸方山頭。」於是大家都不談，如今只好由這個不識相的蕭平實來講。可是將來萬一有人把我講到這幾句經文的那一輯《佛藏經講義》，送去給大法師們，不曉得他們會不會讀？可能就是書架一丟，再也不翻閱它了；因爲我們正覺預告要講《佛藏經》已經十來年，如今又已講上幾年，他們好奇心所驅使，早就請來讀過了，那他們當然知道　如來有這麼說，當人家送來《佛藏經講義》，一看是蕭平實講的，「算了！別讀了。」可是不讀就能解決問題嗎？是不能啊！諸位都知道，難道他們會不知道？他們是逃避的心態。

另外一個原因叫作半信半疑：「據說這經是如來講的，可是這部經眞的是如來說的嗎？有人早就說過『大乘非佛說』，所以這部經可能不是如來講的，不必信受。」他就半信半疑。一方面有些驚恐，一方面又安慰自己：「這可能是僞經，是後人創造的，不是如來說的，所以沒事兒，睡覺。」他就每天睡好覺。但事實上這部經確實是 如來所說，因爲這麼勝妙法義的經典，怎麼可能是後代佛弟子創造的？再十個蕭平實也不能創造這樣的經典；更何況一萬個大法師也抵不了一個蕭平實，竟然能創造這樣的經典喔？所以我們信這部經典是 如來所說，他們儘管繼續半信半疑。然而半信半疑不能解決問題，所以將來要下墮三惡道乃至於下墮地獄，這個果報自己要好好思量思量，不可兒戲。

下墮畜生或餓鬼道是有差別的，如果一個凡夫示現爲證悟的模樣，或者說他以凡夫之身宣示是幾地的菩薩，然後「身未證法而在高座，身自不知而教人者」，這種人除了要下墮地獄，他還陷害了他的弟子與隨眾都會下墮畜生與餓鬼。一天到晚幫著他在推廣這種相似像法或者外道法的弟子們，免不掉要下墮餓鬼道的。而他的信眾們如果很懈怠，聽完就丟了倒也還好；如果很精進的人，聽完就很努力去修，然後跟著自以為悟、自以為實證，有時也為人說法，那該怎麼辦？也得下墮地獄的。如果這一信，幫著師父把亂說法後整理出來的那一些書籍去散發，那就是畜生道的果報，因為他們的本質就是在殘害眾生的法身慧命，本質就是在抵制正法而使正法難以推廣。所以如來說「**法墮地獄**」是指為首者，隨從者則是墮於餓鬼、畜生之中。這個嚴肅的課題將來佛教界還是應該要正視，不能小看這個問題，否則臘月三十到來時，才想要補救已經太晚了。

世尊又說：「**舍利弗！如是因緣如來悉知，我諸弟子以種種門，種種因緣，種種諸見，滅我正法。**」如來早都預見了。這些因緣為什麼「**如來悉知**」？因為如來有天眼之明，也有宿住隨念智力，知道往昔諸如來一切法的弘傳乃至滅沒的演變狀況，也能觀察到未來的狀況，所以說「**如來悉知**」。釋迦如來早就知道祂的末法時代弟子們會怎麼作，所以預記在先。我們來以佛教的現況檢驗一下，不正好印證了如來的預記嗎？「**以種種門，種種因緣，**

種種諸見，滅我正法」，唉！果然沒錯！所以到末法時代好多的佛法修行法門出現，但是那些法門究竟是不是佛法的修行法門呢？卻又都不是。

這種例子太多，所以單單臺灣（且不說大陸）就有許多法門出現；最先有一個禪淨密三修的法門，然後還有搞宗教博物館，也說是一種修行方法；也有搞學術的，就是我們北方這個鄰居；然後也有專門興建寺院的，也有因爲覺得自己證量最高所以蓋了天下最高的寺院，說這樣也是一個修行的法門。這樣就五種了。可是還有什麼安祥禪、現代禪，還有其他的禪；臺南那個叫什麼禪？我忘記了！生活禪喔？單是臺灣就有好多的禪出現，但這一些都不是佛法，可是他們卻自稱是佛法，那不是謗佛嗎？明明 佛講的成佛之道不是那樣的法，但他們說那就是佛法，意味著那也是 佛所講的，但 佛不曾講過那些非法，所以他們就謗佛了！

可是實證的人不會自立門戶，說他叫作什麼門或什麼宗。你們看廣欽老和尚有沒有建立什麼宗？沒有！咱們正覺也沒有建立什麼宗，正覺就是一個道場，弘揚的就是 如來的法義，沒有叫作正覺宗或什麼宗。可是那一些自認爲實證的山頭卻來建立某某宗、某某宗；如今後山又多了一個慈濟宗，但沒有法，也能建立一個宗。到底她以什麼爲宗？只能說是以聚斂錢財、意識常住爲宗，除此之外有什麼宗？根本沒有；可是卻成爲「身未證法而在高座，身自不知而教人者」。但 如來已經預記在此：「法墮地獄。」想想看，我們爲他們膽戰心驚，可是他們腳底都不涼冷，都是熱騰騰地自以爲是，永不承認錯誤。明明人家已經指證了，他們不能回辯、不能反駁，卻也不承認錯誤，硬要繼續誤導眾生，像這樣的人，如來說他們「法墮地獄」，不可忽視不理。

這樣的人我們救不了，至少他們的徒眾一大群又一大群，我們總要設法救他們。所以這一些講經說法的內容都得要整理出書，使它流通得更廣，才能救更多的人。如果不這樣好好地救，將來 彌勒尊佛龍華樹下三會哪來的九十六億、九十四億、九十二億人呢？這就要靠我們努力來作。那麼 如來說：「後世的弟子們，以種種法門來消滅如來的正法。」這是誠實語啊！現代佛教現前的狀態或者現象，正好印證了這一點。末法時代的出家弟子們仍繼續「以種種因緣，滅我正法」；「種種因緣」就是不管在什麼樣的因緣下，說法時都把它轉變成常見外道法或者斷見外道法，都是以「邪見」來轉易佛法而教導眾生。所以藉著各種不同的因緣這樣去運作，這也是現前可見、可徵爲實的現象。

至於「種種諸見，滅我正法」，那就更多了。在正覺出來弘法之前兩岸佛教界有很多種的證悟內容，所以你悟你的、我悟我的，大家都一樣有悟，這樣大家可以和平共存，各不相同。可是我們正覺出來弘法時想要跟他們和平共存就是辦不到，因爲我們說的法跟人家不一樣，不是落在識陰中的法。他們以意識的境界來說，這樣也算開悟，那樣也算開悟；東邊那種也是開悟，西邊這種也是開悟，每一種都算是開悟。但我們說開悟的內容是證眞如，是現觀如來藏的眞如法性。這下壞了！因爲如來藏是什麼，他們都不知道；很多大法師甚至連聽都沒聽過，後來去研究到底如來藏是什麼，終於弄清楚了：「原來是第八識。但第八識有什麼自性？唉！這跟我們實證的內容都不一樣，怎麼辦？」

於是他們產生了危機意識，有了危機感，想來想去對正覺沒轍，因爲自己的內涵正覺都知道了，可是正覺實證的如來藏與眼見的佛性到底是什麼，自己完全不知，那怎麼辦？那就私下抵制吧！後來咱們正覺只好不斷演說更多的法出來，那一些「邪見」才漸漸開始弭平下來。可是在我們正覺弘法之前，「種種諸見」不勝枚舉，眞的數不勝數；後來我乾脆把他們的各種邪見作一個總整理，一網打盡，所以現在我們每一本書的扉頁就固定那兩三篇文字，其中一篇講的是離念靈知，總共有十種的離念靈知，讓那一些大法師們看看：「**離念靈知竟然還有十種，我是其中的哪一種？**」看一看結果發現，原來自己是最低層次的離念靈知，又該怎麼辦？也無可奈何，連層次高一點點的離念靈知都修不成功，眞是無可奈何，因爲事實擺在那邊。

那我們希望的是「**以種種門，種種因緣，種種諸見，滅我正法**」的事，一一把它消除掉，讓這種事情不要繼續存在。我們雖然有心想要與人爲善，但是作不到；不是我們不願與人爲善，是因爲我們的法，本質就是會相對顯示他們的法錯誤。所以我們雖然存著善心，但是他們會被間接顯示佛法修錯、悟錯、證錯、說錯了，於是他們必須與我們爲敵。除非他們眞的爲正法而出家，不改初衷，否則一定要與我們爲敵，因此正法與相似法之間自古以來就是不兩立的。

特別是在禪宗，所以禪宗自古以來，眞悟的禪師總是不斷拈提諸方假名大師所說的禪、所說的開悟，這就成爲禪門的宗風。所以禪師不是只有傳授如何證悟的法幫人證悟，同時也要拈提諸方錯悟假禪師說的法，以免弟子們心疑退轉又回到意識境界去。眞悟的禪師們古今如是，是有他們的必然，因爲假使不這樣作，大約都保不住成果，他們辛苦度來的徒弟可能又會退轉。就像我們出了那麼多的結緣書，也都是因爲法難而引生的；我辛苦弘揚正法保不住成果，爲了預防以後再有人繼續退轉，就必須寫書論議法的正訛；所以打從二〇〇三年第三次法難之後，就少有什麼人再退轉了，希望以後應該也不會有了。

假使現在這樣的禪三，一考、二考、三考、四考、五六七考，再加上喝水體驗，將來還會有人退轉的話，我乾脆上門砍了他，因爲留著他沒有用，而且將來可能還會害人跟著退轉。所以這是爲了保護成果之所必然，當然不能跟那一些相似像法和平共存。因爲你不評論他們，他們倒是會使你證悟的弟子們退轉，第一次的法難就是這樣，隨後第二、三次法難也是這樣。那怎麼辦？爲了保持成果，你得要奮戰到底，總不能讓正法的勢力漸漸消亡吧？這就是古今如然始終不變的鐵則。

假使有人說：「欸！你正覺這麼作，人家如來也沒這麼作啊！」以前就有人這樣質疑我，所以我不得不提出來講。我說 如來以人天至尊的尊貴身分，卻是踵隨六師外道足後，去到當時印度各大城破斥六師外道。如來不是喜歡跟人家諍論，而是爲了救外道座下的那些眾生；六師外道爲了名聞利養，所以 如來到某一個地方使他們的法被顯示爲不究竟或邪見時，他們就去別的地方繼續誤導眾生，就這樣去一一大城弘揚他們的外道法；聚集一大堆徒眾講他們的外道法也就罷了，他們還要誹謗 如來，後來 如來的弟子很多，總是會回報，但 如來會等候，等外道聚集的徒眾信眾一大群了，然後 如來就上門去破外道法；如來去說法破了那些外道，把眞正的法傳給大家，於是又新增一大批佛弟子。

那一些外道信眾聽聞 如來說法以後得了法眼淨；聲聞法中的法眼淨就是初果，大家信受 如來，於是知道那外道傳的都是流轉生死法，於是六師外道不能立足，只好離開，又去到另一個大城重新開始；如來又接到信息，說那外道又在毀謗 如來，於是等他們一段時間聚集了很多人，如來又去挑戰外道而說法。所以 如來是親自這樣作的，破斥外道的事情 如來不曾終止。但爲什麼要這樣作？都是爲了救護眾生！那我們也應該這樣子作，當末

法時代 如來的出家弟子們「以種種門，種種因緣，種種諸見，滅我正法」時，換我們「以種種門，種種因緣，種種正見」的說法來復興 如來正教，應該這樣作。

所以咱們印書、寫書、出書不嫌多，因爲若是只有少數的一本、二本，終究會被相似法淹沒；如果書的數量非常多，大家一看就說：「唉呀！這正覺出了這麼多的書，沒有人能夠反駁，這一定是正法。」先從表相上把學佛人的心給攝受了；這得要繼續作，不能停，所以是有必要的。不是一再重複的書，只要有老師們寫出來，我都歡迎出版，這樣來顯示正法的威德力，這才符合「以種種門，種種因緣」，種種正見來復興 如來正法應該有的作爲。所以不用去懷疑說：「正覺到底什麼時候會停止出書？」因爲只要對眾生有利益的，就要不斷印出來。有的人在你這一、二百本書中可能還是沒有辦法相應，但可能你再出另一本時他就相應了；而那一本的內容是從另一個層面來說這個 如來正教，他就相應了，往往就是這樣。所以演述正法的書不怕多，我們應該「以種種門，種種因緣，種種正見」來演說 如來的正法。

這就是說，毀滅 如來正法的時代，說邪見的比丘、比丘尼是很多的，絕對不在少數；諸位現前放眼所見全球佛教界，可以說比比皆是。你們若是去書局看佛法書籍的櫃子裡，那一些相似像法的書籍有多少？咱們正覺的書已經有一、二百本，由於持續有人買，所以他們書局持續地在叫貨，因此才能佔得那麼一席之地。早期在書局架子上，要找我們正覺的書，一定得蹲下來從最底下那一排去找，不然就要把頭抬起來看最高的地方有沒有，往往是伸手搆不到的地方才會看得到；那現在因爲大家知道正覺的法才是眞正的法，所以現在就在你眼睛看得到的地方，是伸手可以拿得到的地方。

但也只有那麼多而已，那些相似像法的書籍，你去三民書局看看，那有三大櫃、四大櫃都是，而我們只有那麼一個小框框而已；雖然已經很不容易了，可是畢竟仍然很少。那一些相似像法的書就是贏在數量，它們的數量太多，我們的總經銷怎麼說？他們說每一個月都有五、六十種佛法的書籍等著要上架。每一個月五、六十種，而我們兩個月才出一本。但他們有下了一個註腳：「你們的書還算不錯，出第一版後陸續都有人繼續再買，書局都會繼續叫貨，一般的佛法書籍都是初版一千冊來到我們這裡，到各書局上架之後，大約退回五、六百或六、七百冊，然後就沒有人再叫貨了。」所以他們也歡迎我們的書。

但我們的書在早期也是一樣，大概送去新發行的每一千冊新書，月底都會退個五、六百冊回來，現在則是繼續補書，算是在佛教界立足成功了。但是從佛書整體的量來說，為數還是太少；因為一、兩百本的書，能在書局的書架上出現的只不過十幾本、二十幾本而已，最多不過這麼一個書架。那一般的佛法書籍數量太多，雖然他們通常只是單冊，但數量很多，幾乎就要淹蓋掉正法書籍了；因此我說，我們不怕書多，只怕內容不夠精彩；假使新印一本書流通出來，能有五個人、十個人相應而走入正法，這就夠了。因此我們要設法使正法的書籍不被相似像法的書籍淹沒，這是很重要的事；否則就會回復 如來所說的：「**我諸弟子以種種門，種種因緣，種種諸見，滅我正法。**」

如來又作了一種鼓勵性的開示：「**舍利弗！若有眾生，聞如是經第一義空無所有法，心歡喜者，當知是人眞我弟子。**」請問諸位：你們是不是如來的眞弟子？（大眾大聲回答：是！）好窩心啊！毫不猶豫，異口同聲，眞不容易。聽到諸位這麼說，我就覺得這一世沒有白來。如果有眾生聽聞像這樣的經典，講的是「第一義空」的「無所有法」，而心中能夠歡喜的人，這絕對是少數；如果不是熏習很久了，不可能聽聞時心中歡喜。大多數人都是聽後心中愁憂不悅，甚至於我們不講鄉鎮的名，只說他是桃園縣的一個有名的念佛道場；他們八、九年前聽說我們要講《佛藏經》，有信眾就問他們的師父說：「我們可不可以讀《佛藏經》？」結果他們住持師父傳話下來說：「可以讀，但不要讀後半部。」爲什麼呢？因爲他們正是後半部經文中 如來所說的「非我弟子」啊！其實末法時的佛教界大法師們不都如此嗎？他們怕人家瞭解自己就是 如來的假弟子，不是眞弟子，所以要求大家不要讀後半部。

這話傳到我的耳朵裡，我心中就想：「我選這一部經典來講是選對了！」因爲這表示，這部經中的 如來聖教他們很在意；既然很在意，我幹嘛不講？如今講了果然是講對了，因爲諸位聽聞到這樣的經典，講的是第一義空的無所有法，心中都很歡喜；不但歡喜，還願意努力實行、辛苦地去求證，這更不得了。在末法時代像這樣的佛弟子太少太少了！今天竟然看見諸位這麼多人都能夠相應，眞的令人佩服。想來不只是臺北六個講堂如此，我們全省各地的同修們應該都是跟諸位一樣，所謂人同此心、心同此理；唉！實在太好啦！看來佛教的復興還是有希望的。

我心裡希望的是，如來以及諸聖眾菩薩能夠暗中加庇於我們，不管多麼艱難都能把 如來的聖教給復興起來；因為復興聖教的目的不在聖教的本身，而是在能利益很多人於佛法中可以實證。我想 如來也希望看到這個現象，更希望看到的是當我們把 如來聖教復興了以後，我們的福德就大幅度的增長，這才是 如來最希望看到的。那麼這樣說完了，顯示諸位是 如來的眞弟子了，應該說是心有戚戚焉。那我們接著再來聽受 如來的聖教：

經文：【「舍利弗！過去世有五百盲人行於道路，到一大城，飢渴乏極，令一盲人在外守物，餘者入城乞索飲食。未久之間，有一誑人，至守物者所語言：『咄人！何以獨住？』答言：『我有多伴入城乞食。』誑人語言：『汝為知不？彼間大施衣食瓔珞華香雜物，隨意可得，汝若須者將汝詣彼。』答言：『可爾。』誑人將盲小離本處，盡奪其物。諸盲乞食，得已而還。誑人復語諸盲人言：『汝等得值大會施不？』答言：『不值。』誑人語言：『汝等所得可置於此，我將汝等詣大施會。』諸盲盡共留物一處，隨誑人去；誑人盡將五百盲人臨大深坑，而語之言：『此地平好，有大施會；汝等各可迴面東行，受大施物。』即使一時墮坑而死。舍利弗！當來比丘好讀外經，當說法時莊校文辭，令眾歡樂；惡魔爾時助惑眾人，障礙善法；若有貪著音聲語言巧飾文辭，若復有人好讀外道經者，魔皆迷惑，令心安隱；若有比丘修佛法者令生疑惑，咸使眾人不復供養。或有比丘若二若三，已讀佛經，便使令求外道經法，先自看者讚言善好；是諸人等爲魔所惑，覆障慧眼，深貪利養，看諸外書；猶如群盲爲誑所欺，皆使令墮深坑而死。舍利弗！諸生盲人，即是比丘，捨佛無上道，求外道經書；誑人是惡魔，深坑是邪道。舍利弗！如群盲人捨所得物，欲詣大施而墮深坑；我諸弟子亦復如是，捨粗衣食而逐大施，求好供養；以世利故失大智慧，而墮深坑阿鼻地獄。」

語譯：【如來又開示說：「舍利弗！在過去世有五百個盲人在道路上行走，來到一個大城時，飢餓口渴疲乏極了，於是使令一個盲人在城外看守物品，其餘的人就入城去乞討索取飲食。不久之後，有一個騙子來到看守物品的這個盲人處，告訴他說：『咄！你這個人！爲什麼自己一個人住在這裡？』盲人答覆說：『我有很多伴侶入城乞食去了。』那騙子就告訴他說：『你知道嗎？那裡有在作大布施，衣食、瓔珞、華香以及雜物，隨你們所要的物品都可以得到，你們如果有所需要，我可以帶著你們往那裡去。』那盲人就答覆說：『可以啊！』於是那騙子把那個盲人稍微帶開了他本來看守物品的地方，就把他看守的物品全部奪走了。那五百盲人的其餘諸人都去乞食，得到食物而回來原處所時，那騙子又告訴那一群盲人說：『你們這一些人有值遇到大會施沒有啊？』那些盲人答覆說：『我們沒有遇到。』那騙子就告訴他們說：『你們所得到的都可以放置在這個地方，我攜帶你們去那個大施會的地方。』那所有的盲人就全部把乞求得來的物品留在同一個地方，隨著騙子離去；那騙子就把全部五百個盲人帶到一個大深坑的旁邊，告訴他們說：『這個地方很平整，非常好，而且有大施會；你們大家都可以轉身面向東邊開始前進，接受大施之物。』於是這五百盲人因爲看不見又誤信騙子的話，迴面東行，一時墮坑而死。舍利弗！未來世的比丘喜歡閱讀外道的經書，當他們演說佛法時，就用一些特別莊飾的文辭說得好像很勝妙一樣，令大眾聽了都覺得很歡樂；惡魔在那時就會幫助他迷惑眾人，障礙了大眾對善法的熏習；如果有人是貪著音聲語言以及巧妙莊飾的文辭，或者另外有人喜好閱讀外道經書而不讀佛經，惡魔都會加以迷惑，讓他們在這一些外道經書之中心得安隱；如果有比丘是修學佛法的人，惡魔就會使得大眾對這一些比丘產生疑惑，使得全部的人都不來供養這樣的比丘。如果有比丘或者二人或者三人，已經勤讀佛經，惡魔就來促使這一些比丘去追求外道的經典法義，這些比丘之中先自己看過的人就向別人讚言說，這些外道的經法很好，非常良善；這一些人都是被惡魔所迷惑，因此覆障了他們的慧眼，而且深深地貪著於利養，從此就不斷地閱讀外道的經書；這就好像那五百盲人被騙子所欺騙一樣，全部讓他們墮落於深坑而死亡。舍利弗！這一些生而眼盲的人，就是比丘，捨離如來的無上道，而追求外道的經書；誑騙盲人的騙子就是惡魔，深坑就是邪道。舍利弗！猶如那五百盲人捨棄了自己所得的物品，想要前往大施會的處所而墮落於深坑；我的這一些弟子們也同樣是這樣，捨棄了粗略的衣服與食物而追逐大會施，尋求好的供養；由於世間利益的緣故而失去了大智慧，因此墮落於深坑阿鼻地獄之中。」】

講義：如來補充了一個譬喻，這是 如來所見過去世的事情。有五百個生來眼盲的人在道路上行進，他們去到一個大城，因為飢餓也因為非常口渴，所以非常疲乏，他們因此指令一個盲人在城外守著所有物品，其餘的人一起入城乞索飲食；但是五百盲人畢竟攜帶了不少的物品，特別是古時物資的取得很不容易，這五百盲人也不一定都是窮人，他們只是眼盲而已，那他們帶的物品因為人數眾多也就非常可觀。既然五百個人都進城內乞食或者求索，就只有一個盲人在那裡看守，這就容易騙了，所以那騙子就來騙他；騙他時當然會利誘，就告訴他說：「**有一個地方正在作大施會，那大施會裡有好多東西，不但有衣食，而且有瓔珞、華香、雜物，你們欠什麼你去了就可以得到。**」

騙子當然會先許他得利，否則那盲人為什麼要信受？古時如此，現代的騙子也是一樣，先允許你會得到什麼利益，最典型的騙術譬如現在銀行年息只有百分之一或百分之二，甚至於有的銀行根本就不想收存款，所以有人聰明：「**我給你百分之五的利息。**」百分之五依現在的臺灣來說算是很高的，以前銀行抵押貸款的年息最高達到年息百分之十四點七五，而且那不是信用貸款，而是抵押貸款。正因為當時銀行年息百分之十四點七五，所以才會有公務員退休金可以存百分之十八的年息；軍公教退休金存款的年息百分之十八是基於這個基礎而來的。現在銀行的年息很低，所以如果有人給你百分之五的年息，那你就要小心了，因爲利息這麼高，會不會是騙你的？

在公元一九八四年以前，當時銀行抵押利率年利百分之十四點七五時，民間利率都是月息兩分；如果有個大集團說：「**我們很賺錢，但是現在要擴大業務，所以我給你三分的月息。**」那你就要很小心。可是很多人警覺性不夠，因此以前鴻源投資公司高利收集大眾的資金，當年很有名，包括很多大官、退休的將軍，很多公務員都把退休金全部投進去，結果後來是血本無歸。就好像近年美國的雷曼兄弟銀行一樣，是拿你的本金來發利息給你，大部分的錢他們拿走；到後來發不出利息時就倒閉了，結果大家領的高利息，領的其實還是自己的本錢，只能領了一小部分就倒了。所以那些無知的人想要賺他們的利息，人家發利息的人卻是想要投資人的本金，世間就是這樣。所以如果現在有哪一個所謂的投資工具或者什麼銀行的理專，告訴你說現在有一個很好的投資標的，年息百分之六、百分之八，你就要小心，一定是高風險的投資，騙子也都是這種狀況。我不是說銀行理財的專員就是騙子，有時候他們明知道風險很高，但故意跟你說得好像沒風險，你信了就倒楣。

那騙子也是一樣的道理，他先許你某一些利益，他許你的利益通常不會實現，但他先會編造理由讓你信受，說是一定會實現。最近我在車上聽新聞播報，有個插播的廣告，介紹國外的某某基金，說是高收益低風險；我一聽就說，天下哪有這種事情，高收益就是高風險，高收益沒有低風險的，如果高收益又低風險，他何必讓你知道，他自己攬下來就好了，還要花廣告費來廣告讓你知道？天下沒這回事情。可是有人會信的。

也就是說，不管多麼荒唐的說詞都會有人信，所以不管多麼荒唐的宗教也會有人信。在我們看來，那一神教的教義荒唐無比，可是連美國總統歐巴馬都信，那你怎麼說？等而下之的就不提，所以這一種騙子的一貫說詞都是有軌跡可尋的，或者說有一個定律可尋的，就是先許你一些好處。那個好處似乎是平白可得，而且是不小的好處；但其實通常都虛構的，而他要的就是你的東西，那這個盲人不知道就被騙了。接著五百盲人也一樣被騙，但騙子心狠手辣，騙子沒有慈悲心的，最好能夠把你騙光。如果他騙光了以後給你留下一萬、兩萬元，帶走你的幾千萬元財產，這個騙子將來下墮地獄後，可能就有一根蜘蛛絲可以拉上來，因爲他騙走了以後，某一天又突然丟給你兩萬塊錢讓你維持一段時間的生活。

但通常騙子不會作這種事，俗話叫作吃乾抹盡；所以那騙子對於五百盲人，也是完全沒有憐憫之心，把他們東西都留下來，然後帶他們到一個懸崖邊，告訴他們說：「你們可以面向東方，然後大步前進，那裡就是大施會的地方。」結果那裡只是一個懸崖，當他們大家都舉步邁進時，同時下墮於深坑，當然都死了。所以有句成語說「謀財害命」，往往是這樣。如果他很容易騙到手，就不害命，若是不容易騙到手的他就會害命。

這五百盲人一時墮坑而死，如來以祂往昔所看見的這個故事來告訴我們說：「未來世的比丘喜樂於閱讀外道的經書，說法時就講一些讓大家覺得很輕鬆愉快而且喜歡聽的故事或者典故或者文辭，令大眾聽得很歡喜、很快樂。」這時惡魔當然不會閒著，這是好機會，所以「來幫助那個比丘迷惑眾人，障礙大家對於善法的熏習，如果有人本來就對於那一些外道莊飾的文辭有所喜樂的，或者說對那一些音聲語言巧飾的那種說法有喜歡的人，或者有人對於外道那些經書本來因爲好奇到最後變成喜歡，那惡魔就會加以迷惑，使他們在這一些外道法中心得安隱，然後就會永遠沉迷於外道法之中了。」

今天時間到了，只能講到這裡。

《佛藏經》今天要繼續從四十七頁倒數第七行的最末一句開始講：「若有比丘修佛法者令生疑惑，咸使眾人不復供養。」這是說，那一些誑人——也就是破戒比丘虛妄說法者，他們遇到有的比丘眞正修學佛法時，總是會以各種言語譬喻或其他的方式，來使修學正法的比丘、比丘尼們產生疑惑，這樣作的目的是要使那一些出家二眾對法生疑；生疑以後說法時，心中就不太篤定；當信眾聽聞到他說法不是很篤定時，就對他不很信受；因爲不很信受的緣故，往往就會漸漸地離去，或者減少原來大力支持的比例；最後甚至於大眾都不相信，也不再供養如實學法的比丘二眾。這樣一來就會使弘揚正法的菩薩們沒有勢力，影響力也跟著衰微，這就是他們的目的。

因爲如實說法的比丘、比丘尼們所說的法，一定會使「破戒比丘」等人所說的外道邪法顯示出破綻來；如此一來，他們會覺得受到威脅，所以無論如何就是要去轉易如法修學的比丘座下的一切信眾或者出家弟子，漸漸離他而去。這種現象是很正常的，也就是說正法和邪法是無法和平共存的。如果同樣是常見外道的法，大家都可以和平共存，最多只是互相競爭而不會有互相誹謗的事情存在；所以他們和平共存，但不會互相抵制，而且有時還會成立聯盟而互相標榜。

譬如大家心中都有默契，明知道都沒有實證或者自以爲實證，但卻來互相標榜，某甲不說自己證得三地、五地、八地的證量，但是他來說某乙證得三地、五地、八地的證量；過一段時間換某乙來推崇某甲，說他是八地的大菩薩等，互相標榜，但他們自己都沒有大妄語，因爲全都是別人講的啊！人家來問：「師父啊！您眞的是八地菩薩？」他說：「那是他講的。」就一句話：「那是他講的。」就沒有大妄語業了。當人家去問某甲法師、某乙法師，他們都說：「那是對方講的，我從來沒有說過我是八地菩薩。」可是卻又接二連三再四再五不斷地互相標榜，某甲繼續讚歎某乙，某乙繼續讚歎某甲是八地菩薩等。

那麼看來好像都沒有犯下大妄語業，而各道場的信徒們各自都相信；因爲他們想：「某乙師父讚歎我師父是八地菩薩。」所以某甲法師的徒眾都信師父眞是八地菩薩；那某乙法師的徒眾也會信某乙法師，因爲某甲法師反過來不斷地讚歎某乙法師是八地菩薩；這樣互相標榜，看來都沒有大妄語業。可是有個問題存在：他們兩個人都默認，只是口頭上稍微推辭一下說：「那是某甲法師說的。」「那是某乙法師說的，我沒有說。」可是他沒有說：「我眞的不是八地菩薩。」所以這還是變相的大妄語。但因爲大眾不知就裡，都信以爲眞：「我師父根本沒講啊！人家某乙法師就一直斬釘截鐵說我師父是八地菩薩，怎麼會錯？」

那麼兩方徒眾都相安無事，兩個法師互相讚歎之後聲勢越來越大，因爲佛法中絕大多數多是學人，眞正有證量的人其實少之又少，那麼互相標榜的結果，如實說法的比丘可能還在六住位尚未明心，也有可能明心了在七住位、八住位，但是還沒有道種智，可能也無法破他們；縱使破斥，然而勢力微小起不了大作用，最後可能絕大部分的信眾或者學法者都離開了，只剩下極少數人也成不了護法的作用。所以 如來說：「令生疑惑，咸使眾人不復供養。」這就是末法時代會產生的現象，臺灣如是，大陸亦復如是；大乘法弘揚的地區如是，南傳小乘佛法弘揚的地區亦復如是。

所以你們看十幾年前南洋好多阿羅漢都來臺灣弘法，什麼一行禪師啦！還有帕奧禪師，還有阿姜查的所謂解脫道也傳來臺灣，然後也有朗波田的動中禪，他們都號稱是阿羅漢。那時還有印精裝大本的《阿迦曼傳》，是精裝本燙金的，那時我是這一世剛學法，那是二十幾年前，我也拿到一本。那一本的翻譯者叫作曾銀湖，我說他算是福報不足的人，在世間法上他中了毒，就是以前彰化縣魏氏兄弟製造的很有名的米糠油，被多氯聯苯滲入而使食用者都中毒，那是沒辦法完全新陳代謝的毒素，可能他還有命在，也可能依舊在受苦。米糠油是很有營養的食品，問題是製作的過程弄砸了，被脫臭劑多氯聯苯滲透了；他們以那個油持續使用，都不知道中毒的原因是那個油。

而這是在世間法上中毒，但他所謂的學佛其實是學阿羅漢道，不是學佛；學來學去學到阿迦曼的東西，我記得還有阿姜查和阿姜通，他就學到那些東西，我當初拿到那一本看了看，也覺得沒什麼法，只是覺得有一點怪怪、有一點懷疑，不太信阿迦曼是阿羅漢；但因爲當年我學佛不過三、四年，也還沒有破參，書就擺著。後來破參又過了很多年才又看到那一本，再把它拿出來翻一翻，心想：「欸！他怎麼連斷我見都沒有。」沒有斷我見的阿羅漢，還眞是稀奇欸！那阿迦曼如是，等而下之的阿姜查等人就不必談了。那諸位看看那一些南洋來的一行禪師、帕奧禪師，後來還有一個女人從越南來的，自稱是青海來的無上師那個女人可也有趣，天下有這麼一個沒有斷我見也沒有明心、更沒有見性的女人叫作「無上師」，自稱是佛。

這就是末法的怪象，但是這一些人都是互相標榜的結果，是一群凡夫經營宣傳造勢然後大家追捧；不知道的大眾是追捧，把一個凡夫捧為阿羅漢之後，由於迷信的緣故大大的供養，世人的崇拜就跟著來了。這一來就產生了排擠效應，也就是弘揚正法的人老老實實，有證說有證，沒證說沒證，從來不大妄語，但是相形之下，不知情的信眾大家要崇拜名師，所以一窩蜂往那些大妄語的道場去供養護持，如實說法的比丘反而沒有供養，這就是臺灣和大陸的狀況，南洋亦復如是。所以大陸據說索達吉的信眾有幾十萬，也有可能是上百萬，但索達吉斷了我見沒有？沒有！仍然是個凡夫，但大眾卻崇拜得不得了。

索達吉現在被淨空法師力捧，而淨空法師又是何許人？他跟著李炳南居士修學佛法，學著出來弘揚佛法教人家老實念佛倒也是好，可惜後來大概因為被蕭平實刺激的緣故，他現在開始走偏鋒。二十幾年前他在杭州南路，我那時想：「**我能把這個法傳給什麼人，就可以歸隱田園。**」我在故鄉有個計劃，想回去那邊歸隱。那麼尋來覓去覺得這些大法師們一個一個都不可靠，所以後來有人推薦說他可以，說他不貪供養、不和稀泥等；聽說當時他是這樣，敢說；有人說法不對的，他也敢破，我說：「那麼傳給他應該可以。」我們就去拜訪他，在杭州南路華藏講堂，那是哪一棟大樓我現在也已經忘光光，都快三十年了。但對談之下，眞的是話不投機三句多，我也曾跟諸位講過。

我以前去跟他談實相念佛，他這麼講：「我的徒弟只要是能夠有一、兩個下品下生，我就很歡喜了，別跟我談什麼實相念佛。」我就從下品下生談到上品上生，我說：「您的徒弟又不是殺人放火十惡不赦，幹嘛要下品下生？」那是因爲我跟他談體究念佛、實相念佛，他馬上跟我扣帽子，我才會這樣和他說九品往生的事；後來我覺得無緣，所以談二十幾分鐘後覺得眞是談不下去，因爲他看表相，看我是在家人，很瞧不起，我只好略事供養之後就告辭了。

過了一年多，可能因爲讀到我的書，也覺得我去拜訪他時很受刺激，應該要跟進，他可能覺得開悟或體究念佛是個潮流吧，也許認爲現在顯學應該改爲大乘法的開悟而不只是念佛；所以他也在跟人家講明心的法、開悟的法，也有錄音帶流通出來。後來不曉得什麼因緣使他跑去大陸，藉著錄音帶、光碟流通，他就變成一個大師了！大師倒也無妨，我們都隨喜，問題是他走偏鋒了，因爲人家漸漸地知道他根本不是一個實證者；所以剛開始搞一些一貫道的手法，他也弄一點基督教的《聖經》來讀、來寫、來講，甚至還用毛筆寫了天主教的《玫瑰經》，他的念珠下面還掛一個十字架，你說這算什麼呢？但他的信眾還是那麼多，那些人接觸到正法時一看就說：「**這蕭平實罵我師父淨空法師，我不要讀。**」這就是迷。學佛本來是爲了智慧，結果越學越迷，但是淨空現在倒是很有名了，迷信崇拜者很多。

反過來說，如實說法的比丘、比丘尼不是沒有，但因爲他們如實說法時，未證就坦白說自己未證，沒有悟就坦白說自己還沒有悟；但是當那邪見者大力標榜證量多麼高時，如實說法者就是信眾很少，於是難以生存。我們在臺灣是個異數，爲什麼是個異數？因爲我們有道種智可以破那一些人；他們儘管標榜，我用書籍去流通就破了他們的謊言，讓大眾知道他們是大妄語者。早期我們印很多結緣書，結果他們發動信徒收集去燒掉或環保回收，那我用局版書流通總可以吧？他們有錢儘管買去燒，都沒關係；反正他們去書局買，我繼續在書局上架，那他們就不能燒了。這個管道他們無法去收集、去回收了，終究有人會漸漸的把這些眞正的訊息給傳布出去，一傳十、十傳百，最後咱們正法就在臺灣立足。

這就是說，還沒有實證的比丘二眾，想要與那一些大妄語的破法比丘、破戒比丘並存於世非常困難；因爲大眾不知就裡：「**聽說那是八地菩薩欸！你只是個凡夫，我們跟隨你幹嘛呢？**」甚至於也有學密的出來說已經成佛了，心想：「**我們喇嘛和尚是成佛的人，你還是凡夫，你算什麼？**」於是沒有人願意供養清淨修行的比丘，勢力就衰微了。正法、邪法不能兩立，這是永遠必然的現象；就像我剛出來弘法時也不想破斥那些大法師們，可是大法師們總是私下裡口頭說：「**正覺不如法。**」這是很客氣的說法，還沒有罵我是邪魔外道。可是有些大山頭直接就罵我是邪魔外道，被逼之下，爲了正法的救亡圖存，我就必須有所作爲。

所以我這個在社會上一向與人爲善、不跟任何人作對、從來不樹敵的一個人，個子又小小的、瘦瘦的，而正覺的勢力又這麼小，卻必須奮力一擊，我必須作；因爲若不這樣作，正法無以撥亂反正，終究會被他們淹沒，於是我們開始回應。當我們開始回應以後，他們倒是不回應我，沒有人要理我了。甚至於也有人說：「蕭平實沒有辦法跟佛教界對話。」有人把這話傳給我，我一聽就承認了，我當下承認，我眞的沒辦法跟他們對話。因爲我講的是實相境界，而實相境界他們沒有實證，那要怎麼對話？我如果把二乘菩提拿出來跟他們講，他們聽了一定起煩惱：「你是在說我未悟言悟啊？還說我沒有證阿羅漢果，是說我大妄語嗎？」會變成這樣，因爲我第一個念頭起來就是：「我能跟他們怎麼講？無法溝通。」所以我當下承認我是無法跟他們對話。

果然如此，所以我的書一本接一本把他們指名道姓給拈了，他們大家都繼續裝聾作啞，沒有人回應我，看來我就像武俠小說講的「千山我獨行」。獨孤求敗還有敗可求，我是連敗都沒得求，就變成沒有人要理的人。沒有人要理我，正是我要的，我要的正是讓他們緘口，否則正法就被他們淹沒了！那麼你們想想，到了末法時代演繹正法的比丘如實修行而不未悟言悟，那他沒有道種智，要怎麼樣跟那些演說外道法的大法師們對抗？他們作不到，最後就是眾人都「不復供養」，那他的勢力越來越衰微，無法住持正法了。而且老實說，學佛法的人絕大多數都只看表相，他們不知道實際的狀況，因此清淨比丘的勢力衰微是必然的現象。

如來又說：「或有比丘若二若三，已讀佛經，便使令求外道經法，先自看者讚言善好；是諸人等爲魔所惑，覆障慧眼，深貪利養，看諸外書；猶如群盲爲誑所欺，皆使令墮深坑而死。」世尊說，假使有比丘兩位或三位，已經讀了佛經，再也不讀什麼人的著作；他們直接去讀佛經是好的，但是這一些破戒比丘會故意想方設法使他們去追求外道經、外道法。外道經、外道法對凡夫而言很有誘惑力，譬如外道如果講氣功一類的法，說氣功如果修成之後就可以開悟；其實開悟跟氣功無關，但是有的比丘沒有正知見，他們剛開始閱讀佛經，後來被人這麼一遊說，心中對於那一些境界法也是有所愛好，於是就跟著開始追求外道經、外道法，這都是正常的。

那麼這一些人獲得外道經、外道法以後，就大力讚歎，因爲他還沒有見地，被誘惑了也是正常；得要悟了才有見地，但他還沒有見地，所以就大力的讚歎，說這經典和法門非常好。旁邊的比丘就會跟進說：「既然這麼好，我也來試試看。」就會跟進，這都是正常的。且不說還沒有悟的人，就是我們會裡早期證悟的人，也有人悟後就想追求神通，然後就不太來共修，悟後進修的課也不太來上；他去書局買一些某某比丘寫的怎麼修天眼通的書，就自己盲修瞎練起來。

後來有一天又來找我，我說：「這麼久沒看見你，哪兒去了？」「我現在很用功啊！」「你用什麼功？你不來上課，哪裡去用功？」他說：「我在修練天眼通啊！」我說：「你修練天眼通，來！我看看你是跟誰學的，告訴我。」他卻說：「我沒有跟誰學，我是買了一本書，人家介紹給我的。」我說：「你拿來我看看。」我一翻，翻了兩頁、三頁就說：「這個修不成神通的，你甭修了！天眼通不是這樣修法的，可見那個作者本身也沒有天眼通，你甭信了！」可是他不聽。又過了大約半年左右吧，應該超過半年了，他說現在拜了一位師父在學，一定會有神通，說那師父神通多厲害，我說：「自從我出來弘法以後，凡是有人見到誰就說是有大神通的，好像他們遇到我時都變成沒有神通了。你如果不信，就繼續學學看。」

現在已經十幾年過去，也沒聽說他修得神通。如果神通只有師父能修得，徒弟永遠修不得，那是有問題的。師父若眞的有神通，一定可以教導徒弟發起，一百個弟子中總會有三、五個有神通的；結果全都沒有，只有師父有，所以師父永遠至高無上。對啊！徒弟都仰望師父：「**只有師父修得起來的，我們沒辦法。**」都不知道師父是藉鬼神的力量去知道的，根本沒有自己的神通，那叫作「**鬼通**」，所以求外道法、外道經的人太多了。

你們看淨空法師還在唸《玫瑰經》，那是一神教的經典；他唸那些《聖經》等，我都不知道那些《聖經》何聖之有，因為那《聖經》的作者比現代的凡夫還要笨，而且老實講，也比古代的凡夫笨；因為我在破參之前，那是還沒有把往世的智慧找回來之前，讀過《新約聖經》、《舊約聖經》，可是我都是只讀十幾頁就讀不下去了，因為其中講得很荒唐，根本不合邏輯；譬如上帝用泥土捏了個亞當，然後怕亞當寂寞，就把亞當的肋骨抽了一根下來，再變成夏娃，兩個人在伊甸園裡快樂地生活；但上帝心腸不好，故意弄了一棵蘋果樹在那裡，蘋果樹會生蘋果，蘋果熟了以後那味道很香，每天誘惑著亞當、夏娃，上帝卻告訴他們說：「**你們不可以吃這個東西。**」然後就畫一條毒蛇在那邊，你們看上帝心腸多壞。上帝告訴他們說不許吃蘋果，吃了就有罪，就會被趕出伊甸園。有一天他們兩個受不了誘惑就吃了，上帝就把他們趕出伊甸園。妙的是他們兩人離開了伊甸園，發覺伊甸園外還有一大群人，不是上帝創造出來的；然後又說所有人都是上帝創造的。那你說這《聖經》的作者是否自語相違，夠聰明嗎？

（未完，詳後第十六輯續說。）

佛教正覺同修會〈修學佛道次第表〉

第一階段

* 以憶佛及拜佛方式修習動中定力。
* 學第一義佛法及禪法知見。
* 無相拜佛功夫成就。
* 具備一念相續功夫—動靜中皆能看話頭。
* 努力培植福德資糧，勤修三福淨業。

第二階段

* 參話頭，參公案。
* 開悟明心，一片悟境。
* 鍛鍊功夫求見佛性。
* 眼見佛性〈餘五根亦如是〉親見世界如幻，成就如幻觀。
* 學習禪門差別智。
* 深入第一義經典。
* 修除性障及隨分修學禪定。
* 修證十行位陽焰觀。

第三階段

* 學一切種智真實正理—楞伽經、解深密經、成唯識論…。
* 參究末後句。
* 解悟末後句。
* 透牢關—親自體驗所悟末後句境界，親見實相，無得無失。
* 救護一切眾生迴向正道。護持了義正法，修證十迴向位如夢觀。
* 發十無盡願，修習百法明門，親證猶如鏡像現觀。
* 修除五蓋，發起禪定。持一切善法戒。親證猶如光影現觀。
* 進修四禪八定、四無量心、五神通。進修大乘種智，求證猶如谷響現觀。

佛菩提二主要道次第概要表——二道並修，以外無別佛法

佛菩提道——大菩提道

遠波羅蜜多

資糧位

十信位修集信心——一劫乃至一萬劫

初住位修集布施功德（以財施爲主）。

二住位修集持戒功德。

三住位修集忍辱功德。

四住位修集精進功德。

五住位修集禪定功德。

六住位修集般若功德（熏習般若中觀及斷我見，加行位也）。

外門廣修六度萬行

七住位明心般若正觀現前，親證本來自性清淨涅槃。

八住位起於一切法現觀般若中道。漸除性障。

十住位眼見佛性，世界如幻觀成就。

一至十行位，於廣行六度萬行中，依般若中道慧，現觀陰處界猶如陽焰，至第十行滿心位，陽焰觀成就。

一至十迴向位熏習一切種智；修除性障，唯留最後一分思惑不斷。第十迴向滿心位成就菩薩道如夢觀。

內門廣修六度萬行

見道位

初地：第十迴向位滿心時，成就道種智一分（八識心王一一親證後，領受五法、三自性、七種第一義、七種性自性、二種無我法）復由勇發十無盡願，成通達位菩薩。復又永伏性障而不具斷，能證慧解脫而不取證，由大願故留惑潤生。此地主修法施波羅蜜多及百法明門。證「猶如鏡像」現觀，故滿初地心。

二地：初地功德滿足以後，再成就道種智一分而入二地；主修戒波羅蜜多及一切種智。滿心位成就「猶如光影」現觀，戒行自然清淨。

解脫道：二乘菩提

斷三縛結，成初果解脫

薄貪瞋癡，成二果解脫

斷五下分結，成三果解脫

入地前的四加行令煩惱障現行悉斷，成四果解脫，留惑潤生。分段生死已斷，煩惱障習氣種子開始斷除，兼斷無始無明上煩惱。

近波羅蜜多 　 大波羅蜜多 　 圓滿波羅蜜多

修道位 　 究竟位

心、五神通。能成就俱解脫果而不取證，留惑潤生。滿心位成就「猶如谷響」現觀及無漏妙定意生身。

四地：由三地再證道種智一分故入四地。主修精進波羅蜜多，於此土及他方世界廣度有緣，無有疲倦。進修一切種智，滿心位成就「如水中月」現觀。

五地：由四地再證道種智一分故入五地。主修禪定波羅蜜多及一切種智，斷除下乘涅槃貪。滿心位成就「變化所成」現觀。

六地：由五地再證道種智一分故入六地。此地主修般若波羅蜜多——依道種智現觀十二因緣一一有支及意生身化身，皆自心眞如變化所現，「非有似有」，成就細相觀，不由加行而自然證得滅盡定，成俱解脫大乘無學。

七地：由六地「非有似有」現觀，再證道種智一分故入七地。此地主修一切種智及方便波羅蜜多，由重觀十二有支一一支中之流轉門及還滅門一切細相，成就方便善巧，念念隨入滅盡定。滿心位證得「如犍闥婆城」現觀。

八地：由七地極細相觀成就故再證道種智一分而入八地。此地主修一切種智及願波羅蜜多。至滿心位純無相觀任運恆起，故於相土自在，滿心位復證「如實覺知諸法相意生身」故。

九地：由八地再證道種智一分故入九地。主修力波羅蜜多及一切種智，成就四無礙，滿心位證得「種類俱生無行作意生身」。

十地：由九地再證道種智一分故入此地。此地主修一切種智——智波羅蜜多。滿心位起大法智雲，及現起大法智雲所含藏種種功德，成受職菩薩。

等覺：由十地道種智成就故入此地。此地應修一切種智，圓滿等覺地無生法忍；於百劫中修集極廣大福德，以之圓滿三十二大人相及無量隨形好。

妙覺：示現受生人間已斷盡煩惱障一切習氣種子，並斷盡所知障一切隨眠，永斷變易生死無明，成就大般涅槃，四智圓明。人間捨壽後，報身常住色究竟天利樂十方地上菩薩；以諸化身利樂有情，永無盡期，成就究竟佛道。

← 七地滿心斷除故意保留之最後一分思惑時，煩惱障所攝色、受、想三陰有漏習氣種子全部斷盡。

煩惱障所攝行、識二陰無漏習氣種子任運漸斷，所知障所攝上煩惱任運漸斷。 ← 斷盡變易生死成就大般涅槃

圓滿成就究竟佛果

佛子蕭平實 謹製
（二〇〇九、〇二 修訂）
（二〇一二、〇二 增補）

佛教正覺同修會 共修現況 及 招生公告 2021/04/21

一、共修現況：（請在共修時間來電，以免無人接聽。）

台北正覺講堂 103 台北市承德路三段 277 號九樓 捷運淡水線圓山站旁
Tel..**總機** 02-25957295（晚上）（**分機：九樓**辦公室 10、11；知客櫃檯 12、13。 **十樓**知客櫃檯 15、16；書局櫃檯 14。 **五樓**辦公室 18；知客櫃檯 19。**二樓**辦公室 20；知客櫃檯 21。）
Fax..25954493

第一講堂 台北市承德路三段 277 號九樓

禪淨班：週一晚班、週三晚班、週四晚班、週五晚班、週六下午班、週六上午班（共修期間二年半，全程免費。皆須報名建立學籍後始可參加共修，欲報名者詳見本公告末頁。）

增上班：瑜伽師地論詳解：單週六晚班。雙週六晚班（重播班）。17.50～20.50。平實導師講解，2003 年 2 月開講至今，僅限已明心之會員參加。

禪門差別智：每月第一週日全天 平實導師主講（事冗暫停）。

解深密經詳解 本經從六度波羅蜜多談到八識心王，再詳論大乘見道所證眞如，然後論及悟後進修的相見道位所觀七眞如，以及入地後的十地所修，乃至成佛時的四智圓明一切種智境界，皆是可修可證之法，流傳至今依舊可證，顯示佛法眞是義學而非玄談，淺深次第皆所論及之第一義諦妙義。已於 2021 年三月下旬起開講，由 平實導師詳解。每逢週二晚上開講，第一至第六講堂都可同時聽聞，歡迎菩薩種性學人，攜眷共同參與此殊勝法會現場聞法，不限制聽講資格。本會學員憑上課證進入第一至第四講堂聽講，會外學人請以身分證件換證進入聽講（此爲大樓管理處安全管理規定之要求，敬請諒解）；第五及第六講堂（B1、B2）對外開放，不需出示任何證件，請由大樓側門直接進入。

第二講堂 台北市承德路三段 267 號十樓。

禪淨班：週一晚班。

進階班：週三晚班、週四晚班、週五晚班、週六早班、週六下午班。禪淨班結業後轉入共修。

解深密經詳解：平實導師講解。每週二 18.50~20.50 影像音聲即時傳輸

第三講堂 台北市承德路三段 277 號五樓。

禪淨班：週六下午班。

進階班：週一晚班、週三晚班、週四晚班、週五晚班。

解深密經詳解：平實導師講解。每週二 18.50~20.50 影像音聲即時傳輸

第四講堂 台北市承德路三段 267 號二樓。

進階班：週一晚班、週三晚班、週四晚班（禪淨班結業後轉入共修）。

解深密經詳解：平實導師講解。每週二 18.50~20.50 影像音聲即時傳輸

第五、第六講堂

念佛班 每週日晚上，第六講堂共修（B2），一切求生極樂世界的三寶弟子皆可參加，不限制共修資格。

進階班：週一晚班、週三晚班、週四晚班。

解深密經詳解：平實導師講解。每週二 18.50~20.50 影像音聲即時傳輸。第五、第六講堂爲**開放式講堂**，不需以身分證件換證即可進入聽講，台北市承德路三段 267 號地下一樓、地下二樓。每逢週二晚上講經時段開放給會外人士自由聽經，請由大樓側面梯階逕行進入聽講。**聽講者請尊重講者的著作權及肖像權，請勿錄音錄影，以免違法；若有錄音錄影被查獲者，將依法處理。**

正覺祖師堂 大溪區美華里信義路 650 巷坑底 5 之 6 號（台 3 號省道 34 公里處 妙法寺對面斜坡道進入）電話 03-3886110 傳眞 03-3881692 本堂供奉 克勤圓悟大師，專供會員每年四月、十月各三次精進禪三共修，兼作本會出家菩薩掛單常住之用。開放參訪日期請參見本會公告。教內共修團體或道場，得另申請其餘時間作團體參訪，務請事先與常住確定日期，以便安排常住菩薩接引導覽，亦免妨礙常住菩薩之日常作息及修行。

桃園正覺講堂（第一、第二講堂）：桃園市介壽路 286、288 號 10 樓（陽明運動公園對面）電話：03-3749363（請於共修時聯繫，或與台北聯繫）

禪淨班：週一晚班（1）、週一晚班（2）、週三晚班、週四晚班、週五晚班。

進階班：週四晚班、週五晚班、週六上午班。

增上班：雙週六晚班（增上重播班）。

解深密經詳解：平實導師講解。每週二晚上，以台北正覺講堂所錄 DVD 放映；歡迎會外學人共同聽講，不需出示身分證件。

新竹正覺講堂 新竹市東光路 55 號二樓之一 電話 03-5724297（晚上）

第一講堂：

禪淨班：週五晚班。

進階班：週三晚班、週四晚班、週六上午班。由禪淨班結業後轉入共修

增上班：單週六晚班。雙週六晚班（重播班）。

解深密經詳解：平實導師講解。每週二晚上，以台北正覺講堂所錄 DVD 放映。歡迎會外學人共同聽講，不需出示身分證件。

第二講堂：

禪淨班：週一晚班、週三晚班、週四晚班、週六上午班。

解深密經詳解：每週二晚上與第一講堂同步播放講經 DVD。

第三、第四講堂：裝修完畢，即將開放。

台中正覺講堂 04-23816090（晚上）

第一講堂 台中市南屯區五權西路二段 666 號 13 樓之四（國泰世華銀行樓上。鄰近縣市經第一高速公路前來者，由五權西路交流道可以快速到達，大樓旁有停車場，對面有素食館）。

禪淨班：週四晚班、週五晚班。

進階班：週一晚班、週三晚班、週六上午班（由禪淨班結業後轉入共修）。

增上班：單週六晚班。雙週六晚班（重播班）。

解深密經詳解：平實導師講解。每週二晚上，以台北正覺講堂所錄 DVD 放映。歡迎會外學人共同聽講，不需出示身分證件。

第二講堂　台中市南屯區五權西路二段 666 號 4 樓

禪淨班：週一晚班、週三晚班。

第三講堂台中市南屯區五權西路二段 666 號 4 樓

禪淨班：週一晚班。

第四講堂台中市南屯區五權西路二段 666 號 4 樓。

進階班：週一晚班、週四晚班、週六上午班，由禪淨班結業後轉入共修

解深密經詳解：每週二晚上與第一講堂同步播放講經 DVD。

嘉義正覺講堂　嘉義市友愛路 288 號八樓之一　電話：05-2318228

第一講堂：

禪淨班：週四晚班、週五晚班、週六上午班。

進階班：週一晚班、週三晚班（由禪淨班結業後轉入共修）。

增上班：單週六晚班。雙週六晚班（重播班）。

解深密經詳解：平實導師講解。每週二晚上，以台北正覺講堂所錄 DVD 放映。歡迎會外學人共同聽講，不需出示身分證件。

第二講堂　嘉義市友愛路 288 號八樓之二。

第三講堂　嘉義市友愛路 288 號四樓之七。

禪淨班：週一晚班、週三晚班。

台南正覺講堂

第一講堂　台南市西門路四段 15 號 4 樓。06-2820541（晚上）

禪淨班：週一晚班、週三晚班、週四晚班、週五晚班、週六下午班。

增上班：單週六晚班。雙週六晚班（重播班）。

第二講堂　台南市西門路四段 15 號 3 樓。

解深密經詳解：每週二晚上與第三講堂同步播放講經 DVD。

第三講堂　台南市西門路四段 15 號 3 樓。

進階班：週一晚班、週三晚班、週四晚班、週五晚班（由禪淨班結業後轉入共修）。

解深密經詳解：平實導師講解。每週二晚上，以台北正覺講堂所錄 DVD 放映。歡迎會外學人共同聽講，不需出示身分證件。。

高雄正覺講堂　高雄市新興區中正三路 45 號五樓 07-2234248（晚上）

第一講堂（五樓）：

禪淨班：週一晚班、週三晚班、週四晚班、週五晚班、週六上午班。

增上班：單週六晚班。雙週六晚班（重播班）。

解深密經詳解：平實導師講解。每週二晚上，以台北正覺講堂所錄 DVD 放映。歡迎會外學人共同聽講，不需出示身分證件。

第二講堂（四樓）：

進階班：週三晚班、週四晚班、週六上午班（由禪淨班結業後轉入共修）。

解深密經詳解：每週二晚上與第一講堂同步播放講經 DVD。

第三講堂（三樓）：

進階班：週四晚班（由禪淨班結業後轉入共修）。

香港正覺講堂

香港新界葵涌打磚坪街 93 號維京科技商業中心A 座 18 樓。

電話：(852) 23262231

英文地址：18/F, Tower A, Viking Technology & Business Centre, 93 Ta Chuen Ping Street, Kwai Chung, N.T., Hong Kong.

禪淨班：雙週六下午班、雙週日下午班、單週六下午班、單週日下午班

進階班：雙週五晚上班、雙週日早上班（由禪淨班結業後轉入共修）。

增上班：每月第一週週日，以台北增上班課程錄成 DVD 放映之。

增上重播班：每月第一週週六，以台北增上班課程錄成 DVD 放映之。

大法鼓經詳解：平實導師講解。每週六、日 19:00～21:00，以台北正覺講堂所錄 DVD 放映；歡迎會外學人共同聽講，不需出示身分證件。

美國洛杉磯正覺講堂　☆已遷移新址☆

825 S. Lemon Ave Diamond Bar, CA 91789 U.S.A.

Tel. (909) 595-5222（請於週六 9:00~18:00 之間聯繫）

Cell. (626) 454-0607

禪淨班：每逢週末 16：00~18：00 上課。

進階班：每逢週末上午 10：00~12：00 上課。

解深密經詳解：平實導師講解。每週六下午 13：30~15：30 以台北所錄 DVD 放映。歡迎各界人士共享第一義諦無上法益，不需報名。

二、招生公告　本會台北講堂及全省各講堂、香港講堂，每逢四月、十月下旬開新班，每週共修一次（每次二小時。開課日起三個月內仍可插班）；但美國洛杉磯共修處之禪淨班得隨時插班共修。各班共修期間皆爲二年半，全程免費，欲參加者請向本會函索報名表（各共修處皆於共修時間方有人執事，非共修時間請勿電詢或前來洽詢、請書），或直接從本會官方網站(http://www.enlighten.org.tw/newsflash/class)或成佛之道網站下載報名表。共修期滿時，若經報名禪三審核通過者，可參加四天三夜之禪三精進共修，有機會明心、取證如來藏，發起般若實相智慧，成爲實義菩薩，脫離凡夫菩薩位。

三、新春禮佛祈福　農曆年假期間停止共修：自農曆新年前七天起停止共修與弘法，正月 8 日起回復共修、弘法事務。新春期間正月初一～初七 9.00～17.00 開放台北講堂、正月初一~初三開放新竹、台中、嘉義、台南、高雄講堂，以及大溪禪三道場（正覺祖師堂），方便會員供佛、祈福及會外人士請書。美國洛杉磯共修處之休假時間，請逕詢該共修處。

密宗四大派修雙身法，是外道性力派的邪法；又以生滅的識陰作為常住法，是常見外道，是假的藏傳佛教。

西藏覺囊巴以他空見弘揚第八識如來藏勝法，才是真藏傳佛教

佛教正覺同修會　弘法行事表

2021/04/21

1、**禪淨班**　以無相念佛及拜佛方式修習動中定力，實證一心不亂功夫。傳授解脫道正理及第一義諦佛法，以及參禪知見。共修期間：二年六個月。每逢四月、十月開新班，詳見招生公告表。

2、**進階班**　禪淨班畢業後得轉入此班，進修更深入的佛法，期能證悟明心。各地講堂各有多班，繼續深入佛法、增長定力，悟後得轉入增上班修學道種智，期能證得無生法忍。

3、**增上班　瑜伽師地論**詳解　詳解論中所言凡夫地至佛地等 17 師之修證境界與理論，從凡夫地、聲聞地……宣演到諸地所證無生法忍、一切種智之眞實正理。由平實導師開講，每逢一、三、五週之週末晚上開示，僅限已明心之會員參加。2003 年二月開講至今，預定 2021 年講畢。

4、**解深密經**詳解　本經所說妙法極爲甚深難解，非唯論及佛法中心主旨的八識心王及般若實證之標的，亦論及眞見道之後轉入相見道位中應該修學之法，即是七眞如之觀行內涵，然後始可入地。亦論及見道之後，如何與解脫及佛菩提智相應，兼論十地進修之道，末論如來法身及四智圓明的一切種智境界。如是眞見道、相見道、諸地修行之義，傳至今時仍然可證，顯示佛法眞是義學而非玄談或思想，有實證之標的與內容，非諸思惟研究者之所能到，乃是離言絕句之第八識第一義諦妙義。已於 2021 年三月下旬開講，由平實導師詳解。不限制聽講資格。

5、**精進禪三**　主三和尚：平實導師。於四天三夜中，以克勤圓悟大師及大慧宗杲之禪風，施設機鋒與小參、公案密意之開示，幫助會員剋期取證，親證不生不滅之眞實心——人人本有之如來藏。每年四月、十月各舉辦三個梯次；平實導師主持。僅限本會會員參加禪淨班共修期滿，報名審核通過者，方可參加。並選擇會中定力、慧力、福德三條件皆已具足之已明心會員，給以指引，令得眼見自己無形無相之佛性遍佈山河大地，眞實而無障礙，得以肉眼現觀世界身心悉皆如幻，具足成就如幻觀，圓滿十住菩薩之證境。

6、**阿含經**詳解　選擇重要之阿含部經典，依無餘涅槃之實際而加以詳解，令大眾得以現觀諸法緣起性空，亦復不墮斷滅見中，顯示經中所隱說之涅槃實際—如來藏—確實已於四阿含中隱說；令大眾得以聞後觀行，確實斷除我見乃至我執，證得**見到**眞現觀，乃至**身證**……等眞現觀；已得大乘或二乘見道者，亦可由此聞熏及聞後之觀行，除斷我所之貪著，成就慧解脫果。由平實導師詳解。不限制聽講資格。

7、**成唯識論**詳解　詳解一切種智眞實正理，詳細剖析一切種智之微細深妙廣大正理；並加以舉例說明，使已悟之會員深入體驗所證如來藏之微密行相；及證驗見分相分與所生一切法，皆由如來藏—阿賴耶識—直接或展轉而生，因此證知一切法無我，證知無餘涅槃之本際。將於增上班《瑜伽師地論》講畢後，由平實導師重講。僅限已明心之會員參加。

8、**精選如來藏系經典**詳解　精選如來藏系經典一部，詳細解說，以此完全印證會員所悟如來藏之眞實，得入不退轉住。另行擇期詳細解說之，由平實導師講解。僅限已明心之會員參加。

9、**禪門差別智**　藉禪宗公案之微細淆訛難知難解之處，加以宣說及剖析，以增進明心、見性之功德，啓發差別智，建立擇法眼。每月第一週日全天，由平實導師開示，僅限破參明心後，復又眼見佛性者參加（事冗暫停）。

10、**枯木禪**　先講智者大師的《小止觀》，後說《釋禪波羅蜜》，詳解四禪八定之修證理論與實修方法，細述一般學人修定之邪見與岔路，及對禪定證境之誤會，消除枉用功夫、浪費生命之現象。已悟般若者，可以藉此而實修初禪，進入大乘通教及聲聞教的三果心解脫境界，配合應有的大福德及後得無分別智、十無盡願，即可進入初地心中。親教師：平實導師。未來緣熟時將於正覺寺開講。不限制聽講資格。

註：本會例行年假，自 2004 年起，改爲每年農曆新年前七天開始停息弘法事務及共修課程，農曆正月 8 日回復所有共修及弘法事務。新春期間（每日 9.00~17.00）開放台北講堂，方便會員禮佛祈福及會外人士請書。大溪區的正覺祖師堂，開放參訪時間，詳見〈正覺電子報〉或成佛之道網站。本表得因時節因緣需要而隨時修改之，不另作通知。

佛教正覺同修會　贈閱書籍 目錄　2021/8/30

1.**無相念佛**　平實導師著　回郵 36 元
2.**念佛三昧修學次第**　平實導師述著　回郵 52 元
3.**正法眼藏—護法集**　平實導師述著　回郵 76 元
4.**真假開悟簡易辨正法**&**佛子之省思**　平實導師著　回郵 26 元
5.**生命實相之辨正**　平實導師著　回郵 31 元
6.**如何契入念佛法門**（**附**：印順法師否定極樂世界）平實導師著 回郵 26 元
7.**平實書箋**—答元覽居士書　平實導師著　回郵 52 元
8.**三乘唯識**—如來藏系經律彙編　平實導師編　回郵 80 元
（精裝本　長 27 ㎝　寬 21 ㎝　高 7.5 ㎝　重 2.8 公斤）
9.**三時繫念全集**—修正本　回郵掛號 52 元（長 26.5 ㎝×寬 19 ㎝）
10.**明心與初地**　平實導師述　回郵 31 元
11.**邪見與佛法**　平實導師述著　回郵 36 元
12.**甘露法雨**　平實導師述　回郵 36 元
13.**我與無我**　平實導師述　回郵 36 元
14.**學佛之心態**—修正錯誤之學佛心態始能與正法相應 孫正德老師著 回郵52元
附錄：平實導師著**《略說八、九識並存…等之過失》**
15.**大乘無我觀**—《悟前與悟後》別說　平實導師述著　回郵 36 元
16.**佛教之危機**—中國台灣地區現代佛教之真相（附錄：公案拈提六則）
平實導師著　回郵 52 元
17.**燈 影**—燈下黑（覆「求教後學」來函等）平實導師著　回郵 76 元
18.**護法與毀法**—覆上平居士與徐恒志居士網站毀法二文
張正圜老師著　回郵 76 元
19.**淨土聖道**—兼評**選擇本願念佛**　正德老師著　**由正覺同修會購贈** 回郵52 元
20.**辨唯識性相**—對「紫蓮心海《辯唯識性相》書中否定阿賴耶識」之回應
正覺同修會 台南共修處法義組 著　回郵 52 元
21.**假如來藏**—對法蓮法師《如來藏與阿賴耶識》書中否定阿賴耶識之回應
正覺同修會 台南共修處法義組 著　回郵 76 元
22.**入不二門**—公案拈提集錦 第一輯（於平實導師公案拈提諸書中選錄約二十則，
合輯爲一冊流通之）平實導師著　回郵 52 元
23.**真假邪說**—西藏密宗索達吉喇嘛《破除邪說論》真是邪說
釋正安法師著　上、下冊回郵各 52 元
24.**真假開悟**—真如、如來藏、阿賴耶識間之關係　平實導師述著　回郵 76 元
25.**真假禪和**—辨正釋傳聖之謗法謬說　孫正德老師著　回郵 76 元
26.**眼見佛性**—駁慧廣法師眼見佛性的含義文中謬說
游正光老師著　回郵 52 元

27.**普門自在**—公案拈提集錦 第二輯（於平實導師公案拈提諸書中選錄約二十則，合輯爲一冊流通之）平實導師著　回郵 52 元

28.**印順法師的悲哀**—以現代禪的質疑為線索　恒毓博士著　回郵 52 元

29.**識蘊真義**—現觀識蘊內涵、取證初果、親斷三縛結之具體行門。—依《成唯識論》及《惟識述記》正義，略顯安慧《大乘廣五蘊論》之邪謬　平實導師著　回郵 76 元

30.**正覺電子報** 各期紙版本　免附回郵　每次最多函索三期或三本。（已無存書之較早各期，不另增印贈閱）

31.**現代人應有的宗教觀**　蔡正禮老師 著　回郵 31 元

32.**遠惑趣道**—正覺電子報般若信箱問答錄　第一輯　回郵 52 元

33.**遠惑趣道**—正覺電子報般若信箱問答錄　第二輯　回郵 52 元

34.**確保您的權益**—器官捐贈應注意自我保護　游正光老師 著　回郵 31 元

35.**正覺教團電視弘法三乘菩提 DVD 光碟（一）**

由正覺教團多位親教師共同講述錄製 DVD 8 片，MP3 一片，共 9 片。有二大講題：一爲「三乘菩提之意涵」，二爲「學佛的正知見」。內容精闢，深入淺出，精彩絕倫，幫助大眾快速建立三乘法道的正知見，免被外道邪見所誤導。有志修學三乘佛法之學人不可不看。（製作工本費 100 元，回郵 52 元）

36.**正覺教團電視弘法 DVD 專輯（二）**

總有二大講題：一爲「三乘菩提之念佛法門」，一爲「學佛正知見（第二篇）」，由正覺教團多位親教師輪番講述，內容詳細闡述如何修學念佛法門、實證念佛三昧，以及學佛應具有的正確知見，可以幫助發願往生西方極樂淨土之學人，得以把握往生，更可令學人快速建立三乘法道的正知見，免於被外道邪見所誤導。有志修學三乘佛法之學人不可不看。（一套 17 片，工本費 160 元。回郵 76 元）

37.**喇嘛性世界**—揭開假藏傳佛教譚崔瑜伽的面紗　張善思 等人合著　由正覺同修會購贈　回郵 52 元

38.**假藏傳佛教的神話**—性、謊言、喇嘛教　張正玄教授編著　由正覺同修會購贈　回郵 52 元

39.**隨　緣**—理隨緣與事隨緣　平實導師述　回郵 52 元。

40.**學佛的覺醒**　正枝居士 著　回郵 52 元

41.**導師之真實義**　蔡正禮老師 著　回郵 31 元

42.**淺談達賴喇嘛之雙身法**—兼論解讀「密續」之達文西密碼　吳明芷居士 著　回郵 31 元

43.**魔界轉世**　張正玄居士 著　回郵 31 元

44.**一貫道與開悟**　蔡正禮老師 著　回郵 31 元

45.**博愛**—愛盡天下女人　正覺教育基金會 編印　回郵 36 元

46.**意識虛妄經教彙編**—實證解脫道的關鍵經文　正覺同修會編印　回郵 36 元

47.**邪箭囈語**—破斥藏密外道多識仁波切《破魔金剛箭雨論》之邪說

陸正元老師著　上、下冊回郵各52元

48.**真假沙門**—依 佛聖教闡釋佛教僧寶之定義

蔡正禮老師著　俟正覺電子報連載後結集出版

49.**真假禪宗**—藉評論釋性廣《印順導師對變質禪法之批判及對禪宗之肯定》以顯示真假禪宗

附論一：凡夫知見 無助於佛法之信解行證

附論二：世間與出世間一切法皆從如來藏實際而生而顯

余正偉老師著　俟正覺電子報連載後結集出版　回郵未定

★ 上列贈書之郵資，係台灣本島地區郵資，大陸、港、澳地區及外國地區，請另計酌增（大陸、港、澳、國外地區之郵票不許通用）。尚未出版之書，請勿先寄來郵資，以免增加作業煩擾。

★ 本目錄若有變動，唯於後印之書籍及「成佛之道」網站上修正公佈之，不另行個別通知。

函索書籍請寄：佛教正覺同修會　103 台北市承德路 3 段 277 號 9 樓

台灣地區函索書籍者請附寄郵票，無時間購買郵票者可以等值現金抵用，但不接受郵政劃撥、支票、匯票。大陸地區得以人民幣計算，國外地區請以美元計算（請勿寄來當地郵票，在台灣地區不能使用）。欲以掛號寄遞者，請另附掛號郵資。

親自索閱：正覺同修會各共修處。　★請於共修時間前往取書，餘時無人在道場，請勿前往索取；共修時間與地點，詳見書末正覺同修會共修現況表（以近期之共修現況表為準）。

註：正智出版社發售之局版書，請向各大書局購閱。若書局之書架上已經售出而無陳列者，請向書局櫃台指定洽購；若書局不便代購者，請於正覺同修會共修時間前往各共修處請購，正智出版社已派人於共修時間送書前往各共修處流通。 郵政劃撥購書及 大陸地區 購書，請詳別頁正智出版社發售書籍目錄最後頁之說明。

成佛之道 網站：http://www.a202.idv.tw　正覺同修會已出版之結緣書籍，多已登載於 成佛之道 網站，若住外國、或住處遙遠，不便取得正覺同修會贈閱書籍者，可以從本網站閱讀及下載。

＊＊假藏傳佛教修雙身法，非佛教＊＊

正智出版社 籌募弘法基金發售書籍目錄 2021/10/17

1.**宗門正眼**—公案拈提 第一輯 重拈 平實導師著 500 元
因重寫內容大幅度增加故，字體必須改小，並增為 576 頁 主文 546 頁。比初版更精彩、更有內容。初版《禪門摩尼寶聚》之讀者，可寄回本公司免費調換新版書。免附回郵，亦無截止期限。（2007 年起，每冊附贈本公司精製公案拈提〈超意境〉CD 一片。市售價格 280 元，多購多贈。）

2.**禪淨圓融** 平實導師著 200 元（第一版舊書可換新版書。）

3.**真實如來藏** 平實導師著 400 元

4.**禪—悟前與悟後** 平實導師著 上、下冊，每冊 250 元

5.**宗門法眼**—公案拈提 第二輯 平實導師著 500 元
（2007 年起，每冊附贈本公司精製公案拈提〈超意境〉CD 一片）

6.**楞伽經詳解** 平實導師著 全套共 10 輯 每輯 250 元

7.**宗門道眼**—公案拈提 第三輯 平實導師著 500 元
（2007 年起，每冊附贈本公司精製公案拈提〈超意境〉CD 一片）

8.**宗門血脈**—公案拈提 第四輯 平實導師著 500 元
（2007 年起，每冊附贈本公司精製公案拈提〈超意境〉CD 一片）

9.**宗通與說通**—成佛之道 平實導師著 主文 381 頁 全書 400 頁售價 300 元

10.**宗門正道**—公案拈提 第五輯 平實導師著 500 元
（2007 年起，每冊附贈本公司精製公案拈提〈超意境〉CD 一片）

11.**狂密與真密 一～四輯** 平實導師著 西藏密宗是人間最邪淫的宗教，本質不是佛教，只是披著佛教外衣的印度教性力派流毒的喇嘛教。此書中將西藏密宗密傳之男女雙身合修樂空雙運所有祕密與修法，毫無保留完全公開，並將全部喇嘛們所不知道的部分也一併公開。內容比大辣出版社喧騰一時的《西藏慾經》更詳細。並且函蓋藏密的所有祕密及其錯誤的中觀見、如來藏見……等，藏密的所有法義都在書中詳述、分析、辨正。每輯主文三百餘頁 每輯全書約 400 頁 售價每輯 300 元

12.**宗門正義**—公案拈提 第六輯 平實導師著 500 元
（2007 年起，每冊附贈本公司精製公案拈提〈超意境〉CD 一片）

13.**心經密意**—心經與解脱道、佛菩提道、祖師公案之關係與密意 平實導師述 300 元

14.**宗門密意**—公案拈提 第七輯 平實導師著 500 元
（2007 年起，每冊附贈本公司精製公案拈提〈超意境〉CD 一片）

15.**淨土聖道**—兼評「選擇本願念佛」 正德老師著 200 元

16.**起信論講記** 平實導師述著 共六輯 每輯三百餘頁 售價各 250 元

17.**優婆塞戒經講記** 平實導師述著 共八輯 每輯三百餘頁 售價各 250 元

18.**真假活佛**—略論附佛外道盧勝彥之邪說（對前岳靈犀網站主張「盧勝彥是證悟者」之修正） 正犀居士（岳靈犀）著 流通價 140 元

19.**阿含正義**—唯識學探源 平實導師著 共七輯 每輯 300 元

20.**超意境** CD 以平實導師公案拈提書中超越意境之頌詞，加上曲風優美的旋律，錄成令人嚮往的超意境歌曲，其中包括正覺發願文及平實導師親自譜成的黃梅調歌曲一首。詞曲雋永，殊堪翫味，可供學禪者吟詠，有助於見道。內附設計精美的彩色小冊，解說每一首詞的背景本事。每片 280 元。【每購買公案拈提書籍一冊，即贈送一片。】

21.**菩薩底憂鬱** CD 將菩薩情懷及禪宗公案寫成新詞，並製作成超越意境的優美歌曲。 1.主題曲〈菩薩底憂鬱〉，描述地後菩薩能離三界生死而迴向繼續生在人間，但因尚未斷盡習氣種子而有極深沈之憂鬱，非三賢位菩薩及二乘聖者所知，此憂鬱在七地滿心位方才斷盡；本曲之詞中所說義理極深，昔來所未曾見；此曲係以優美的情歌風格寫詞及作曲，聞者得以激發嚮往諸地菩薩境界之大心，詞、曲都非常優美，難得一見；其中勝妙義理之解說，已印在附贈之彩色小冊中。 2.以各輯公案拈提中直示禪門入處之頌文，作成各種不同曲風之超意境歌曲，值得玩味、參究；聆聽公案拈提之優美歌曲時，請同時閱讀內附之印刷精美說明小冊，可以領會超越三界的證悟境界；未悟者可以因此引發求悟之意向及疑情，眞發菩提心而邁向求悟之途，乃至因此眞實悟入般若，成眞菩薩。 3.正覺總持咒新曲，總持佛法大意；總持咒之義理，已加以解說並印在隨附之小冊中。本 CD 共有十首歌曲，長達 63 分鐘。每盒各附贈二張購書優惠券。每片 280 元。

22.**禪意無限** CD 平實導師以公案拈提書中偈頌寫成不同風格曲子，與他人所寫不同風格曲子共同錄製出版，幫助參禪人進入禪門超越意識之境界。盒中附贈彩色印製的精美解說小冊，以供聆聽時閱讀，令參禪人得以發起參禪之疑情，即有機會證悟本來面目而發起實相智慧，實證大乘菩提般若，能如實證知般若經中的眞實意。本 CD 共有十首歌曲，長達 69 分鐘，每盒各附贈二張購書優惠券。每片 280 元。

23.**我的菩提路**第一輯　釋悟圓、釋善藏等人合著　售價 300 元

24.**我的菩提路**第二輯　郭正益等人合著　售價 300 元（停售，俟改版後另行發售）

25.**我的菩提路**第三輯　王美伶等人合著　售價 300 元

26.**我的菩提路**第四輯　陳晏平等人合著　售價 300 元

27.**我的菩提路**第五輯　林慈慧等人合著　售價 300 元

28.**我的菩提路**第六輯　劉惠莉等人合著　售價 300 元

29.**我的菩提路**第七輯　余正偉等人合著　售價 300 元

30.**鈍鳥與靈龜**—考證後代凡夫對大慧宗杲禪師的無根誹謗。

平實導師著 共 458 頁 售價 350 元

31.**維摩詰經講記** 平實導師述 共六輯 每輯三百餘頁 售價各 250 元

32.**眞假外道**—破劉東亮、杜大威、釋證嚴常見外道見 正光老師著 200 元

33.**勝鬘經講記**—兼論印順《勝鬘經講記》對於《勝鬘經》之誤解。

平實導師述　共六輯　每輯三百餘頁　售價250 元

34.**楞嚴經講記** 平實導師述 共**15**輯，每輯三百餘頁 售價300元
35.**明心與眼見佛性**—駁慧廣〈蕭氏「眼見佛性」與「明心」之非〉文中謬說
正光老師著 共448頁 售價300元
36.**見性與看話頭** 黃正倖老師 著，本書是禪宗參禪的方法論。
內文375頁，全書416頁，售價300元。
37.**達賴真面目**—玩盡天下女人 白正偉老師 等著 中英對照彩色精裝大本 800元
38.**喇嘛性世界**—揭開假藏傳佛教譚崔瑜伽的面紗 張善思 等人著 200元
39.**假藏傳佛教的神話**—性、謊言、喇嘛教 正玄教授編著 200元
40.**金剛經宗通** 平實導師述 共九輯 每輯售價250元。
41.**空行母**—性別、身分定位，以及藏傳佛教。
珍妮·坎貝爾著 呂艾倫 中譯 售價250元
42.**末代達賴**—性交教主的悲歌 張善思、呂艾倫、辛燕編著 售價250元
43.**霧峰無霧**—給哥哥的信 辨正釋印順對佛法的無量誤解
游宗明 老師著 售價250元
44.**霧峰無霧**—第二輯—救護佛子向正道 細說釋印順對佛法的各類誤解
游宗明 老師著 售價250元
45.**第七意識與第八意識？**—穿越時空「超意識」
平實導師述 每冊300元
46.**黯淡的達賴**—失去光彩的諾貝爾和平獎
正覺教育基金會編著 每冊250元
47.**童女迦葉考**—論呂凱文〈佛教輪迴思想的論述分析〉之謬。
平實導師 著 定價180元
48.**人間佛教**—實證者必定不悖三乘菩提
平實導師 述，定價400元
49.**實相經宗通** 平實導師述 共八輯 每輯250元
50.**真心告訴您(一)**—達賴喇嘛在幹什麼？
正覺教育基金會編著 售價250元
51.**中觀金鑑**—詳述應成派中觀的起源與其破法本質
孫正德老師著 分爲上、中、下三冊，每冊250元
52.**藏傳佛教要義**—《狂密與真密》之簡體字版 平實導師 著 上、下冊
僅在大陸流通 每冊300元
53.**法華經講義** 平實導師述 共二十五輯 每輯300元
已於2015/05/31起開始出版，每二個月出版一輯
54.**西藏「活佛轉世」制度**—附佛、造神、世俗法
許正豐、張正玄老師合著 定價150元
55.**廣論三部曲** 郭正益老師著 定價150元
56.**真心告訴您(二)**—達賴喇嘛是佛教僧侶嗎？
—補祝達賴喇嘛八十大壽
正覺教育基金會編著 售價300元

57.**次法**—實證佛法前應有的條件

張善思居士著　分為上、下二冊，每冊 250 元

58.**涅槃**—解說四種涅槃之實證及內涵　平實導師著 上、下冊 各 350 元

59.**山法**—西藏關於他空與佛藏之根本論

篤補巴．喜饒堅贊著　　傑弗里．霍普金斯英譯

張火慶教授、呂艾倫老師中譯　精裝大本 1200 元

60.**佛藏經講義**　平實導師述　2019 年 7 月 31 日開始出版　共 21 輯

每二個月出版一輯，每輯 300 元。

61.**假鋒虛焰金剛乘**—揭示顯密正理，兼破索達吉師徒《般若鋒兮金剛焰》

釋正安法師著 簡體字版 即將出版 售價未定

62.**廣論之平議**—宗喀巴《菩提道次第廣論》之平議　正雄居士著

約二或三輯　俟正覺電子報連載後結集出版　書價未定

63.**大法鼓經講義**　平實導師講述　《佛藏經講義》出版後發行，每輯 300 元

64.**不退轉法輪經講義**　平實導師講述　《大法鼓經講義》出版後發行

65.**八識規矩頌**詳解　○○居士 註解　出版日期另訂　書價未定。

66.**中觀正義**—註解平實導師《中論正義頌》。

○○法師（居士）著　出版日期未定　書價未定

67.**中論正義**—釋龍樹菩薩《中論》頌正理。

孫正德老師著　出版日期未定　書價未定

68.**成唯識論釋**—詳解大唐玄奘菩薩所著的《成唯識論》，平實導師述著。總共十輯，於每講完一輯的分量以後即予出版，預計 2022 年十月出版第一輯，以後每七個月出版一輯，每輯 400 元。

69.**中國佛教史**—依中國佛教正法史實而論。 ○○老師 著　書價未定。

70.**印度佛教史**—法義與考證。依法義史實評論印順《印度佛教思想史、佛教史地考論》之謬說　正偉老師著　出版日期未定　書價未定

71.**阿含經講記**—將選錄四阿含中數部重要經典全經講解之，講後整理出版。

平實導師述　約二輯　每輯 300 元　出版日期未定

72.**實積經講記**　平實導師述　每輯三百餘頁 優惠價 300 元 出版日期未定

73.**解深密經講義**　平實導師述 約四輯　將於重講後整理出版

74.**修習止觀坐禪法要講記**　平實導師述　每輯三百餘頁

將於正覺寺建成後重講、以講記逐輯出版　出版日期未定

75.**無門關**—《無門關》公案拈提　平實導師著　出版日期未定

76.**中觀再論**—兼述印順《中觀今論》謬誤之平議。正光老師著 出版日期未定

77.**輪迴與超度**—佛教超度法會之真義。

○○法師（居士）著　出版日期未定　書價未定

78.**《釋摩訶衍論》平議**—對偽稱龍樹所造《釋摩訶衍論》之平議

○○法師（居士）著　出版日期未定　書價未定

79.**正覺發願文**註解—以真實大願為因 得證菩提

正德老師著　出版日期未定　書價未定

80.**正覺總持咒**—佛法之總持　正圜老師著　出版日期未定　書價未定
81.**三自性**—依四食、五蘊、十二因緣、十八界法，說三性三無性。
作者未定　出版日期未定
82.**道品**—從三自性說大小乘三十七道品　作者未定　出版日期未定
83.**大乘緣起觀**—依四聖諦七真如現觀十二緣起 作者未定　出版日期未定
84.**三德**—論解脫德、法身德、般若德。　作者未定　出版日期未定
85.**真假如來藏**—對印順《如來藏之研究》謬說之平議　作者未定 出版日期未定
86.**大乘道次第**　作者未定　出版日期未定　書價未定
87.**四緣**—依如來藏故有四緣。　作者未定　出版日期未定
88.**空之探究**—印順《空之探究》謬誤之平議　作者未定 出版日期未定
89.**十法義**—論阿含經中十法之正義　作者未定　出版日期未定
90.**外道見**—論述外道六十二見　作者未定　出版日期未定

禪淨圓融：言淨土諸祖所未曾言，示諸宗祖師所未曾示；禪淨圓融，另闢成佛捷徑，兼顧自力他力，闡釋淨土門之速行易行道，亦同時揭櫫聖教門之速行易行道；令廣大淨土行者得免緩行難證之苦，亦令聖道門行者得以藉著淨土速行道而加快成佛之時劫。乃前無古人之超勝見地，非一般弘揚禪淨法門典籍也，先讀爲快。平實導師著 200元。

宗門正眼—公案拈提第一輯：繼承克勤圜悟大師碧巖錄宗旨之禪門鉅作。先則舉示當代大法師之邪說，消弭當代禪門大師鄉愿之心態，摧破當今禪門「世俗禪」之妄談；次則旁通教法，表顯宗門正理；繼以道之次第，消弭古今狂禪；後藉言語及文字機鋒，直示宗門入處。悲智雙運，禪味十足，數百年來難得一睹之禪門鉅著也。平實導師著 500元（原初版書《禪門摩尼寶聚》，改版後補充爲五百餘頁新書，總計多達二十四萬字，內容更精彩，並改名爲《宗門正眼》，讀者原購初版《禪門摩尼寶聚》皆可寄回本公司免費換新，免附回郵，亦無截止期限）（2007年起，凡購買公案拈提第一輯至第七輯，每購一輯皆贈送本公司精製公案拈提〈超意境〉CD一片，市售價格280元，多購多贈）。

禪—悟前與悟後：本書能建立學人悟道之信心與正確知見，圓滿具足而有次第地詳述禪悟之功夫與禪悟之內容，指陳參禪中細微淆訛之處，能使學人明自眞心、見自本性。若未能悟入，亦能以正確知見辨別古今中外一切大師究係眞悟？或屬錯悟？便有能力揀擇，捨名師而選明師，後時必有悟道之緣。一旦悟道，遲者七次人天往返，便出三界，速者一生取辦。學人欲求開悟者，不可不讀。 平實導師著。上、下冊共500元，單冊250元。

真實如來藏：如來藏眞實存在，乃宇宙萬有之本體，並非印順法師、達賴喇嘛等人所說之「唯有名相、無此心體」。如來藏是涅槃之本際，是一切有智之人竭盡心智、不斷探索而不能得之生命實相；是古今中外許多大師自以爲悟而當面錯過之生命實相。如來藏即是阿賴耶識，乃是一切有情本自具足、不生不滅之眞實心。當代中外大師於此書出版之前所未能言者，作者於本書中盡情流露、詳細闡釋。眞悟者讀之，必能增益悟境、智慧增上；錯悟者讀之，必能檢討自己之錯誤，免犯大妄語業；未悟者讀之，能知參禪之理路，亦能以之檢查一切名師是否眞悟。此書是一切哲學家、宗教家、學佛者及欲昇華心智之人必讀之鉅著。　平實導師著　售價400元。

宗門法眼—公案拈提第二輯：列舉實例，闡釋土城廣欽老和尚之悟處；並直示這位不識字的老和尚妙智橫生之根由，繼而剖析禪宗歷代大德之開悟公案，解析當代密宗高僧卡盧仁波切之錯悟證據，並例舉當代顯宗高僧、大居士之錯悟證據（凡健在者，爲免影響其名聞利養，皆隱其名）。藉辨正當代名師之邪見，向廣大佛子指陳禪悟之正道，彰顯宗門法眼。悲勇兼出，強捋虎鬚；慈智雙運，巧探驪龍；摩尼寶珠在手，直示宗門入處，禪味十足；若非大悟徹底，不能爲之。禪門精奇人物，允宜人手一冊，供作參究及悟後印證之圭臬。本書於2008年4月改版，增寫爲大約500頁篇幅，以利學人研讀參究時更易悟入宗門正法，以前所購初版首刷及初版二刷舊書，皆可免費換取新書。平實導師著　500元（2007年起，凡購買公案拈提第一輯至第七輯，每購一輯皆贈送本公司精製公案拈提〈超意境〉CD一片，市售價格280元，多購多贈）。

宗門道眼—公案拈提第三輯：繼宗門法眼之後，再以金剛之作略、慈悲之胸懷、犀利之筆觸，舉示寒山、拾得、布袋三大士之悟處，消弭當代錯悟者對於寒山大士……等之誤會及誹謗。　亦舉出民初以來與虛雲和尚齊名之蜀郡鹽亭袁煥仙夫子——南懷瑾老師之師，其「悟處」何在？並蒐羅許多眞悟祖師之證悟公案，顯示禪宗歷代祖師之睿智，指陳部分祖師、奧修及當代顯密大師之謬悟，作爲殷鑑，幫助禪子建立及修正參禪之方向及知見。假使讀者閱此書已，一時尚未能悟，亦可一面加功用行，一面以此宗門道眼辨別眞假善知識，避開錯誤之印證及歧路，可免大妄語業之長劫慘痛果報。欲修禪宗之禪者，務請細讀。平實導師著售價500元（2007年起，凡購買公案拈提第一輯至第七輯，每購一輯皆贈送本公司

起修之依據經典；故達摩祖師於印證二祖慧可大師之後，將此經典連同佛缽祖衣一併交付二祖，令其依此經典佛示金言、進入修道位，修學一切種智。由此可知此經對於眞悟之人修學佛道，是非常重要之一部經典。此經能破外道邪說，亦破佛門中錯悟名師之謬說，亦破禪宗部分祖師之狂禪：不讀經典、一向主張「一悟即成究竟佛」之謬執。並開示愚夫所行禪、觀察義禪、攀緣如禪、如來禪等差別，令行者對於三乘禪法差異有所分辨；亦糾正禪宗祖師古來對於如來禪之誤解，嗣後可免以訛傳訛之弊。此經亦是法相唯識宗之根本經典，禪者悟後欲修一切種智而入初地者，必須詳讀。　平實導師著，全套共十輯，已全部出版完畢，每輯主文約320頁，每冊約352頁，定價250元。

宗門血脈—公案拈提第四輯：末法怪象—許多修行人自以為悟，每將無念靈知認作眞實；崇尚二乘法諸師及其徒眾，則將外於如來藏之緣起性空—無因論之無常空、斷滅空、一切法空—錯認為　佛所說之般若空性。這兩種現象已於當今海峽兩岸及美加地區顯密大師之中普遍存在；人人自以為悟，心高氣壯，便敢寫書解釋祖師證悟之公案，大多出於意識思惟所得，言不及義，錯誤百出，因此誤導廣大佛子同陷大妄語之地獄業中而不能自知。彼等書中所說之悟處，其實處處違背第一義經典之聖言量。彼等諸人不論是否身披袈裟，都非佛法宗門血脈，或雖有禪宗法脈之傳承，亦只徒具形式；猶如螟蛉，非眞血脈，未悟得根本眞實故。禪子欲知　佛、祖之眞血脈者，請讀此書，便知分曉。平實導師著，主文452頁，全書464頁，定價500元（2007年起，凡購買公案拈提第一輯至第七輯，每購一輯皆贈送本公司精製公案拈提〈超意境〉CD一片，市售價格280元，多購多贈）。

宗通與說通：古今中外，錯誤之人如麻似粟，每以常見外道所說之靈知心，認作眞心；或妄想虛空之勝性能量為眞如，或錯認物質四大元素藉冥性（靈知心本體）能成就吾人色身及知覺，或認初禪至四禪中之了知心為不生不滅之涅槃心。此等皆非通宗者之見地。復有錯悟之人一向主張「宗門與教門不相干」，此即尚未通達宗門之人也。其實宗門與教門互通不二，宗門所證者乃是眞如與佛性，教門所說者乃說宗門證悟之眞如佛性，故教門與宗門不二。本書作者以宗教二門互通之見地，細說「宗通與說通」，從初見道至悟後起修之道、細說分明；並將諸宗諸派在整體佛教中之地位與次第，加以明確之教判，學人讀之即可了知佛法之梗概也。欲擇明師學法之前，允宜先讀。平實導師著，主文共381頁，全書392頁，只售成本價300元。

宗門正道─公案拈提第五輯：修學大乘佛法有二果須證─解脫果及大菩提果。二乘人不證大菩提果，唯證解脫果；此果之智慧，名為聲聞菩提、緣覺菩提。大乘佛子所證二果之菩提果為佛菩提，故名大菩提果，其慧名為一切種智─函蓋二乘解脫果。然此大乘二果修證，須經由禪宗之宗門證悟方能相應。而宗門證悟極難，自古已然；其所以難者，咎在古今佛教界普遍存在三種邪見：1.以修定認作佛法，2.以無因論之緣起性空─否定涅槃本際如來藏以後之一切法空作為佛法，3.以常見外道邪見（離語言妄念之靈知性）作為佛法。如是邪見，或因自身正見未立所致，或因邪師之邪教導所致，或因無始劫來虛妄熏習所致。若不破除此三種邪見，永劫不悟宗門真義、不入大乘正道，唯能外門廣修菩薩行。平實導師於此書中，有極為詳細之說明，有志佛子欲摧邪見、入於內門修菩薩行者，當閱此書。主文共496頁，全書512頁。售價500元（2007年起，凡購買公案拈提第一輯至第七輯，每購一輯皆贈送本公司精製公案拈提〈超意境〉CD一片，市售價格280元，多購多贈）。

狂密與真密：密教之修學，皆由有相之觀行法門而入，其最終目標仍不離顯教經典所說第一義諦之修證；若離顯教第一義經典、或違背顯教第一義經典，即非佛教。西藏密教之觀行法，如灌頂、觀想、遷識法、寶瓶氣、大聖歡喜雙身修法、喜金剛、無上瑜伽、大樂光明、樂空雙運等，皆是印度教兩性生生不息思想之轉化，自始至終皆以如何能運用交合淫樂之法達到全身受樂為其中心思想，純屬欲界五欲的貪愛，不能令人超出欲界輪迴，更不能令人斷除我見；何況大乘之明心與見性，更無論矣！故密宗之法絕非佛法也。而其明光大手印、大圓滿法教，又皆同以常見外道所說離語言妄念之無念靈知心錯認為佛地之真如，不能直指不生不滅之真如。西藏密宗所有法王與徒眾，都尚未開頂門眼，不能辨別真偽，以依人不依法、依密續不依經典故，不肯將其上師喇嘛所說對照第一義經典，純依密續之藏密祖師所說為準，因此而誇大其證德與證量，動輒謂彼祖師上師為究竟佛、為地上菩薩；如今台海兩岸亦有自謂其師證量高於　釋迦文佛者，然觀其師所述，猶未見道，仍在觀行即佛階段，尚未到禪宗相似即佛、分證即佛階位，竟敢標榜為究竟佛及地上法王，誑惑初機學人。凡此怪象皆是狂密，不同於真密之修行者。近年狂密盛行，密宗行者被誤導者極眾，動輒自謂已證佛地真如，自視為究竟佛，陷於大妄語業中而不知自省，反謗顯宗真修實證者之證量粗淺；或如義雲高與釋性圓…等人，於報紙上公然誹謗真實證道者為「騙子、無道人、人妖、癩蛤蟆…」等，造下誹謗大乘勝義僧之大惡業；或以外道法中有為有作之甘露、魔術……等法，誑騙初機學人，狂言彼外道法為真佛法。如是怪象，在西藏密宗及附藏密之外道中，不一而足，舉之不盡，學人宜應慎思明辨，以免上當後又犯毀破菩薩戒之重罪。密宗學人若欲遠離邪知邪見者，請閱此書，即能了知密宗之邪謬，從此遠離邪見與邪修，轉入真正之佛道。平實導師著　共四學術化、宗門密意失傳、悟後進修諸地之次第混淆；其中尤以宗門密意之失傳，爲當代佛教最大之危機。由宗門密意失傳故，易令 世尊本懷普被錯解，易令世尊正法被轉易爲外道法，以及加以淺化、世俗化，是故宗門密意之廣泛弘傳與具緣佛弟子，極爲重要。然而欲令宗門密意之廣泛弘傳予具緣之佛弟子者，必須同時配合錯誤知見之解析、普令佛弟子知之，然後輔以公案解析之直示入處，方能令具緣之佛弟子悟入。而此二者，皆須以公案拈提之方式爲之，方易成其功、竟其業，是故平實導師續作宗門正義一書，以利學人。 全書500餘頁，售價500元（2007年起，凡購買公案拈提第一輯至第七輯，每購一輯皆贈送本公司精製公案拈提〈超意境〉CD一片，市售價格280元，多購多贈）。

心經密意—心經與解脫道、佛菩提道、祖師公案之關係與密意。 二乘菩提所證之解脫道，實依第八識心之斷除煩惱障現行而立解脫之名；大乘菩提所證之佛菩提道，實依親證第八識如來藏之涅槃性、清淨自性、及其中道性而立般若之名；禪宗祖師公案所證之眞心，即是此第八識如來藏；是故三乘佛法所修所證之三乘菩提，皆依此如來藏心而立名也。此第八識心，即是《心經》所說之心也。證得此如來藏已，即能漸入大乘佛菩提道，亦可因證知此心而了知二乘無學所不能知之無餘涅槃本際，是故《心經》之密意，與三乘佛菩提之關係極爲密切、不可分割，三乘佛法皆依此心而立名故。今者平實導師以其所證解脫道之無生智及佛菩提之般若種智，將《心經》與解脫道、佛菩提道、祖師公案之關係與密意，以演講之方式，用淺顯之語句和盤托出，發前人所未言，呈三乘菩提之眞義，令人藉此《心經密意》一舉而窺三乘菩提之堂奧，迥異諸方言不及義之說；欲求眞實佛智者、不可不讀！ 主文317頁，連同跋文及序文…等共384頁，售價300元。

宗門密意—公案拈提第七輯：佛教之世俗化，將導致學人以信仰作爲學佛，則將以感應及世間法之庇祐，作爲學佛之主要目標，不能了知學佛之主要目標爲親證三乘菩提。大乘菩提則以般若實相智慧爲主要修習目標，以二乘菩提解脫道爲附帶修習之標的；是故學習大乘法者，應以禪宗之證悟爲要務，能親入大乘菩提之實相般若智慧中故，般若實相智慧非二乘聖人所能知故。此書則以台灣世俗化佛教之三大法師，說法似是而非之實例，配合眞悟祖師之公案解析，提示證悟般若之關節，令學人易得悟入。平實導師著，全書五百餘頁，售價500元（2007年起，凡購買公案拈提第一輯至第七輯，每購一輯皆贈送本公司精製公案拈提〈超意境〉CD一片，市售價格280元，多購多贈）。

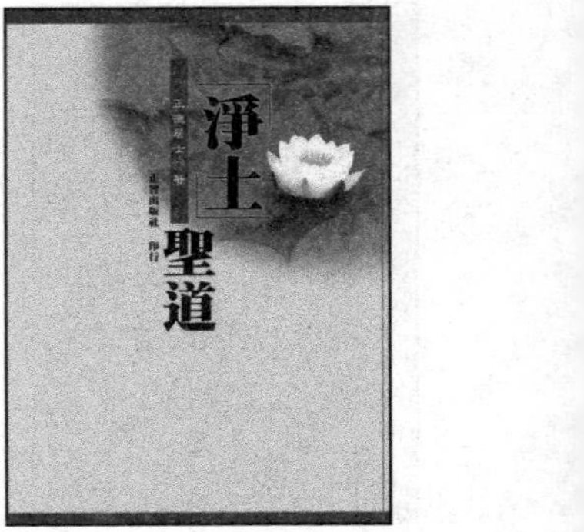

淨土聖道—兼評選擇本願念佛：佛法甚深極廣，般若玄微，非諸二乘聖僧所能知之，一切凡夫更無論矣！所謂一切證量皆歸淨土是也！是故大乘法中「聖道之淨土、淨土之聖道」，其義甚深，難可了知；乃至眞悟之人，初心亦難知也。今有正德老師眞實證悟後，復能深探淨土與聖道之緊密關係，憐憫衆生之誤會淨土實義，亦欲利益廣大淨土行人同入聖道，同獲淨土中之聖道門要義，乃振奮心神、書以成文，今得刊行天下。主文279頁，連同序文等共301頁，總有十一萬六千餘字，正德老師著，成本價200元。

起信論講記：詳解大乘起信論心生滅門與心眞如門之眞實意旨，消除以往大師與學人對起信論所說心生滅門之誤解，由是而得了知眞心如來藏之非常非斷中道正理；亦因此一講解，令此論以往隱晦而被誤解之眞實義，得以如實顯示，令大乘佛菩提道之正理得以顯揚光大；初機學者亦可藉此正論所顯示之法義，對大乘法理生起正信，從此得以眞發菩提心，眞入大乘法中修學，世世常修菩薩正行。平實導師演述，共六輯，都已出版，每輯三百餘頁，售價各250元。

優婆塞戒經講記：本經詳述在家菩薩修學大乘佛法，應如何受持菩薩戒？對人間善行應如何看待？對三寶應如何護持？應如何正確地修集此世後世證法之福德？應如何修集後世「行菩薩道之資糧」？並詳述第一義諦之正義：五蘊非我非異我、自作自受、異作異受、不作不受……等深妙法義，乃是修學大乘佛法、行菩薩行之在家菩薩所應當了知者。出家菩薩今世或未來世登地已，捨報之後多數將如華嚴經中諸大菩薩，以在家菩薩身而修行菩薩行，故亦應以此經所述正理而修之，配合《楞伽經、解深密經、楞嚴經、華嚴經》等道次第正理，方得漸次成就佛道；故此經是一切大乘行者皆應證知之正法。平實導師講述，每輯三百餘頁，

真活佛　略論附佛外道盧勝彥之邪說：人人身中都有真活佛，永生不滅而有大神用，但眾生都不了知，所以常被身外的西藏密宗假活佛籠罩欺瞞。本來就真實存在的真活佛，才是真正的密宗無上密！諾那活佛因此而說禪宗是大密宗，但藏密的所有活佛都不知道、也不曾實證自身中的真活佛。本書詳實宣示真活佛的道理，舉證盧勝彥的「佛法」不是真佛法，也顯示盧勝彥是假活佛，直接的闡釋第一義佛法見道的真實正理。真佛宗的所有上師與學人們，都應該詳細閱讀，包括盧勝彥個人在內。正犀居士著，優惠價140元。

阿含正義—唯識學探源：廣說四大部《阿含經》諸經中隱說之真正義理，一一舉示佛陀本懷，令阿含時期初轉法輪根本經典之真義，如實顯現於佛子眼前。並提示末法大師對於阿含真義誤解之實例，一一比對之，證實唯識增上慧學確於原始佛法之阿含諸經中已隱覆密意而略說之，證實 世尊確於原始佛法中已曾密意而說第八識如來藏之總相；亦證實 世尊在四阿含中已說此藏識是名色十八界之因、之本—證明如來藏是能生萬法之根本心。佛子可據此修正以往受諸大師（譬如西藏密宗應成派中觀師：印順、昭慧、性廣、大願、達賴、宗喀巴、寂天、月稱、……等人）誤導之邪見，建立正見，轉入正道乃至親證初果而無困難；書中並詳說三果所證的心解脫，以及四果慧解脫的親證，都是如實可行的具體知見與行門。全書共七輯，已出版完畢。平實導師著，每輯三百餘頁，售價300元。

超意境CD：以平實導師公案拈提書中超越意境之頌詞，加上曲風優美的旋律，錄成令人嚮往的超意境歌曲，其中包括正覺發願文及平實導師親自譜成的黃梅調歌曲一首。詞曲雋永，殊堪翫味，可供學禪者吟詠，有助於見道。內附設計精美的彩色小冊，解說每一首詞的背景本事。每片280元。【每購買公案拈提書籍一冊，即贈送一片。】

我的菩提路第一輯：凡夫及二乘聖人不能實證的佛菩提證悟，末法時代的今天仍然有人能得實證，由正覺同修會釋悟圓、釋善藏法師等二十餘位實證如來藏者所寫的見道報告，已為當代學人見證宗門正法之絲縷不絕，證明大乘義學的法脈仍然存在，為末法時代求悟般若之學人照耀出光明的坦途。由二十餘位大乘見道者所繕，敘述各種不同的學法、見道因緣與過程，參禪求悟者必讀。全書三百餘頁，售價300元。

我的菩提路第二輯：由郭正益老師等人合著，書中詳述彼等諸人歷經各處道場學法，一一修學而加以檢擇之不同過程以後，因閱讀正覺同修會、正智出版社書籍而發起抉擇分，轉入正覺同修會中修學；乃至學法及見道之過程，都一一詳述之。（本書暫停發售，俟改版重新發售流通。）

我的菩提路第三輯：由王美伶老師等人合著。自從正覺同修會成立以來，每年夏初、冬初都舉辦精進禪三共修，藉以助益會中同修們得以證悟明心發起般若實相智慧；凡已實證而被平實導師印證者，皆書具見道報告用以證明佛法之眞實可證而非玄學，證明佛法並非純屬思想、理論而無實質，是故每年都能有人證明正覺同修會的「實證佛教」主張並非虛語。特別是眼見佛性一法，自古以來中國禪宗祖師實證者極寡，較之明心開悟的證境更難令人信受；至2017年初，正覺同修會中的證悟明心者已近五百人，然而其中眼見佛性者至今唯十餘人爾，可謂難能可貴，是故明心後欲冀眼見佛性者實屬不易。黃正倖老師是懸絕七年無人見性後的第一人，她於2009年的見性報告刊於本書的第二輯中，為大眾證明佛性確實可以眼見；其後七年之中求見性者都屬解悟佛性而無人眼見，幸而又經七年後的2016冬初，以及2017夏初的禪三，復有三人眼見佛性，希冀鼓舞四眾佛子求見佛性之大心，今則具載一則於書末，顯示求見佛性之事實經歷，供養現代佛教界欲得見性之所言多屬看見如來藏具有能令人發起成佛之自性，並非《大般涅槃經》中如來所說之眼見佛性。眼見佛性者，於親見佛性之時，即能於山河大地眼見自己佛性，亦能於他人身上眼見自己佛性及對方之佛性，如是境界無法爲尚未實證者解釋；勉強說之，縱使眞實明心證悟之人聞之，亦只能以自身明心之境界想像之，但不論如何想像多屬非量，能有正確之比量者亦是稀有，故說眼見佛性極爲困難。眼見佛性之人若所見極分明時，在所見佛性之境界下所眼見之山河大地、自己五蘊身心皆是虛幻，自有異於明心者之解脫功德受用，此後永不思證二乘涅槃，必定邁向成佛之道而進入第十住位中，已超第一阿僧祇劫三分有一，可謂之爲超劫精進也。今又有明心之後眼見佛性之人出於人間，將其明心及後來見性之報告，連同其餘證悟明心者之精彩報告一同收錄於此書中，供養眞求佛法實證之四衆佛子。全書380頁，售價300元，已於2018年6月30日發行。

我的菩提路第五輯：林慈慧老師等人著，本輯中所舉學人從相似正法中來到正覺同修會的過程，各人都有不同，發生的因緣亦是各有差別，然而都會指向同一個目標——證實生命實相的源底，確證自己生從何來、死往何去的事實，所以最後都證明佛法眞實而可親證，絕非玄學；本書將彼等諸人的始修及末後證悟之實例，羅列出來以供學人參考。本期亦有一位會裡的老師，是從1995年即開始追隨 平實導師修學，1997年明心後持續進修不斷，直到2017年眼見佛性之實例，足可證明《大般涅槃經》中世尊開示眼見佛性之法正眞無訛，第十住位的實證在末法時代的今天仍有可能，如今一併具載於書中以供學人參考，並供養現代佛教界欲得見性之四衆弟子。全書四百頁，售價300元，已於2019年12月31日發行。

我的菩提路第六輯：劉惠莉老師等人著，本輯中舉示劉老師明心多年以後的眼見佛性實錄，供末法時代學人了知明心之異於見性本質，足可證明《大般涅槃經》中世尊開示眼見佛性之法正眞無訛。亦列舉多篇學人從各道場來到正覺學法之不同過程，以及如何發覺邪見之異於正法的所在，最後終能在正覺禪三中悟入的實況，以證明佛教正法仍在末法時代的人間繼續弘揚的事實，鼓舞一切眞實學法的菩薩大衆思之：我等諸人亦可有因緣證悟，絕非空想白思。約四百頁，售價300元，已於2020年6月30日發行。

鈍鳥與靈龜：鈍鳥及靈龜二物，被宗門證悟者說為二種人：前者是精修禪定而無智慧者，也是以定為禪的愚癡禪人；後者是或有禪定、或無禪定的宗門證悟者，凡已證悟者皆是靈龜。但後者被人虛造事實，用以嘲笑大慧宗杲禪師，說他雖是靈龜，卻不免被天童禪師預記「患背」痛苦而亡：「鈍鳥離巢易，靈龜脫殼難。」藉以貶低大慧宗杲的證量。同時將天童禪師實證如來藏的證量，曲解為意識境界的離念靈知。自從大慧禪師入滅以後，錯悟凡夫對他的不實毀謗就一直存在著，不曾止息，並且捏造的假事實也隨著年月的增加而越來越多，終至編成「鈍鳥與靈龜」的假公案、假故事。本書是考證大慧與天童之間的不朽情誼，顯現這件假公案的虛妄不實；更見大慧宗杲面對惡勢力時的正直不阿，亦顯示大慧對天童禪師的至情深義，將使後人對大慧宗杲的誣謗至此而止，不再有人誤犯毀謗賢聖的惡業。書中亦舉證宗門的所悟確以第八識如來藏為標的，詳讀之後必可改正以前被錯悟大師誤導的參禪知見，日後必定有助於實證禪宗的開悟境界，得階大乘眞見道位中，即是實證般若之賢聖。全書459頁，售價350元。

維摩詰經講記：本經係 世尊在世時，由等覺菩薩維摩詰居士藉疾病而演說之大乘菩提無上妙義，所說函蓋甚廣，然極簡略，是故今時諸方大師與學人讀之悉皆錯解，何況能知其中隱含之深妙正義，是故普遍無法為人解說；若強為人說，則成依文解義而有諸多過失。今由平實導師公開宣講之後，詳實解釋其中密意，令維摩詰菩薩所說大乘不可思議解脫之深妙正法得以正確宣流於人間，利益當代學人及與諸方大師。書中詳實演述大乘佛法深妙不共二乘之智慧境界，顯示諸法之中絕待之實相境界，建立大乘菩薩妙道於永遠不敗不壞之地，以此成就護法偉功，欲冀永利娑婆人天。已經宣講圓滿整理成書流通，以利諸方大師及諸學人。全書共六輯，每輯三百餘頁，售價各250元。

真假外道：本書具體舉證佛門中的常見外道知見實例，並加以教證及理證上的辨正，幫助讀者輕鬆而快速的了知常見外道的錯誤知見，進而遠離佛門內外的常見外道知見，因此即能改正修學方向而快速實證佛法。 游正光老師著 。成本價200元。

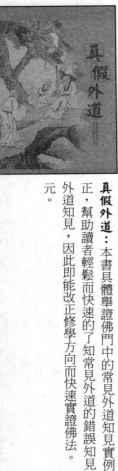

勝鬘經講記：如來藏爲三乘菩提之所依，若離如來藏心體及其含藏之一切種子，即無三界有情及一切世間法，亦無二乘菩提緣起性空之出世間法；本經詳說無始無明、一念無明皆依如來藏而有之正理，藉著詳解煩惱障與所知障間之關係，令學人深入了知二乘菩提與佛菩提相異之妙理；聞後即可了知佛菩提之特勝處及三乘修道之方向與原理，邁向攝受正法而速成佛道的境界中。平實導師講述，共六輯，每輯三百餘頁，售價各250元。

楞嚴經講記：楞嚴經係密教部之重要經典，亦是顯教中普受重視之經典；經中宣說明心與見性之內涵極爲詳細，將一切法都會歸如來藏及佛性—妙眞如性；亦闡釋五陰區宇及五陰盡的境界，作諸地菩薩自我檢驗證量之依據，旁及佛菩提道修學過程中之種種魔境，以及外道誤會涅槃之狀況，亦兼述明三界世間之起源。然因言句深澀難解，法義亦復深妙寬廣，學人讀之普難通達，是故讀者大多誤會，不能如實理解佛所說之明心與見性內涵，亦因是故多有悟錯之人引爲開悟之證言，成就大妄語罪。今由平實導師詳細講解之後，整理成文，以易讀易懂之語體文刊行天下，以利學人。全書十五輯，全部出版完畢。每輯三百餘頁，售價每輯300元。

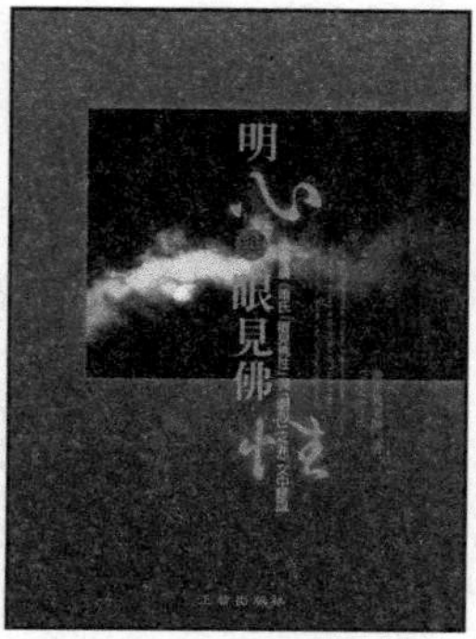

明心與眼見佛性：本書細述明心與眼見佛性之異同，同時顯示了中國禪宗破初參明心與重關眼見佛性二關之間的關聯；書中又藉法義辨正而旁述其他許多勝妙法義，讀後必能遠離佛門長久以來積非成是的錯誤知見，令讀者在佛法的實證上有極大助益。也藉慧廣法師的謬論來教導佛門學人回歸正知正見，遠離古今禪門錯悟者所墮的意識境界，非唯有助於斷我見，也對未來的開悟明心實證第八識如來藏有所助益，是故學禪者都應細讀之。游正光老師著　共448頁　售價300元。

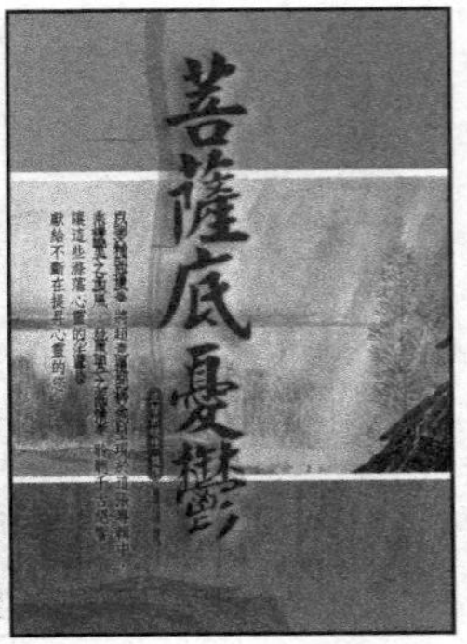

菩薩底憂鬱CD：將菩薩情懷及禪宗公案寫成新詞，並製作成超越意境的優美歌曲。1.主題曲〈菩薩底憂鬱〉，描述地後菩薩能離三界生死而迴向繼續生在人間，但因尚未斷盡習氣種子而有極深沈之憂鬱，非三賢位菩薩及二乘聖者所知，此憂鬱在七地滿心位方才斷盡；本曲之詞中所說義理極深，昔來所未曾見；此曲係以優美的情歌風格寫詞及作曲，聞者得以激發嚮往諸地菩薩境界之大心，詞、曲都非常優美，難得一見；其中勝妙義理之解說，已印在附贈之彩色小冊中。2.以各輯公案拈提中直示禪門入處之頌文，作成各種不同曲風之超意境歌曲，值得玩味、參究；聆聽公案拈提之優美歌曲時，請同時閱讀內附之印刷精美說明小冊，可以領會超越三界的證悟境界；未悟者可以因此引發求悟之意向及疑情，眞發菩提心而邁向求悟之途，乃至因此眞實悟入般若，成眞菩薩。3.正覺總持咒新曲，總持佛法大意；總持咒之義理，已加以解說並印在隨附之小冊中。本CD共有十首歌曲，長達63分鐘，附贈二張購書優惠券。每片280元。

金剛經宗通：三界唯心，萬法唯識，是成佛之修證內容，是諸地菩薩之所修；般若則是成佛之道（實證三界唯心、萬法唯識）的入門，若未證悟實相般若，即無成佛之可能，必將永在外門廣行菩薩六度，永在凡夫位中。然而實相般若的發起，全賴實證萬法的實相；若欲證知萬法的眞相，則必須探究萬法之所從來，則須實證自心如來—金剛心如來藏，然後現觀這個金剛心的金剛性、眞實性、如如性、清淨性、涅槃性、能生萬法的自性性、本住性，名爲證眞如；進而現觀三界六道唯是此金剛心所成，人間萬法須藉八識心王和合運作方能現起。如是實證《華嚴經》的「三界唯心、萬法唯識」以後，由此等現觀而發起實相般若智慧，繼續進修第十住位的如幻觀、第十行位的陽焰觀、第十迴向位的如夢觀，再生起增上意樂而勇發十無盡願，方能滿足三賢位的實證，轉入初地；自知成佛之道而無偏倚，從此按部就班、次第進修乃至成佛。第八識自心如來是般若智慧之所依，般若智慧的修證則要從實證金剛心自心如來開始；《金剛經》則是解說自心如來之經典，是一切三賢位菩薩所應進修之實相般若經典。這一套書，是將平實導師宣講的《金剛經宗通》內容，整理成文字而流通之；書中所說義理，迥異古今諸家依文解義之說，指出大乘見道方向與理路，有益於禪宗學人求開悟見道，及轉入內門廣修六度萬行。已於2013年9月出版

禪意無限CD：平實導師以公案拈提書中偈頌寫成不同風格曲子，與他人所寫不同風格曲子共同錄製出版，幫助參禪人進入禪門超越意識之境界。盒中附贈彩色印製的精美解說小冊，以供聆聽時閱讀，令參禪人得以發起參禪之疑情，即有機會證悟本來面目，實證大乘菩提般若。本CD共有十首歌曲，長達69分鐘，每盒各附贈二張購書優惠券。每片280元。

空行母—性別、身分定位，以及藏傳佛教：本書作者爲蘇格蘭哲學家，因爲嚮往佛教深妙的哲學內涵，於是進入當年盛行於歐美的假藏傳佛教密宗，擔任卡盧仁波切的翻譯工作多年以後，被邀請成爲卡盧的空行母（又名佛母、明妃），開始了她在密宗裡的實修過程；後來發覺在密宗雙身法中的修行，其實無法使自己成佛，也發覺密宗對女性岐視而處處貶抑，並剝奪女性在雙身法中擔任一半角色時應有的身分定位。當她發覺自己只是雙身法中被喇嘛利用的工具，沒有獲得絲毫應有的尊重與基本定位時，發現了密宗的父權社會控制女性的本質；於是作者傷心地離開了卡盧仁波切與密宗，但是卻被恐嚇不許講出她在密宗裡的經歷，也不許她說出自己對密宗的教義與教制下對女性剝削的本質，否則將被咒殺死亡。後來她去加拿大定居，十餘年後方才擺脫這個恐嚇陰影，下定決心將親身經歷的實情及觀察到的事實寫下來並且出版，公諸於世。出版之後，她被流亡的達賴集團人士大力攻訐，誣指她爲精神狀態失常、說謊……等。但有智之士並未被達賴集團的政治操作及各國政府政治運作吹捧達賴的表相所欺，使她的書銷售無阻而又再版。正智出版社鑑於作者此書是親身經歷的事實，所說具有針對「藏傳佛教」而作學術研究的價值，也有使人認清假藏傳佛教剝削佛母、明妃的男性本位實質，因此洽請作者同意中譯而出版於華人地區。珍妮·坎貝爾女士著，呂艾倫 中譯，每冊250元。

霧峰無霧—給哥哥的信　本書作者藉兄弟之間信件往來論義，略述佛法大義；並以多篇短文辨義，舉出釋印順對佛法的無量誤解證據，並一一給予簡單而清晰的辨正，令人一讀即知。久讀、多讀之後即能認清楚釋印順的六識論見解，與眞實佛法之牴觸是多麼嚴重；於是在久讀、多讀之後，於不知不覺之間提升了對佛法的極深入理解，正知正見就在不知不覺間建立起來了。當三乘佛法的正知見建立起來之後，對於三乘菩提的見道條件便將隨之具足，於是聲聞解脫道的見道也就水到渠成；接著大乘見道的因緣也將次第成熟，未來自然也會有親見大乘菩提之道的因緣，悟入大乘實相般若也將自然成功，自能通達般若系列諸經而成實義菩薩。作者居住於南投縣霧峰鄉，自喻見道之後不復再見霧峰之霧，故鄉原野美景一一明見，於是立此書名爲《霧峰無霧》；讀者若欲撥霧見月，可以此書爲緣。游宗明　老師著　已於2015年出版　售價250元。

霧峰無霧—第二輯—救護佛子向正道　本書作者藉釋印順著作中之各種錯謬法義提出辨正，以詳實的文義一一提出理論上及實證上之解析，列舉釋印順對佛法的無量誤解證據，藉此教導佛門大師與學人釐清佛法義理，遠離岐途轉入正道，然後知所進修，久之便能見道明心而入大乘勝義僧數。被釋印順誤導的大師與學人極多，很難救轉，是故作者大發悲心深入解說其錯謬之所在，佐以各種義理辨正而令讀者在不知不覺之間轉歸正道。如是久讀之後欲得斷身見、證初果，即不爲難事；乃至久之亦得大乘見道而得證眞如，脫離空有二邊而住中道，實相般若智慧生起，於佛法不再茫然，漸漸亦知悟後進修之道。屆此之時，對於大乘般若等深妙法之迷雲暗霧亦將一掃而空，生命及宇宙萬物之故鄉原野美景一一明見，是故本書仍名《霧峰無霧》，爲第二輯；讀者若欲撥雲見日、離霧見月，可以此書爲緣。游宗明　老師著　已於2019年出版　售價250元。

假藏傳佛教的神話—性、謊言、喇嘛教：本書編著者是由一首名為「阿姊鼓」的歌曲為緣起，展開了序幕，揭開假藏傳佛教—喇嘛教—的神秘面紗。其重點是蒐集、摘錄網路上質疑「喇嘛教」的帖子，以揭穿「假藏傳佛教的神話」為主題，串聯成書，並附加彩色插圖以及說明，讓讀者們瞭解西藏密宗及相關人事如何被操作為「神話」的過程，以及神話背後的眞相。作者：張正玄教授。售價200元。

達賴真面目—玩盡天下女人：假使您不想戴綠帽子，請記得詳細閱讀此書；假使您不想讓好朋友戴綠帽子，請您將此書介紹給您的好朋友。假使您想保護家中的女性，也想要保護好朋友的女眷，請記得將此書送給家中的女性和好友的女眷都來閱讀。本書為印刷精美的大本彩色中英對照精裝本，為您揭開達賴喇嘛的眞面目，內容精彩不容錯過，為利益社會大眾，特別以優惠價格嘉惠所有讀者。編著者：白志偉等。大開版雪銅紙彩色精裝本。售價800元。

童女迦葉考—論呂凱文〈佛教輪迴思想的論述分析〉之謬：童女迦葉是佛世率領五百大比丘遊行於人間的歷史事實，是以童貞行而依止菩薩戒弘化於人間的大菩薩，不依別解脫戒（聲聞戒）來弘化於人間。這是大乘佛教與聲聞佛教同時存在於佛世的歷史明證，證明大乘佛教不是從聲聞法中分裂出來的部派佛教的產物，卻是聲聞佛教分裂出來的部派佛教聲聞凡夫僧所不樂見的史實；於是古今聲聞法中的凡夫都欲加以扭曲而作詭說，更是末法時代高聲大呼「大乘非佛說」的六識論聲聞凡夫極力想要扭曲的佛教史實之一，於是想方設法扭曲迦葉菩薩為聲聞僧，以及扭曲迦葉童女為比丘僧等荒謬不實之論著便陸續出現，古時聲聞僧寫作的《分別功德論》是最具體之事例，現代之代表作則是呂凱文先生的〈佛教輪迴思想的論述分析〉論文。鑑於如是假藉學術考證以籠罩大眾之不實謬論，未來仍將繼續造作及流竄於佛教界，繼續扼殺大乘佛教學人法身慧命，必須舉證辨正之，遂成此書。平實導師 著，每冊180元。

末代達賴—性交教主的悲歌：簡介從藏傳僞佛教（喇嘛教）的修行核心—性力派男女雙修，探討達賴喇嘛及藏傳僞佛教的修行內涵。書中引用外國知名學者著作、世界各地新聞報導，包含：歷代達賴喇嘛的祕史、達賴六世修雙身法的事蹟，以及《時輪續》中的性交灌頂儀式……等；達賴喇嘛書中開示的雙修法、達賴喇嘛的黑暗政治手段；達賴喇嘛所領導的寺院爆發喇嘛性侵兒童；新聞報導《西藏生死書》作者索甲仁波切性侵女信徒、澳洲喇嘛秋達公開道歉、美國最大假藏傳佛教組織領導人邱陽創巴仁波切的性氾濫，等等事件背後眞相的揭露。作者：張善思、呂艾倫、辛燕。售價250元。

黯淡的達賴—失去光彩的諾貝爾和平獎：本書舉出很多證據與論述，詳述達賴喇嘛不爲世人所知的一面，顯示達賴喇嘛並不是眞正的和平使者，而是假借諾貝爾和平獎的光環來欺騙世人；透過本書的說明與舉證，讀者可以更清楚的瞭解，達賴喇嘛是結合暴力、黑暗、淫欲於喇嘛教裡的集團首領，其政治行爲與宗教主張，早已讓諾貝爾和平獎的光環染污了。 本書由財團法人正覺教育基金會寫作、編輯，由正覺出版社印行，每冊250元。

第七意識與第八意識？—穿越時空「超意識」：「三界唯心，萬法唯識」是佛教中應該實證的聖教，也是《華嚴經》中明載而可以實證的法界實相。唯心者，三界一切境界、一切諸法唯是一心所成就，即是每一個有情的第八識如來藏，不是意識心。唯識者，即是人類各各都具足的八識心王——眼識、耳鼻舌身意識、意根、阿賴耶識，第八阿賴耶識又名如來藏，人類五陰相應的萬法，莫不由八識心王共同運作而成就，故說萬法唯識。依聖教量及現量、比量，都可以證明意識是二法因緣生，是由第八識藉意根與法塵二法爲因緣而出生，又是夜夜斷滅不存之生滅心，即無可能反過來出生第七識意根、第八識如來藏，當知不可能從生滅性的意識心中，細分出恆審思量的第七識意根，更無可能細分出恆而不審的第八識如來藏。本書是將演講內容整理成文字，細說如是內容，並已在《正覺電子報》連載完畢，今彙集成書以廣流通，欲幫助佛門有緣人斷除意識我見，跳脫於識陰之外而取證聲聞初果；嗣後修學禪宗時即得不墮外道神我之中，得以求證第八識金剛心而發起般若實智。平實導師 述，每冊300元。

中觀金鑑—詳述應成派中觀的起源與其破法本質：學佛人往往迷於中觀學派之不同學說，被應成派與自續派所迷惑；修學般若中觀二十年後自以爲實證般若中觀了，卻仍不曾入門，甫聞實證般若中觀者之所說，則茫無所知，迷惑不解；隨後信心盡失，不知如何實證佛法；凡此，皆因惑於這二派中觀學說所致。自續派中觀所說同於常見，以意識境界立爲第八識如來藏之境界，應成派所說則同於斷見，但又同立意識爲常住法，故亦具足斷常二見。今者孫正德老師有鑑於此，乃將起源於密宗的應成派中觀學說，追本溯源，詳考其來源之外，亦一一舉證其立論內容，詳加辨正，令密宗雙身法祖師以識陰境界而造之應成派中觀學說本質，詳細呈現於學人眼前，令其維護雙身法之目的無所遁形。若欲遠離密宗此二大派中觀謬說，欲於三乘菩提有所進道者，允宜具足閱讀並細加思惟，反覆讀之以後將可捨棄邪道返歸正道，則於般若之實證即有可能，證後自能現觀如來藏之中道境界而成就中觀。本書分上、中、下三冊，每冊250元，全部出版完畢。

人間佛教—實證者必定不悖三乘菩提：「大乘非佛說」的講法似乎流傳已久，卻只是日本人企圖擺脫中國正統佛教的影響，而在明治維新時期才開始提出來的說法；台灣佛教、大陸佛教的淺學無智之人，由於未曾實證佛法而迷信日本人錯誤的學術考證，錯認爲這些別有用心的日本佛學考證的講法爲天竺佛教的眞實歷史；甚至還有更激進的反對佛教者提出「釋迦牟尼佛並非眞實存在，只是後人捏造的假歷史人物」，竟然也有少數佛教徒願意跟著「學術」的假光環而信受不疑，亦導致部分台灣佛教界人士，造作了反對中國大乘佛教而推崇南洋小乘佛教的行爲，使台灣佛教的信仰者難以檢擇，亦導致一般大陸人士開始轉入基督教的盲目迷信中。在這些佛教及外教人士之中，也就有一分人根據此邪說而大聲主張「大乘非佛說」的謬論，這些人以「人間佛教」的名義來抵制中國正統佛教，公然宣稱中國的大乘佛教是由聲聞部派佛教的凡夫僧所創造出來的。這樣的說法流傳於台灣及大陸佛教界凡夫僧之中已久，卻非眞正的佛教歷史中曾經發生過的事，只是繼承六識論的聲聞法中凡夫僧，以及別有居心的日本佛教界，依自己的意識境界立場，純憑臆想而編造出來的妄想說法，卻已經影響許多無智之凡夫僧俗信受不移。本書則是從佛教的經藏法義實質及實證的現量內涵本質立論，證明大乘佛法本是佛說，是從《阿含正義》尚未說過的不同面向來討論「人間佛教」的議題，證明「大乘眞佛說」。閱讀本書可以斷除六識論邪見，迴入三乘菩提正道發起實證的因緣；也能斷除禪宗學人學禪時普遍存在之錯誤知見，對於建立參禪時的正知見有很深的著墨。平實導師 述，內文488頁，全書528頁，定價400元。

喇嘛性世界—揭開假藏傳佛教譚崔瑜伽的面紗：這個世界中的喇嘛，號稱來自世外桃源的香格里拉，穿著或紅或黃的喇嘛長袍，散布於我們的身邊傳教灌頂，吸引了無數的人嚮往學習；這些喇嘛虔誠地爲大衆祈福，手中拿著寶杵（金剛）與寶鈴（蓮花），口中唸著咒語：「唵・嘛呢・叭咪・吽……」，咒語的意思是說：「我至誠歸命金剛杵上的寶珠伸向蓮花寶穴之中」！　「喇嘛性世界」是什麼樣的「世界」呢？　本書將爲您呈現喇嘛世界的面貌。當您發現眞相以後，您將會唸：「噢！喇嘛・性・世界，譚崔性交嘛！」作者：張善思、呂艾倫。售價200元。

見性與看話頭：黃正倖老師的《見性與看話頭》於《正覺電子報》連載完畢，今結集出版。書中詳說禪宗看話頭的詳細方法，並細說看話頭與眼見佛性的關係，以及眼見佛性者求見佛性前必須具備的條件。本書是禪宗實修者追求明心開悟時參禪的方法書，也是求見佛性者作功夫時必讀的方法書，內容兼顧眼見佛性的理論與實修之方法，是依實修之體驗配合理論而詳述，條理分明而且極爲詳實、周全、深入。本書內文375頁，全書416頁，售價300元。

實相經宗通：學佛之目的在於實證一切法界背後之實相，禪宗稱之爲本來面目或本地風光，佛菩提道中稱之爲實相法界；此實相法界即是金剛藏，又名佛法之祕密藏，即是能生有情五陰、十八界及宇宙萬有（山河大地、諸天、三惡道世間）的第八識如來藏，又名阿賴耶識心，即是禪宗祖師所說的眞如心，此心即是三界萬有背後的實相。證得此第八識心時，自能瞭解般若諸經中隱說的種種密意，即得發起實相般若—實相智慧。每見學佛人修學佛法二十年後仍對實相般若茫然無知，亦不知如何入門，茫無所趣；更因不知三乘菩提的互異互同，是故越是久學者對佛法越覺茫然，都肇因於尚未瞭解佛法的全貌，亦未瞭解佛法的修證內容即是第八識心所致。本書對於修學佛法者所應實證的實相境界提出明確解析，並提示趣入佛菩提道的入手處，有心親證實相般若的佛法實修者，宜詳讀之，於佛菩提道之實證即有下手處。平實導師述著，共八輯，已於2016年出版完畢，每輯成本價250元。

真心告訴您（一）—達賴喇嘛在幹什麼？這是一本報導篇章的選集，更是「破邪顯正」的暮鼓晨鐘。「破邪」是戳破假象，說明達賴喇嘛及其所率領的密宗四大派法王、喇嘛們，弘傳的佛法是仿冒的佛法；他們是假藏傳佛教，是坦特羅（譚崔性交）外道法和藏地崇奉鬼神的苯教混合成的「喇嘛教」，推廣的是以所謂「無上瑜伽」的男女雙身法冒充佛法的假佛教，詐財騙色誤導眾生，常常造成信徒家庭破碎、家中兒少失怙的嚴重後果。「顯正」是揭櫫眞相，指出眞正的藏傳佛教只有一個，就是覺囊巴，傳的是 釋迦牟尼佛演繹的第八識如來藏妙法，稱爲他空見大中觀。正覺教育基金會即以此古今輝映的如來藏正法正知見，在眞心新聞網中逐次報導出來，將箇中原委「眞心告訴您」，如今結集成書，與想要知道密宗眞相的您分享。售價250元。

法華經講義：此書爲平實導師始從2009/7/21演述至2014/1/14之講經錄音整理所成。世尊一代時教，總分五時三教，即是華嚴時、聲聞緣覺教、般若教、種智唯識教、法華時；依此五時三教區分爲藏、通、別、圓四教。本經是最後一時的圓教經典，圓滿收攝一切法教於本經中，是故最後的圓教聖訓中，特地指出無有三乘菩提，其實唯有一佛乘；皆因眾生愚迷故，方便區分爲三乘菩提以助眾生證道。世尊於此經中特地說明如來示現於人間的唯一大事因緣，便是爲有緣眾生「開、示、悟、入」諸佛的所知所見——第八識如來藏妙眞如心，並於諸品中隱說「妙法蓮花」如來藏心的密意。然因此經所說甚深難解，眞義隱晦，古來難得有人能窺堂奧；平實導師以知如是密意故，特爲末法佛門四眾演述《妙法蓮華經》中各品蘊含之密意，使古來未曾被古德註解出來的「此經」密意，如實顯示於當代學人眼前。乃至〈藥王菩薩本事品〉、〈妙音菩薩品〉、〈觀世音菩薩普門品〉、〈普賢菩薩勸發品〉中的微細密意，亦皆一併詳述之，可謂開前人所未曾言之密意，示前人所未見之妙法。最後乃至以〈法華大義〉而總其成，全經妙旨貫通始終，而依佛旨圓攝於一心如來藏妙心，厥爲曠古未有之大說也。平實導師述，共有25輯，已於2019/05/31出版完畢。每輯300元。

西藏「活佛轉世」制度—附佛、造神、世俗法：歷來關於喇嘛教活佛轉世的研究，多針對歷史及文化兩部分，於其所以成立的理論基礎，較少系統化的探討。尤其是此制度是否依據「佛法」而施設？是否合乎佛法眞實義？現有的文獻大多含糊其詞，或人云亦云，不曾有明確的闡釋與如實的見解。因此本文先從活佛轉世的由來，探索此制度的起源、背景與功能，並進而從活佛的尋訪與認證之過程，發掘活佛轉世的特徵，以確認「活佛轉世」在佛法中應具足何種果德。定價150元。

真心告訴您（二）—達賴喇嘛是佛教僧侶嗎？補祝達賴喇嘛八十大壽：這是一本針對當今達賴喇嘛所領導的喇嘛教，冒用佛教名相、於師徒間或師兄姊間，實修男女邪淫，而從佛法三乘菩提的現量與聖教量，揭發其謊言與邪術，證明達賴及其喇嘛教是仿冒佛教的外道，是「假藏傳佛教」。藏密四大派教義雖有「八識論」與「六識論」的表面差異，然其實修之內容，皆共許「無上瑜伽」四部灌頂爲究竟「成佛」之法門，也就是共以男女雙修之邪淫法爲「即身成佛」之密要，雖美其名曰「欲貪爲道」之「金剛乘」，並誇稱其成就超越於（應身佛）釋迦牟尼佛所傳之顯教般若乘之上；然詳考其理論，則或以意識離念時之粗細心爲第八識如來藏，或以中脈裡的明點爲第八識如來藏，或如宗喀巴與達賴堅決主張第六意識爲常恆不變之眞心者，分別墮於外道之常見與斷見中：全然違背 佛說能生五蘊之如來藏的實質。售價300元。

涅槃—解說四種涅槃之實證及內涵：眞正學佛之人，首要即是見道，由見道故方有涅槃之實證，證涅槃者方能出生死，但涅槃有四種：二乘聖者的有餘涅槃、無餘涅槃，以及大乘聖者的本來自性清淨涅槃、佛地的無住處涅槃。大乘聖者實證本來自性清淨涅槃，入地前再取證二乘涅槃，然後起惑潤生捨離二乘涅槃，繼續進修而在七地心前斷盡三界愛之習氣種子，依七地無生法忍之具足而證得念念入滅盡定；八地後進斷異熟生死，直至妙覺地下生人間成佛，具足四種涅槃，方是眞正成佛。此理古來少人言，以致誤會涅槃正理者比比皆是，今於此書中廣說四種涅槃、如何實證之理、實證前應有之條件，實屬本世紀佛教界極重要之著作，令人對涅槃有正確無訛之認識，然後可以依之實行而得實證。本

佛藏經講義：本經說明爲何佛菩提難以實證之原因，都因往昔無數阿僧祇劫前的邪見，引生此世求證時之業障而難以實證。即以諸法實相詳細解說，繼之以念佛品、念法品、念僧品，說明諸佛與法之實質；然後以淨戒品之說明，期待佛弟子四眾堅持清淨戒而轉化心性，並以往古品的實例說明歷代學佛人在實證上的業障由來，教導四眾務必滅除邪見轉入正見中，不再造作謗法及謗賢聖之大惡業，以免未來世尋求實證之時被業障所障；然後以了戒品的說明和囑累品的付囑，期望末法時代的佛門四眾弟子皆能清淨知見而得以實證。平實導師於此經中有極深入的解說，總共21輯，每輯300元，於2019/07/31開始每二個月發行一輯。

我的菩提路第七輯：余正偉老師等人著，本輯中舉示余老師明心二十餘年以後的眼見佛性實錄，供末法時代學人了知明心異於見性之本質，並且舉示其見性後與平實導師互相討論眼見佛性之諸多疑訛處；除了證明《大般涅槃經》中世尊開示眼見佛性之法正眞無訛以外，亦得一解明心後尚未見性者之所未知處，甚爲精彩。此外亦列舉多篇學人從各不同宗教進入正覺學法之不同過程，以及發覺諸方道場邪見之內容與過程，最終得於正覺精進禪三中悟入的實況，足供末法精進學人借鑑，以彼鑑己而生信心，得以投入了義正法中修學及實證。凡此，皆足以證明不唯明心所證之第七住位般若智慧及解脫功德仍可實證，乃至第十住位的實證與當場發起如幻觀之實證，於末法時代的今天皆仍有可能。本書約四百頁，售價300元。

大法鼓經講義：本經解說佛法的總成：法、非法。由開解法、非法二義，說明了義佛法與世間戲論法的差異，指出佛法實證之標的即是法——第八識如來藏；並顯示實證後的智慧，如實擊大法鼓、演深妙法，演說如來祕密教法，非二乘定性及諸凡夫所能得聞，唯有具足菩薩性者方能得聞。正聞之後即得依於　世尊大願而拔除邪見，入於正法而得實證；深解不了義經之方便說，亦能實解了義經所說之眞實義，得以證法——如來藏，而得發起根本無分別智，乃至進修而發起後得無分別智；並堅持布施及受持清淨戒而轉化心性，得以現觀眞我眞法如來藏之各種層面。此爲第一義諦聖教，並授記末法最後餘四十年時，一切世間樂見離車童子將繼續護持此經所說正法。平實導師於此經中有極深入的解說，總共六輯，每輯300元，於《佛藏經講義》出版完畢後開始發行，每二個月發行一輯。

解深密經講義：本經是所有尋求大乘見道及悟後欲入地者所應詳習串習的三經之一，即是《楞伽經》、《解深密經》、《楞嚴經》三經中的一經，亦可作爲見道眞假的自我印證依據。此經是 世尊晚年第三轉法輪時，宣說地上菩薩所應熏修之無生法忍唯識正義經典；經中總說眞見道位所見的智慧總相，兼及相見道位所應熏修的七眞如等法，以及入地應修之十地眞如等義理，乃是大乘一切種智增上慧學，以阿陀那識—如來藏—阿賴耶識爲成佛之道的主體。禪宗之證悟者，若欲修證初地無生法忍乃至八地無生法忍者，必須修學《楞伽經、解深密經、楞嚴經》所說之八識心王一切種智。此三經所說正法，方是眞正成佛之道；印順法師否定第八識如來藏之後所說萬法緣起性空之法，墮於六識論中而著作的《成佛之道》，乃宗本於密宗宗喀巴六識論邪思而寫成的邪見，是以誤會後之二乘解脫道取代大乘眞正成佛之道，承襲自古天竺部派佛教聲聞凡夫論師的邪見，尚且不符二乘解脫道正理，亦已墮於斷滅見及常見中，所說全屬臆想所得的外道見，不符本經中佛所說的正義。平實導師曾於本會郭故理事長往生時，於喪宅中從首七開始宣講此經，於每一七起各宣講三小時，至第十七而快速略講圓滿，作爲郭老之往生後的佛事功德，迴向郭老早證八地、速返娑婆住持正法。茲爲今時後世學人故，已經開始重講《解深密經》，以淺顯之語句講畢後，將會整理成文並梓行流通，用供證悟者進道；亦令諸方未悟者，據此經中佛語正義修正邪見，依之速能入道。平實導師述著，全書輯數未定，每輯三百餘頁，將於未來重講完畢後逐輯陸續出版。

成唯識論釋：本論係大唐玄奘菩薩揉合當時天竺十大論師的說法加以辨正而著成，攝盡佛門證悟菩薩及部派佛教聲聞凡夫論師對佛法的論述，並函蓋當時天竺諸大外道對生命實相的錯誤論述加以辨正，是由玄奘大師依據無生法忍證量加以評論確定而成爲此論。平實導師弘法初期即已依於證量略講過一次，歷時大約四年，當時正覺同修會規模尚小，聞法成員亦多尚未證悟，是故並未整理成書；如今正覺同修會中的證悟同修已超過六百人，鑑於此論在護持正法、實證佛法及悟後進修上的重要性，擬於2022年初重講，並已經預先註釋完畢編輯成書，名爲《成唯識論釋》，總共十輯，每輯目次41頁、序文7頁、內文370頁；於增上班宣講時的內容將會更詳細於書中所說，涉及佛法密意的詳細內容只於增上班中宣講，於書中皆依佛誡隱覆密意而說，攝屬判教的〈目次〉已經詳盡判定論中諸段句義，用供學人參考；是故讀者閱完此論之釋，即可深解成佛之道的正確內涵；預定將於每一輯內容講述完畢時即予出版，預計每七個月出版一輯，每輯定價400元。

修習止觀坐禪法要講記：修學四禪八定之人，往往錯會禪定之修學知見，欲以無止盡之坐禪而證禪定境界，卻不知修除性障之行門才是修證四禪八定不可或缺之要素，故智者大師云「性障初禪」；性障不除，初禪永不現前，云何修證二禪等？又：行者學定，若唯知數息，而不解六妙門之方便善巧者，欲求一心入定，未到地定極難可得，智者大師名之爲「事障未來」：障礙未到地定之修證。又禪定之修證，不可違背二乘菩提及第一義法，否則縱使具足四禪八定，亦不能實證涅槃而出三界。此諸知見，智者大師於《修習止觀坐禪法要》中皆有闡釋。作者平實導師以其第一義之見地及禪定之實證證量，曾加以詳細解析。將俟正覺寺竣工啓用後重講，不限制聽講者資格；講後將以語體文整理出版。欲修習世間定及增上定之學者，宜細讀之。平實導師述著。

阿含經講記—小乘解脫道之修證：數百年來，南傳佛法所說證果之不實，所說解脫道之虛妄，所弘解脫道法義之世俗化，皆已少人知之；從南洋傳入台灣與大陸之後，所說法義虛謬之事，亦復少人知之；今時台灣全島印順系統之法師居士，多不知南傳佛法數百年來所說解脫道之義理已然偏斜、已然世俗化、已非眞正之二乘解脫正道，猶極力推崇與弘揚。彼等南傳佛法近代所謂之證果者皆非眞實證果者，譬如阿迦曼、葛印卡、帕奧禪師、一行禪師……等人，悉皆未斷我見故。近年更有台灣南部大願法師，高抬南傳佛法之二乘修證行門爲「捷徑究竟解脫之道」者，然而南傳佛法縱使眞修實證，得成阿羅漢，至高唯是二乘菩提解脫之道，絕非究竟解脫，無餘涅槃中之實際尚未得證故，法界之實相尚未了知故，習氣種子待除故，一切種智未實證故，焉得謂爲「究竟解脫」？即使南傳佛法近代眞有實證之阿羅漢，尚且不及三賢位中之七住明心菩薩本來自性清淨涅槃智慧境界，則不能知此賢位菩薩所證之無餘涅槃實際，仍非大乘佛法中之見道者，何況普未實證聲聞果乃至未斷我見之人？謬充證果已屬逾越，更何況是誤會二乘菩提之後，以未斷我見之凡夫知見所說之二乘菩提解脫偏斜法道，焉可高抬爲「究竟解脫」？而且自稱「捷徑之道」？又妄言解脫之道即是成佛之道，完全否定般若實智、否定三乘菩提所依之如來藏心體，此理大大不通也！平實導師爲令修學二乘菩提欲證解脫果者，普得迴入二乘菩提正見、正道中，是故選錄四阿含諸經中，對於二乘解脫道法義有具足圓滿說明之經典，預定未來十年內將會加以詳細講解，令學佛人得以了知二乘解脫道之修證理路與行門，庶免被人誤導之後，未證言證，梵行未立，干犯道禁自稱阿羅漢或成佛，成大妄語，欲升反墮。本書首重斷除我見，以助行者斷除我見而實證初果爲著眼之目標，若能根據此書內容，配合平實導師所著《識蘊眞義》《阿含正義》內涵而作實地觀行，實證初果非爲難事，行者可以藉此三書自行確認聲聞初果爲實際可得現觀成就之事。此書中除依二乘經典所說加以宣示外，亦依斷除我見等之證量，及大乘法中道種智之證量，對於意識心之體性加以細述，令諸二乘學人必定得斷我見、常見，免除三縛結之繫縛。次則宣示斷除我執之理，欲令升進而得薄貪瞋痴，乃至斷五下分結…等。平實導師將擇期講述，然後整理成書。共二冊，每冊三百餘頁。每輯300元。

＊喇嘛教修外道雙身法，墮識陰境界，非佛教＊

＊弘揚如來藏他空見的覺囊派才是真正藏傳佛教＊

總經銷： 聯合發行股份有限公司

231 新北市新店區寶橋路 235 巷 6 弄 6 號 4F

Tel.02－2917-8022（代表號） Fax.02－2915-6275（代表號）

零售：1.**全台連鎖經銷書局：**

三民書局、誠品書局、何嘉仁書店

敦煌書店、紀伊國屋、金石堂書局、建宏書局

諾貝爾圖書城、墊腳石圖書文化廣場

2.**台北市：**佛化人生 **大安區**羅斯福路 3 段 325 號 6 樓之 4　台電大樓對面

3.**新北市：**春大地書店 **蘆洲區**中正路 117 號

4.**桃園市：**御書堂 **龍潭區**中正路 123 號

5.**新竹市：**大學書局 **東區**建功路 10 號

6.**台中市：**瑞成書局 **東區**雙十路 1 段 4 之 33 號

佛教詠春書局 **南屯區**永春東路 884 號

文春書店 **霧峰區**中正路 1087 號

7.**彰化市：**心泉佛教文化中心 南瑤路 286 號

8.**高雄市：**政大書城 **前鎮區**中華五路 789 號 2 樓（高雄夢時代店）

明儀書局 **三民區**明福街 2 號

青年書局 **苓雅區**青年一路 141 號

9.**台東市：**東普佛教文物流通處 博愛路 282 號

10.**其餘鄉鎮市經銷書局：**請電詢總經銷**聯合**公司。

11.**大陸地區請洽：**

香港：樂文書店

銅鑼灣店 :香港銅鑼灣駱克道 506 號 2 樓

電話 : (852) 2881 1150 email: luckwinbs@gmail.com

廈門：廈門外圖臺灣書店有限公司

地址:廈門市思明區湖濱南路809 號 廈門外圖書城3 樓 郵編:361004

電話：0592-5061658（臺灣地區請撥打 86-592-5061658）

E-mail：JKB118＠188.COM

12.**美國：世界日報圖書部：**紐約圖書部　電話 7187468889#6262

洛杉磯圖書部　電話 3232616972#202

13.**國內外地區網路購書：**

正智出版社 書香園地 http://books.enlighten.org.tw/

（書籍簡介、經銷書局可直接聯結下列網路書局購書）

三民 網路書局 http://www.sanmin.com.tw

誠品 網路書局 http://www.eslitebooks.com

博客來 網路書局 http://www.books.com.tw

金石堂 網路書局 http://www.kingstone.com.tw

聯合 網路書局 http:// www.nh.com.tw

附註：1.請儘量向各經銷書局購買：郵政劃撥需要八天才能寄到（本公司在您劃撥後第四天才能接到劃撥單，次日寄出後第二天您才能收到書籍，此六天中可能會遇到週休二日，是故共需八天才能收到書籍）若想要早日收到書籍者，請劃撥完畢後，將劃撥收據貼在紙上，旁邊寫上您的姓名、住址、郵區、電話、買書詳細內容，直接傳眞到本公司 02-28344822，並來電 02-28316727、28327495 確認是否已收到您的傳眞，即可提前收到書籍。 2.因台灣每月皆有五十餘種宗教類書籍上架，書局書架空間有限，故唯有新書方有機會上架，通常每次只能有一本新書上架；本公司出版新書，大多上架不久便已售出，若書局未再叫貨補充者，書架上即無新書陳列，則請直接向書局櫃台訂購。 3.若書局不便代購時，可於晚上共修時間向正覺同修會各共修處請購（共修時間及地點，詳閱**共修現況表**。每年例行年假期間請勿前往請書，年假期間請見共修現況表）。 4.郵購：郵政劃撥帳號 19068241。 5.正覺同修會會員購書都以八折計價（戶籍台北市者爲一般會員，外縣市爲護持會員）都可獲得優待，欲一次購買全部書籍者，可以考慮入會，節省書費。入會費一千元（第一年初加入時才需要繳），年費二千元。**6.尚未出版之書籍，請勿預先郵寄書款與本公司，謝謝您！** 7.若欲一次購齊本公司書籍，或同時取得正覺同修會贈閱之全部書籍者，請於正覺同修會共修時間，親到各共修處請購及索取；**台北市讀者**請洽：103 台北市承德路三段 267 號 10 樓（捷運淡水線 圓山站旁）請書時間：週一至週五爲 18.00~21.00，第一、三、五週週六爲 10.00~21.00，雙週之週六爲 10.00~18.00 請購處專線電話：25957295-分機 14（於請書時間方有人接聽）。

敬告大陸讀者：

大陸讀者購書、索書捷徑（尚未在大陸出版的書籍，以下二個途徑都可以購得，電子書另包括結緣書籍）：

1.廈門外國圖書公司：廈門市思明區湖濱南路 809 號 廈門外圖書城 3F
郵編：361004 電話：0592-5061658 網址：http://www.xibc.com.cn/

2.電子書：正智出版社有限公司及正覺同修會在台灣印行的各種局版書、結緣書，已有『**正覺電子書**』陸續上線中，提供讀者於手機、平板電腦上購書、下載、閱讀正智出版社、正覺同修會及正覺教育基金會所出版之電子書，詳細訊息敬請參閱『正覺電子書』專頁：http://books.enlighten.org.tw/ebook

關於平實導師的書訊，請上網查閱：

成佛之道 http://www.a202.idv.tw

正智出版社 書香園地 http://books.enlighten.org.tw/

中國網採訪佛教正覺同修會、正覺教育基金會訊息：

http://foundation.enlighten.org.tw/newsflash/20150817_1

http://video.enlighten.org.tw/zh-CN/visit_category/visit10

★ 正智出版社有限公司售書之稅後盈餘，全部捐助財團法人正覺寺籌備處、佛教正覺同修會、正覺教育基金會，供作弘法及購建道場之用；懇請諸方大德支持，功德無量。

★ 聲 明 ★

本社於 2015/01/01 開始調整本目錄中部分書籍之售價，以因應各項成本的持續增加。

＊ 喇嘛教修外道雙身法、墮識陰境界，非佛教 ＊

＊ 弘揚如來藏他空見的覺囊派才是真正藏傳佛教 ＊

售後服務—換書啓事(免附回郵) 2017/12/05

《楞伽經詳解》第三輯初版免費調換新書啓事：茲因 平實導師弘法早期尚未回復往世全部證量，有些法義接受他人的說法，寫書當時並未察覺而有二處（同一種法義）跟著誤說，如今發現已將之修正。茲爲顧及讀者權益，已開始免費調換新書；敬請所有讀者將以前所購第三輯（不論第幾刷），攜回或寄回本公司免費換新；郵寄者之回郵由本公司負擔，不需寄來郵票。因此而造成讀者閱讀、以及換書的不便，在此向所有讀者致上萬分的歉意，祈請讀者大眾見諒！

《楞嚴經講記》第 14 輯初版首刷本免費調換新書啓事：本講記第 14 輯出版前因 平實導師諸事繁忙，未將之重新閱讀而只改正校對時發現的錯別字，故未能發覺十年前所說法義有部分錯誤，於第 15 輯付印前重閱時才發覺第 14 輯中有部分錯誤尚未改正。今已重新審閱修改並已重印完成，煩請所有讀者將以前所購第 14 輯初版首刷本，寄回本公司免費換新（初版二刷本無錯誤），本公司將於寄回新書時同時附上您寄書來換新時的郵資，並在此向所有讀者致上最誠懇的歉意。

《心經密意》初版書免費調換二版新書啓事：本書係演講錄音整理成書，講時因時間所限，省略部分段落未講。後於再版時補寫增加 13 頁，維持原價流通之。茲爲顧及初版讀者權益，自 2003/9/30 開始免費調換新書，原有初版一刷、二刷書籍，皆可寄來本公司換書。

《宗門法眼》已經增寫改版爲 464 頁新書，2008 年 6 月中旬出版。讀者原有初版之第一刷、第二刷書本，都可以寄回本公司免費調換改版新書。改版後之公案及錯悟事例維持不變，但將內容加以增說，較改版前更具有廣度與深度，將更能助益讀者參究實相。

換書者**免附回郵**，亦無截止期限；舊書請寄：111 台北郵政 73-151 號信箱 或 103 台北市承德路三段 267 號 10 樓 正智出版社有限公司。舊書若有塗鴨、殘缺、破損者，仍可換取新書；但缺頁之舊書至少應仍有五分之三頁數，方可換書。所有讀者不必顧念本公司是否有盈餘之問題，都請踴躍寄來換書；本公司成立之目的不是營利，只要能眞實利益學人，即已達到成立及運作之目的。若以郵寄方式換書者，免附回郵；並於寄回新書時，由本公司附上您寄來書籍時耗用的郵資。造成您不便之處，再次致上萬分的歉意。

正智出版社有限公司 啓

國家圖書館出版品預行編目(CIP)資料

佛藏經講義 / 平實導師述著. -- 初版.
-- 臺北市 : 正智, 2019.07 面 ; 公分
ISBN 978-986-97233-8-1(第一輯;平裝)
ISBN 978-986-98038-1-6(第二輯;平裝)
ISBN 978-986-98038-5-4(第三輯;平裝)
ISBN 978-986-98038-8-5(第四輯;平裝)
ISBN 978-986-98038-9-2(第五輯;平裝)
ISBN 978-986-98891-3-1(第六輯;平裝)
ISBN 978-986-98891-5-5(第七輯;平裝)
ISBN 978-986-98891-9-3(第八輯;平裝)
ISBN 978-986-99558-0-5(第九輯;平裝)
ISBN 978-986-99558-3-6(第十輯;平裝)
ISBN 978-986-99558-5-0(第十一輯;平裝)
ISBN 978-986-99558-6-7(第十二輯;平裝)
ISBN 978-986-99558-9-8(第十三輯;平裝)
ISBN 978-986-06961-2-7(第十四輯;平裝)
ISBN 978-986-06961-3-4(第十五輯;平裝)
1. 經集部
221.733 108011014

佛藏經講義——第十五輯

著述者：平實導師
音文轉換：蔡正利 黃昇金
校對：章乃鈞 陳介源 孫淑貞 傅素嫻 王美伶
出版者：正智出版社有限公司
電話：○二 28327495 28316727（白天）
傳眞：○二 28344822
111台北郵政73-151號信箱
郵政劃撥帳號：一九○六八二四一
正覺講堂：總機○二 25957295（夜間）
總經銷：聯合發行股份有限公司
231新北市新店區寶橋路235巷6弄6號4樓
電話：○二 29178022（代表號）
傳眞：○二 29156275
初版首刷：二○二一年十一月三十日 二千冊
初版二刷：二○二一年十二月一日 二千冊
定價：三○○元